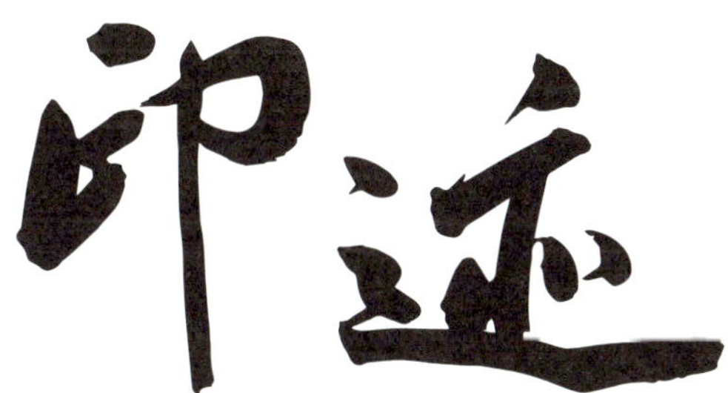

印迹 上卷

——亲历出版传媒人才培养三十年

QINLI CHUBAN CHUANMEI RENCAI PEIYANG SANSHINIAN

刘超美 / 著

人民出版社

目录 CONTENTS

第二篇　人才培养

序

聂 震 宁

立德、立功、立言“三不朽”，是流传古今的至理名言，是中华优秀传统文化所崇尚的人生追求。拜读刘超美同志即将付印的文集《印迹——亲历出版传媒人才培养三十年》（以下简称《印迹》）一书的清样，在感叹作者三十年出版传媒人才培养历程中留下的许许多多深刻印迹之余，忽然就想到了“三不朽”这一流传古今的至理名言。教育事业以立德树人为首要宗旨，一位在学校工作三十年的高校领导，倘能在职业生涯中得到师生们的支持和称赞，尤其是，倘能在职业生涯结束时仍能得到广泛的肯定和不舍，那么，他（她）一定在立德、立功、立言“三不朽”上是有过执着追求和认真实践的。刘超美同志正是这样一位高校领导，她曾是北京印刷学院的党委书记。这是全国唯一一所具有鲜明新闻出版行业特色的出版传媒高校。她在这所高校里整整工作了三十年，为学校的发展和出版传媒人才的培养奉献了自己人生最美好的年华，作出了重要贡献，成为一位在学界和业界广受尊重的领导者、教育家、出版人。读她的文集，联想到她的为人和业绩，真切感受到她在立德、立功、立言上是一直有着自己长期而且执着的追求的。

作为一位高校党委书记，“讲政治、有信念”“讲道德、有品行”和以“立德树人”为己任，当然是其应立必明的“大德”。进入新时代，我国大学将更加强调“大学之道，在明明德”。我们在《印迹》一书中处处可以见到这些闪光的精神。然而，作为一所大学的主要领导，超美同志并不是只谈政治不谈业务。事实上，立德重在务本，“君子务本，本立而道生”，高校的立德树人、改革创新和特色发展乃是最大政治，是一所大学的领导任何时候都不可忘记的责任和使命。于是我们在理所当然读到“党的建设”篇章之外，从卷首开始，就读到了“特色发展”“人才培养”和“改革创新”等三大篇章。“特色发展”，围绕北京印刷学院办学定位，深入研究坚持党的教育方针，坚持印刷、出版、艺术等领域特色办学和特色发展的决策及布局。“人才培养”，围绕立德树人使命、人才强校战略和出版业发展需求，对培育“讲政治、有责任、敢担当、重情怀”的应用型出版传媒人才做出一系列深入思考。“改革创新”，顺应新时代潮流和国家、首都及行业发展需要，提出学校全面深化改革，开拓创新发展，推进学校与政府、企业等方面的密切协作，最大限度地整合资源，发挥潜能，调动各方面积极性，以凝聚人心，促进发展的思路与举措。“党建工作”则是作者多年来在党建研究和高校思想政治工作的创新做法和经验总结，也是全书的压轴篇。读罢全书，我们会有高校领导很强的实务感，获得了对当前高校领导工作全面而真实的认识和理解。古人认为“耳闻之不如目见之，目见之不如足践之”，“立德”的价值要在“立功”的实现中去检验，“立功”是“立德”的试金石。全书 60 万言，称得上是一部当代出版传媒大学的建设史，一部当前出版传媒人才的培养史，当然，也可以看成是一位大学领导跨越三十年的奋斗史。一书在手，会让许多读者特别是身在高校的读者大有切实、丰饶、厚重之感。

作为一位长期从事高校管理工作的负责人，超美同志在即将退休之日竟然能拿出如此厚重的一部书稿，委实让我吃惊不小。在我的印象中，她是一位端庄朴实的女性。端庄，一如她的为人品行；朴实，乃出于她勤恳务实的作风。认识她的人，只要不带偏见，相信都会认为这是一位一心追求“立德”“立功”的好领导。然而，不曾想，她竟能在繁忙的工作之余，还有如此用心，将自己多年来的文稿保存得如此之好，整理得如此认真，其中还有许多独到的见解和闪光的语言，在“立言”上她也能做得如此之好。我想，这是她对自己三十年职业生涯的珍视，更是对自己所热爱的事业的负责，是与同事们一番语重心长的交心。为此，更加让我们感受到超美同志强烈的事业心和责任感。

作为本书最早的读者之一，我还要向诸位读者特别推荐书中最让我感动的两篇文字。一篇是刘超美书记写于 2017 年 12 月 6 日的在离任大会上的演讲稿《不忘初心　感念北印　祝学校明天更美好》，那是一位行将告别工作过三十年学校的老领导的依依惜别，殷殷嘱托，然而言简意赅，情真意切，意境高远。还有一篇是书末附录《亲历雪域天路》，写于 2006 年 7 月 1 日，原是为庆祝青藏铁路通车而作，那是一篇至真至善的散文，真实细致地记录了 1976 年 2 月，一位叫做刘超美的解放军女兵应征入伍，然后奔赴西藏那段艰苦而难忘的历程，让我们真切地感受到这位年轻女兵纯净的心灵，青葱而美丽。文中这样感慨道：“有一种生活，如果你未曾经历过，就不知道其中的艰辛；有一种艰辛，如果你没有体会过，就不知道其中的快乐；有一种快乐，如果你不曾拥有过，就不知道其中的纯粹；有一种纯粹，如果你不曾感受过，就不知道其中的圣洁。”多么纯美的文字！多么真切的感受！作者把这两篇文字编排在书末，顿时升华了我们对她的人生的认识：正因为有过《亲历雪域天路》，我们才能理解《不忘初心　感念北印　祝学校明天更美好》演讲者不改的初心；而正因为读了《不忘初心　感念北印　祝学校明天更美好》，我们才能认识到《亲历雪域天路》那位年轻美丽的女兵终于走向自己壮丽辉煌的人生顶峰。

今年正值北京印刷学院办学 60 周年，超美同志的文集《印迹》出版可谓正当其时。文集从不同视角记录了一个具有鲜明特色的出版传媒高校不断创新发展的足迹，也从不同层面记录了北京印刷学院在出版传媒业人才培养上所作的贡献。此书无论对相关高校开展出版传媒人才培养和党建思政工作，还是对在校大学生的勤学修德，提升职业能力等方面，都具有一定的指导和借鉴意义。我作为长期从事出版工作的老出版人，又有幸担任过北京印刷学院新闻出版学院的特聘院长，受超美同志之托为此书作序，写下以上文字，并以此向北京印刷学院校庆献礼，向超美同志致敬！

2018年8月31日

（聂震宁：第十、十一、十二届全国政协委员，曾任中国出版集团公司总裁、北京印刷学院新闻出版学院院长，现为韬奋基金会理事长、中国出版协会副理事长）

前　言

本书取名《印迹》有两层含义：一是探巡北印办学的道路和出版传媒人才培养的规律；二是回顾总结我在北印30年的思想和工作轨迹。为出这本书我犹豫了很长时间，因为所列内容都是分内工作和往日的记录。但一想到今年是我国改革开放40周年，也恰逢北印办学60周年校庆，总想应该献上点什么。经过前期梳理，在鞠华等同志的辛勤协助下，这本专集终于完成了，权当对北印的一份献礼吧！“多少事，从来急；天地转，光阴迫；一万年太久，只争朝夕！”说干马上干。在整理书稿的过程中，唤起我许多尘封心底的往事，深感印院的今天来之不易，是历届领导班子带领广大师生艰苦创业、艰辛发展的结果，愈发感念在我工作成长过程中曾经给予指导和帮助的历届领导和广大师生，是你们的扶持和厚爱让我不断进步和有所作为！

在此，衷心感谢为本书出版付出辛苦的人民出版社副总编陈鹏鸣先生、责任编辑吴继平先生；十分感谢北京印刷学院同事鞠华、何劲松、陈丹、张养志、高杨文、王晓林、严晨、张文红、李柴非、韩生华等，以及雷京、蔡晓宇等曾经的同事。特别感谢韬奋基金会会长聂震宁教授为本书作序，他担任北印新闻出版学院特聘院长期间，对学校发展定位设计和特色人才培养给予我的大力支持，让我永远铭记在心！感谢我校优秀毕业生黄朝（现就职于中南传媒集团，湖南省青年书法家协会副主席）为本书挥毫题字！感谢中国编辑学会会长郝振省、副会长乔还田为本书的宝贵建言！你们的辛苦付出，让我的工作心得体会得以汇集成书，得以与大家分享交流！

不忘初心，方得始终！回顾自己42年的工作历程，11年的西藏军旅生活让我学会了坚强执着，常驻心中的是“特别能吃苦、特别能忍耐、特别能战斗、特别能奉献”的老西藏精神。作为一名党培养多年的高校领导干部，我对高校党的建设工作因信仰而执着，因热爱而眷恋。所思所想，就是要把自己对马列主义、毛泽东思想、邓小平理论、“三个代表”重要思想、科学发展观、习近平新时代中国特色社会主义思想的信仰落实到教书育人、立德树人的具体行动当中去。每当看到一批批青年教师成长为领军人才、一批批青年干部挑起工作大梁、一届届青年学子成为行业骨干，内心就有一种说不出的骄傲和自豪！

此书共收录131篇文章，其中理论文章36篇，其余大部分都是工作讲话，不少文章是班子集体智慧的结晶。由于水平有限加之过去没有注意适时积累，不少一手资料（图片）已无处寻觅，收录的内容也有不少不成熟之处，也算是一种缺憾吧。如果这本书能够为北印的建设、发展和出版传媒人才培养提供一定参考，那将是我十分欣慰的事。

最后，真诚地希望广大读者对本书多加指正！

刘 超 美
2018年6月于北京

第一篇

DI YI PIAN

特色发展

赴西北高校学习考察的几点体会*

2001年9月18日至23日，我参加了由北京市委教工委组织的部分高校组织部长赴西北的学习考察活动。考察期间，我们与陕西省委教工委和甘肃省委组织部、省教育厅以及部分重点高校组织部长进行了座谈，听取了两省近几年来高等教育改革发展的总体情况的介绍，重点了解了他们在新形势下如何加强和改进高校党建和思想政治工作的经验和做法。我们还对西安交通大学、西北大学、西北工业大学、兰州大学等4所高校的党建工作进行了实地考察。当地同志对我们的来访非常重视，均做了充分的准备，并对北京市委教工委定期组织各高校组织部长外出考察的做法十分赞同。

这次考察使我开阔了眼界，拓宽了思路，可以说受益匪浅。我深深感到：尽管首都高等教育从总体上已走在全国前列，可西北地区高等院校的工作却有许多值得我们学习和借鉴的地方。特别是在同这几所高校的组织部长就目前高校组织工作中的一些难点和热点问题的交流过程中，感到他们在探索如何做好新形势下的组织工作方面有许多鲜活的经验。

党中央、国务院“开发大西北”的战略给西北高等教育带来了新的历史发展机遇，“科教兴国，教育为本”已成为西北人上下的共识，并在

---

* 这是刘超美2001年9月赴西北高校学习考察心得，发表于《北京教育（高教版）》2002年第2期。

西北经济发展中得到充分体现。

我们这次参观访问的学校都是进入国家“211 工程”的重点大学，有很强的实力，与北京的重点大学几乎没有什么差别，区域经济发展的不平衡并没有影响西北高等教育的快速发展。走在校园里，感觉不到这是西北的高校，反而有一种“世外桃源”之感。我们参观了西北工业大学的几个国家级重点实验室，其现代化水平应当说在北京也是领先的。这些学校的领导都谈到，省委领导非常重视高等教育工作，每年召开高校领导干部会议，省委书记、省长都亲自到会并讲话。此外，省领导还采取联系高校一个单位或一个党支部等方式加强和高校的直接联系，帮助解决了许多实际问题。例如，在连续 3 年的高校扩招过程中，陕西省委、省政府为这些高校扩建校园以及解决学生住宿等问题提供了强有力的政策支持和物质帮助。目前，这些学校扩招后都比较好地解决了教室和学生住宿问题。西安交通大学的同志讲：“1995 年百年校庆以来我们发展很快，这与陕西省委、省政府的大力支持是分不开的。”省委书记曾说过：“把西安交大建成世界一流大学是我们的历史责任，也是中西部地区，尤其是陕西人民所企盼的。”省长曾专程到教育部与陈至立部长研究如何支持西安交通大学发展的问题。省委、省政府还经常派出调查组来西安交通大学调研，并就如何支持学校发展，加大投入力度，给予政策上的有力支持等问题提出意见和建议。

近几年来，西北高校在新形势下加强和改进党的建设和思想政治工作方面有不少新做法新经验。在高等教育面向新世纪、迎接新挑战的大形势下，都非常注重紧紧围绕学校奋斗目标，全面加强高校党的建设，比较突出的做法有以下几方面：

1. 积极探索“党委领导下的校长负责制”的有效实现形式，努力发挥好党委总揽全局、协调各方的作用。兰州大学党委在这方面作了积极的探索。他们首先在领导班子中开展了如何正确认识和理解“党委领导下的校长负责制”的讨论，从思想认识上解决问题。通过研讨，大家认为“党委领导下的校长负责制”应包含 3 个主要方面，即决策、决策的实施、实施过程的监控与信息反馈。坚持和实现“党委领导下的校长负责制”应着力建立决策科学、运行高效、保障监督有力的工作格局。在探索“党委领导下的校长负责制”的具体实现形式上，他们主要从以下四个方面进行了实践：一是把“总揽全局抓决策，确保重大决策不失误”作为党委的首要任务；二是全面协调抓保障，支持校长依法行使指挥权，确保学校高效运行；三是民主办学抓监督，建立有效的保障与监督体系；四是固本强基抓党建，重点抓好领导班子建设。

2. 以“三个代表”重要思想为指导，结合高校新情况，进一步明确党建工作的指导思想和总体要求。陕西省共有39所高校，其中部属7所。近几年来，陕西省委按照党的十五大的要求，以“三个代表”重要思想为指导，认真研究和分析高校党建和思想政治工作面临的新形势、新挑战，在广泛调研的基础上明确提出：要在创新、突破、扩大覆盖面上下功夫；通过强化薄弱环节，实现党建难点工作的突破。

2000年下半年，陕西省委教工委利用半年时间对全省所有高校党的建设的现状进行了调研，在此基础上于2001年年初召开了全省高校党建工作会议。省委书记、省长分别在会上作了报告。这次会议全面深入地分析了陕西高校基层组织建设中存在的主要问题，制定了《加强和改进高校党的基层组织建设的若干意见》《陕西高校基层组织重点工作实施方案》。这两个文件提出了以机制创新为主线，以提高党内组织生活质量为突破口，进一步开创了基层党建工作新思路。

3. 开辟党建工作新天地，把建立民办高校党的基层组织工作摆上议事日程。陕西省现有民办高校66所，与全国其他省份相比，陕西省民办高等教育的发展是较快的。省委组织部、省委教工委要求民办高校基层党组织设置不留空白点，按照“先组建，后规范”的工作方针，于1999年4月下发了《关于民办高校党组织设置的意见》，同年11月下达了民办高校党组织负责人的任命书。

2001年年初，省委教工委召开了民办高校党建工作会议。会上，有4所民办大学介绍了党建工作的经验；省委教工委要求民办高校党组织的工作要以活力为基础，以机制创新为突破口，以提高民办高校党建工作水平为目的。会后，他们又及时对全省民办高校的党组织负责人进行了培训。

4. 制定措施，把省、校两级领导班子成员联系高校教师党支部制度落到实处，收效明显。为了加强高校教师党支部建设，并直接掌握高校教师思想动态的第一手资料，增强思想政治工作的针对性、实效性，陕西省委教工委建立了领导联系教师党支部制度。具体做法是：定期参加联系党支部的组织活动；了解教师党员对党的大政方针的认识；听取他们对省里工作的意见和建议。当我问到这个制度的落实情况时，有关高校组织部长说："省级领导基本上一个学期来校一次，我们将联系情况呈报上级组织部门。"据介绍，省教委某位领导联系的一个教研室党支部基本上是由年轻的硕士和博士党员组成。2001 年，他来校参加组织生活，直接听取了这些高学历、高职称党员教师的意见和建议，有些意见、建议是他平时很难听到的。这不仅对教委和他本人的工作是个促进，也对加强高校教师党支部建设起到了非常重要的推动作用。各高校党委成员联系基层党支部的制度也都检查有方，落实较好。甘肃省委也建立了省委主要领导联系高校的制度。两省除了省级领导有联系高校的固定渠道外，还有一套检查联系情况的具体办法。这些措施进一步密切了干群关系，也有利于决策的科学化、民主化。

5. 积极推进干部制度改革。两省高校在干部队伍建设上，明确提出了要像建设学科带头人队伍一样来建设干部队伍。在干部制度改革方面，他们根据现在校级领导干部年龄逐渐年轻化的发展趋势，明确提出：校级领导干部在一地任职最长不超过两届，任满两届考核合格者异地交流；从 2000 年开始已实现校级领导干部考察预告制和任前公示制；在考察校级干部时，省纪委要同时对被考察对象进行廉政鉴定；相当一部分高校常委会讨论决定干部问题已经实行"票决制"；学校关键处级岗位（如基建处长）面向全省招聘；关键处级岗位（计财处长）进行校际交流。西北工业大学面向社会招聘基建处长。他们认为学校"十五"期间基建任务繁重，花一定的人力、物力招聘一个好的基建处长是“百年大计”，值得。

西安交通大学注意加强对干部考核工作的研究，努力探索建立适应高校特点的科学的考核指标体系和方法。为此，他们专门成立了校考核工作办公室，安排专人对高校院系级领导班子考核问题进行研究。他们认为，高校干部的考核内容应紧密围绕“一个中心”和“三大职能”来设计。考核工作的关键，一是要制定一套符合高校特点的指标体系；二是要找到一种简便、科学、易行的考核方法，这种方法应是“少数人忙，多数人不忙”，为此，他们用半年时间制订了《西安交通大学学院考核指标体系》。该指标体系包含教学、科研、师资队伍建设、学科建设、学生工作、党建思想政治工作几个方面，比较具体，易于操作。

6. 唱响网上主旋律，开拓育人新领域。近两年来，面对迅速发展的互联网，西北工业大学充分利用这个现代化的信息资源，积极抢占网络阵地，唱响网上主旋律，开拓育人新领域，逐步构建“导、管、建”网上思想政治教育工作体系，有计划、有重点地建设了 7 大网站，构建思想教育新平台，初步形成网上思想政治教育的规模效应。这 7 个网站分别是：由党委组织部、党校建立，以党建工作为特色的“红土地”网站；由党委宣传部负责建设的以介绍中华传统文化和传播时事新闻为特色的“视窗”网站；由校党委与中共陕西省教工委合办，以学习和研究科学理论为特色的“邓小平理论信息资料库”网站；以弘扬校园文化、加强精神文明建设为特色的“校园文化空间”网站；以大学生教育与管理为特色的“学生之友”网站；以学生社团活动和社会实践为特色的“青春驿站”网站；由党委办公室和校反邪教协会主办，以拒绝邪教、崇尚科学为主旨的“反邪教”网站。“校园文化空间”网站设有“信息公告”“开放论坛”“学习天地”“博览书院”“影视天地”“个人主页基地”等栏目，是其中最大的一个网站。这些网站很受学生欢迎。

7. 高度重视对外学术交流。针对西北处地偏僻，科技相对落后的情况，兰州大学要求每个专业每年必须从发达地区高校或科研企事业单位聘请2至3名专家、学者来校讲学，并设立专项经费给予保证。

以上是我这次西北之行的几点粗浅的体会。西北一行，使我回味无穷……我真正地感到：只要走出去，就能看到一片新天地。

关于北京高校服务首都文化创意产业的思考*

党的十七届六中全会提出要将首都建设成国际文化中心的目标，标志着首都文化建设进入一个更高、更新、更快的发展阶段：人民生活全面转型，消费结构升级，北京文化创意产业逐步发展成为首都的战略性支柱产业。北京市委十届十次全会通过的《中共北京市委关于发挥文化中心作用　加快建设中国特色社会主义先进之都的意见》中提出："到 2020 年，文化创意产业增加值占全市地区生产总值的比重力争达到 18%，整体实力和国际竞争力位居全国前列。"作为国家历史文化名城和全国的科技、教育和文化中心，北京拥有众多一流综合性大学和艺术类大学，为首都文化创意产业的发展奠定了雄厚的人才基础，资源优势十分显著。

一、北京高校服务首都文化创意产业的独特优势

文化是民族的血脉，是人民的精神家园，是城市发展进步的灵魂。从文化与艺术的角度考察，文化创意产业是指在当代电脑数字技术、网络、传播媒介高度发达的前提下，以文化艺术与经济的全面结合为自身特征，以满足人们的精神文化娱乐需求，向大众提供文化、艺术、精神、心理、娱乐产品为目的的新兴文化艺术产业。艺术教育是文化创意产业的源头和

* 这是刘超美撰写的 2011 年领导干部理论文章。

基础。最早提出文化创意产业概念的英国专家就把文化创意产业界定为与艺术紧密联系的产业，并将它称作“艺术与文化产业”。北京高校在文化与艺术领域的教育资源具有得天独厚的先天优势。

1. 北京高校文化创意专业优质教育资源居于全国首位

北京地区是全国高等教育资源，尤其是优质高等教育资源最为密集的地区；教育科研实力最为雄厚，科研经费投入最多，科研成果数量最为丰富；高等教育普及化程度最高，在全国率先实现了区域高等教育普及化。

根据北京市教委2010年统计数据，地处北京的普通高校有92所（包括8个分校或职业技术学院），其中包含市属高校20余所，这20余所市属高校中有9个文化创意类特色突出的市属院校。其中原属文化部后划归北京市的艺术类高校4所，它们分别是：北京舞蹈学院、中国戏曲学院、北京电影学院、中国音乐学院。这4所高校在相关文化艺术行业领域当属全国顶尖的培养艺术人才的学府和传播文化艺术的国家梯队。而原属国家新闻出版总署的北京印刷学院在培养印刷出版、艺术设计等传媒类人才方面，也是在国内外富有影响的亚洲唯一一所印刷出版大学。原属纺织工业部的北京服装学院则是在国内外具有影响的培养服装设计行业人才的重点高校，2008年奥运会各类服务人员的服装几乎都是该校师生设计的。

作为国家文化艺术中心的首都北京，文化艺术类高校的学术、教育、科研资源在全国是首屈一指的，除了一些相关行业部委原属的艺术、设计、传媒类高校划归北京属地化管理外，还有隶属教育部的占更大比例的培养文化创意类人才的高校也在北京发挥着为文化创意产业培养人才、服务社会、传播文化的功能，如中央美术学院、中国传媒大学、中央戏剧学院、清华大学美术学院、北京大学、中国人民大学、北京师范大学、中央民族大学等等。

2. 高等院校通过人才培养，促进首都文化创意产业科学发展

艺术教育是文化创意产业的源头和基础，要做大做强文化创意产业，就必须以文化创意人才队伍建设作为突破口。作为全国文化创意教育资源和创新资源的密集区，很多首都高校都开设了文化创意产业的相关专业课

程，在北京文化创意产业中发挥了较大影响和作用。据统计，北京 92 所普通高校中，具有艺术类学科和专业的高校有 28 所，综合性院校开设艺术类专业的有 17 所，如北京大学、清华大学、中国人民大学等；行业性院校开设艺术类专业的有 6 所，如中国传媒大学、北京服装学院、北京印刷学院、北京建筑工程学院等。

高校培养的文化创意产业人才具备以下基本特质：一是富有创新精神。高校的学生一般都是正值人生中创新意识强、精力充沛的年华，很多具有一技之长的艺术类学生在大学时代即开始以文化创意技术为基础开始创业。以北京印刷学院为例，2011 年 9 月学校成立的大学生创新创业园，共接收大学生创业项目申请 6 项，均为艺术类在校或刚毕业学生申报，以手工艺术品制作、动画制作、包装设计、广告制作为主；二是灵敏的嗅觉和悟性。高校培养的文化创意人才相对社会人员素质较高，且经常接受教师的培养和熏陶，接触世界先进文化创意理念，接受新鲜事物较快，具有灵敏的嗅觉和悟性；三是良好的团队精神，高校学生更需要团队力量，更多地依靠老师和同学的帮助，更具有较强的团队创作力。

3. 高等院校通过科技创新，推动首都文化创意产业高端发展

在北京的文化创意产业中，新闻出版、广播电视电影、软件网络及计算机服务，特别是多媒体艺术设计和与信息产业密切相关的网络、增值业务等，在科技创新促进文化产业发展过程中至关重要。在北京市 30 个文化创意集聚区里，同时具备科技创新能力和文化艺术氛围的园区并不多见。而高校，特别是综合性院校和行业性院校，能够将现代科技与艺术表现形式更加紧密地结合，从而通过科技创新推动首都文化创意产业向高端发展。

比如，北京印刷学院设计艺术学院充分将现代图文信息处理技术和中国传统文化相结合，打造多款多媒体艺术精品，参加数届“莫必斯”多媒体光盘国际大奖赛。它是世界多媒体电子出版物的一项盛大赛事，代表了当今国际电子出版和多媒体艺术的最高水平，对数字化多媒体事业发展起到了良好的推动作用。2006 年由该校多媒体艺术工作室创作、人民教

育电子音像出版社出版的多媒体作品《盛世钟韵》，获得第十四届“莫必斯”大奖赛最高奖项。

4. 高等院校通过提供社会服务，推动首都文化创意产业快速发展

高校通过产学研结合，建立一批孵化基地，为文化创意产业的发展提供局部优越的机制体制环境，充分利用高校的人才、技术和设备优势，服务文化创意企业进行创业。高校拥有相对比较宽松的环境和人才、学科优势，实施“产学研”一体化的教育模式，推进产学研的合作教育，企业、学校、研究机构联手合作，促进文化创意产业知识原创性成果转化为现实的生产力，推进文化创意产业市场化和社会化。主要途径有以下几种：

一是通过建设大学科技园，提供相对优惠的条件，吸引一批文化创意初创企业入驻，辐射到北京市文化创意产业聚集区。目前，处于北京市文化创意产业聚集区附近的、具有文化创意企业的大学科技园有北大科技园、清华科技园、中国人民大学文化科技园、北京师范大学科技园、北京印刷学院大学科技园等。特别是中国人民大学文化科技园，是我国第一家依托大学建设的文化创意产业园区，2010 年园区企业年收入总额 188. 5 亿元，地区增加值达 28. 8 亿元，单位面积收入在所有大学科技园中位列第一。

二是充分利用高校人才、技术和设备优势开展社会服务。积聚在高校附近的文化创意企业，可通过与高校进行充分的人才互动，如企业可聘请高校知名教授到企业指导工作，也可以雇佣初出茅庐的大学生进行实习实践；同时高校拥有相对先进的技术水平和设备，对社会开放，提供企业实用，如中关村开放实验室和首都科研条件平台等。

5. 高等院校通过文化传承创新，带动首都文化创意产业持续发展

文化传承是文化创意产业的根基，文化创新是文化创意产业的源泉。一方面，高校要通过传承先进文化，把国内外健康的、科学的、高尚的文化信息，通过文化创意产业传播给大学生以及人民群众，如通过文化创意产业的表现形式，弘扬时代主旋律，开展群众文化活动。另一方面，高校要在对本民族文化资源的开发和对外来文化的引进基础上，不断创新，通

过文化创意产业，推动重要思想、观念和精神的传播，特别是对大学生的传播。因此，从这个意义上来讲，高校不仅是文化创意产业的供体，同时也是文化创意产业的受体。

如 798 艺术区的兴起与紧邻的中央美术学院的文化传承创新作用是分不开的。798 艺术区曾是中央美术学院迁址的过渡中转地，雕塑系租用闲置仓库作为雕塑车间，从而逐渐汇集来自全国乃至世界艺术家的作品，进而带动艺术区周边艺术家源源不断地加入，引导群众以文化的眼光看待 798 艺术区存在的合理性。798 艺术区既是中国高校艺术家学习借鉴西方艺术文化产业经验的产物，也是当代中国文化觉醒与文化创造的产物。

二、当前北京高校服务首都文化创意产业存在的主要问题

1. 文化创意人才培养知识结构单一、缺乏融合性

北京高校虽然在文化创意教育方面走在全国前列，但仍有不尽合理之处。如知识结构单一，许多艺术类学生不能充分利用信息技术从事文化创意活动，许多工科学生缺乏人文和艺术素养，科学文化学养积累不够，知识体系落后，无法跟上文化创意产业发展脚步，很多高校对市场反应的灵敏度不够。

2. 文化创意产业跨学科研究力量整合不够

文化创意产业是一个既包罗文化学、管理学、经济学、社会学、心理学、传播学等社会科学知识，又包括电子信息技术、媒体传播技术等自然科学在内的综合性产业。高校开展文化创意产业相关科研工作基本上处于单一学科研究的状况，跨学科的研究较少。

3. 文化创意成果转化缺乏市场渠道

缺乏市场意识，艺术类创意市场转化能力弱。由于高校文化的特点，大部分教师和学生对文化创意市场较为陌生，对市场缺乏敏感度，投融资

能力较差，风险控制能力不高，造成高校有好的成果，但无法直接对首都经济和社会发展发挥作用。

4. 服务区域文化创意产业的意识较弱

高校文化创意产业园区对首都文化创意产业聚集区影响有限。尽管有一部分高校科技园区处于 30 个首都文化创意产业聚集区范围内或者在其附近，但是鲜有高校或科技园区积极主动参与聚集区的建设。这同样也体现在对政府政策制定的影响力上。

三、提升北京高校服务首都文化创意产业能力的思考

1. 提高北京高校服务首都文化创意产业人才培养的自觉性

北京是全国政治、经济、文化乃至教育发展的中心，在文化建设方面，有着得天独厚的条件。地处首都的近百所大学，以其完备的学术资源和丰厚的文化底蕴，既可为首善之区经济社会发展提供具有高素质的创新型人才和技术支持，又可在首都文化建设方面作出非常重要的贡献。所以，我们应该充分认识到，首都高校在首善之区文化建设中具有不可替代的作用，它们是首善之区文化大繁荣大发展的重要力量。

2. 北京高校应注重“京味文化”底蕴的积淀

北京发展文化创意产业离不开北京本土传统文化的滋养。北京作为我国的首都，从历史至今，长期以来形成了其独有的首都文化。首都文化以历史悠久的北京地域文化为基础，反映着中国与时俱进的城市文明。因而是荟萃全国各民族精华的中国特色社会主义文化；是传承往昔、面向未来、面向世界，兼收并蓄人类社会精神营养的文化；是体现首都地位，发挥首都功能，通过首都价值服务全国的文化；是经典文化与民间文化，公益文化和产业文化交相辉映、相得益彰的文化；是高质量的文化创新生产力队伍，凭借厚重的文化内容，宏大的文化消费，现代科技的载体形式，显著的中心市场功能，突出的辐射和影响能力提供精神产品和精神服务的

文化；是具有政治文明、科学力量、人文思想和文化经济的品质，不断向社会进步注入活力的文化。北京高校具有得天独厚的地缘优势，在首都文化的熏陶中自然要注重“京味文化”的积累和建设，要根据自身的学科特点加大对有关北京历史文化等软课题的投入力度，要将“北京精神”融入到大学生的思想政治等人文课程中。

首都文化博大精深。它既涵盖着北京区域内文化资源和文化现象，却又淡化区域的狭隘局限；有着对驻北京的中央和国家机构、部队和社会团体、各种所有制与经济成分人群的开放胸怀，并且保持面向各国、各地、各民族沟通交流的渠道；显示包容性、权威性、丰富性、经典性、广泛性和先进性特点，成为中国特色的文化思想、文化行为、文化产品，文化服务、文化活动的发端处或辉煌地，彰显“首善”的光彩；全方位、高水准地体现中国风格、华夏气派、东方神韵，并且成为国际文化交流、文化展示与文化贸易的中心平台。北京高校在服务首都文化创意产业中也要注意扩大胸怀、拓展思维空间，要强调首都概念，打破体制框框，海纳百川、兼容并包，将一切优质的文化资源予以整合。

在北京文化的保护和发展方面，有两个问题值得高校思考。其一，如何协调现代化追求与古都风貌保护之间的关系，保持“京味”文化的个性。其二，如何进一步拓展北京文化的包容性和开放性，凸显“京味”文化的张力。首都高校是知识集中、文化浓厚、人才汇聚的地方，在首善之区文化建设工程中理应发挥智库作用。首先，高校应提倡文化自觉，运用历史唯物主义的观点、方法，思考北京文化的源流和规律，并在发现其优点和不足的基础上，自觉地谋划地域文化未来发展方向。其次，高校应当将北京文化建设工作纳入学科建设和人才培养过程中，高度重视服务于首善文化建设的人才培养。再次，政府应将首都校园高雅文化建设纳入首善文化建设规划中，高校也应当将校园文化放到与学科建设、人才培养、科学研究同等重要的位置上，给予高度重视，发挥其在北京文化现代化进程中的推动和导向作用。

高校应充分发挥学科整合优势，积极整理和挖掘北京优秀的历史文化

传统，并通过开设“京味”课程，传承带有浓郁特色的北京文化。北京高校应关注具有悠久历史的京味文化及现代化，利用教育部和北京市哲学社会科学重点研究基地的学术平台，在发掘、保护、创新方面发挥其学科整合和学术研究的优势，通过开设“京味文化”课程、编写教材和读本，培养传承、创新北京文化的专门人才。

3. 政府应实施高校参与首善之区文化建设的鼓励性政策

政府应充分认识大学对社会文化的引领作用，加大对高校哲学社会科学研究和校园文化建设的投入力度。政府应积极搭建高校和社会之间文化交流的平台，采取政策咨询、人才培养、学者参与、合作研究、工程委托等引智方式，加大对高校参与社会文化建设的推动力度。

由于受传统大学理念和教育思想的影响，相对于人才培养、科学研究、社会服务等职能，中国高等教育在引领社会先进文化发展方面所做的工作要少得多。政府应采取各种措施，加大对高校参与社会文化建设的推动力度，发挥大学在人文北京建设中的重要作用：一是要积极搭建高校和社会之间文化交流的平台，采取政府投入、高校搭台、专家谋划、社会获益等模式，联合举办各种专题的文化高层论坛，实现高校哲学社会科学成果向首都社会文化建设领域转化；二是要加大对教育部、北京市哲学社会科学重点研究基地投入的力度，通过政策咨询、项目委托、合作研究等方式，加强对人文北京建设和首都文化发展的顶层设计；三是要实施政府和高校联合培养文化高端人才计划，采取政府管理者入学培训、高校学者政府兼职等互动方式，打造北京高素质的文化管理队伍。

政府应该重视高校在引领和推动北京文化产业发展中的“推进器”和“孵化器”作用。一方面，要用倾斜性的政策导向推动高校文化产业的健康发展，以此引导并提升北京城市文化产业发展的水平；另一方面，要将北京城市文化产业发展的相关信息主动及时地反馈给高校，推动高校文化产业学科及其人才培养模式与文化产业市场的有效互动。

4. 北京高校要主动投身于首都文化创意产业建设之中

高校是中华传统文化、人类先进文化积累和传承的地方，特别是北京高校，在近现代史有文化自觉的优良传统，是引领全国先进文化发展的重要阵地。因此，北京高校应该树立明确而坚定的文化目标，其中包括大学文化目标、校园文化目标和文化服务目标；要有充分的文化自觉和有效的文化传承理念和措施，并在文化传承的基础上积极创新；要积极弘扬先进文化，发挥其对社会文化的影响力，保持对社会中泛滥的流俗文化的批判作用。北京高校服务首都文化创意产业的功能还表现在实践的层面上，即将富有底蕴的校园文化逐步推及社会各个层面，使之与社会文化结合，形成充满活力的首都时代精神和城市风貌。因此，高校应高度重视校园文化与社会文化之间的互动关系，积极参与社会文化的建设工作。

提高高校文化设施的开放程度，高校博物馆、图书馆、影剧院应当建立与社会相应文化事业机构的联系与沟通，并为北京市民的文化生活提供更好的服务，政府可以采取一定补贴形式鼓励高校为区域文化建设服务。一些文化艺术类行业特色突出的北京高校的文化创意资源是我国稀缺的文化艺术宝库，不能“养在深闺人未识”，要积极谋划向社会开放，为首都的文化事业和文化创意产业提供服务，如北京服装学院的服装博物馆、北京印刷学院的中国印刷博物馆、中央美术学院的美术馆、中国音乐学院的特色资料库等等。

高校应积极开展以提高国民文明素质为目标的博雅教育，通过具有创新能力的高素质人才的培养推动整个社会文明程度的提高。首都城市文明水平提升有赖于全体市民文明素质的提高。北京高校承担着为首都社会经济发展培养高素质创新型人才的重要任务，为社会输送一批批既具有一定专门技能，又有广博知识、优雅气质的有文化的人才。因此，北京高校应该加强学生的“博雅教育”，并将其成果向社会转化。

北京高校服务首都文化创意产业的功能还表现在努力将学术科研成果转化为产业生产力方面。高校人才荟萃，学术资源和科研成果丰富，如果不加以实践生产领域的转化，往往被束之高阁而无人问津，造成资源的极大浪费。近年来，北京高校加强了学校与北京市、行业界的互动往来与应用合作，如大学产业科技园的建设，实习基地、中试基地的打造，联合攻关科研生产项目等，努力将高校的科研能力转化为社会生产力，快捷地为北京地方经济服务。

5. 北京高校要整合资源，服务首都文化创意产业

北京的高校资源实力在全国首屈一指，但种类和层次繁多，其中包括各部委所属高校、北京市属高校和民办高校，其中大部分为中央、部委所属高校，这些高校名校荟萃、实力雄厚，一定程度上挤占了北京市属高校的发展空间。而一些部委的高校划转北京市后，往往又失去了昔日与行业和部委独特资源的紧密联系的特有优势。如何突破局限实现跨越式发展，是北京市属高校要面对的新的命题。

近年来，北京市和教育部的高校进行了“学科群”建设的尝试。单个学科服务领域较窄，不能与北京经济社会发展实现有效对接，建立高校学科群，打破学科之间、高校之间、高校与部门之间的界限，整合高校资源，完善高校服务社会的职能。如以北京电影学院牵头建设的“艺术类学科群”，就联合了北京几所艺术类院校和教育部的高校合作建设，以整合资源形成合力服务首都文化创意产业。

6. 北京高校要改革并创新文化创意产业人才培养方式

高等院校要进一步认真改进教学计划与培养方案，调整学科专业设置，增强文化创意产业的人才培养的针对性，使学生所学专业知识适应文化创意产业迅猛发展的需求。一是要把握好学校办学定位，分层级培养文化创意人才，高等院校的不同办学定位决定了其培养人才的特性，只有把握好学校的办学定位，才能制订出切合实际的教学计划与培养方案，培养出不同层级的文化创意产业所需要的人才；二是要加强教学实践环节，开辟第二课堂提高动手能力，教学计划中加大实践教学的比重，以项目带动创新实践教学，建立跨学科、跨专业的交叉性特色教学模式，重视创新思维能力的培养；三是要大力开展文化创意产业科学研究，不断增加文化创意产业科研投入，设立专门科研机构，加大对文化创意产业科研力度，强化文化创意产业科研成果转化，提高实际应用经济社会的效益。

7. 积极开展大学科技园区建设，实现产学研一体化

以大学文化科技园作为政府、企业与研究者的交流平台，实现科研工作与为政府建言献策和产学研转化的直接沟通，则有利于体现文化创意产业科学研究成果的前沿性和应用性，更能应用于实际工作需要和创造更多经济社会效益。如中关村科技园区创意基地型园区应依托高水平的大学，加大对设置文化创意产业的高等专业学校的扶持，培养具有丰富想象力和独特创意才能的多样化人才，满足文化创意产业发展的需要。同时，要充分利用园区内专业研发机构或企业内的研发设施，作为培育学生成为文化创意研发人员的实践基地。

加强学习　加快角色转变
做懂政治的教育家和懂教育的政治家*

刚才，北京市委组织部闫成副部长代表市委宣读了对我的任命决定，并作了重要讲话，对学校未来发展提出了新的明确要求。我坚决拥护市委的决定，衷心感谢市委组织部、市委教工委对我的关心和培养，衷心感谢学校党政领导班子对我的鼓励和支持，衷心感谢学校广大干部教师对我的信任和帮助。对于闫成副部长讲话提出的要求和希望，我们要认真学习领会，坚决贯彻落实。

自 1987 年 10 月我从西藏军区转业到北京印刷学院工作至今，已经整整 26 年了。26 年来，在上级部门和社会各界的鼎力支持下，在全体“北印人”的共同努力下，学校的各项事业和发展环境日新月异，综合实力和社会声誉显著提高，特别是近年来学校在学科建设、教学科研、人才队伍、校园建设等各方面都取得了长足的进步。伴随着学校事业的健康快速发展，我本人也从一名普通的基层干部锻炼成长为一名高校党员领导干部。回首过去，我为自己能够亲身参与并见证北京印刷学院每一个发展进步而深感自豪，也为各位领导和全体师生对我的每一个支持和帮助而深受感动，更为学校在新的机遇和挑战面前奋力实现转型跨越发展而倍加期待。今天，市委任命我担任学校党委书记。接过北京印刷学院事业发展的“接力棒”，我深感责任重大、使命光荣。我坚信，有市委、市政府的坚

---

* 这是 2013 年 9 月 25 日刘超美在北京印刷学院干部宣布大会上的发言。

强领导和各有关部门的大力支持，有学校历届领导班子打下的坚实基础，有全校干部师生的信任支持，只要我们齐心协力、奋发图强，学校的各项事业就一定能够不断推向前进。

2013 年 9 月 25 日，北京印刷学院干部宣布大会

在学校发展进程中，每一个“北印人”都是学校发展的“开拓者”和“铺路石”。面对高等教育全面提高质量的新要求，面对首都建设中国特色“世界城市”、全面实施“三个北京”战略的新机遇，我校如何鼓足干劲、乘势而上、因势而为，在服务首都经济社会发展和行业重大战略需求上有所作为；如何坚持有所为、有所不为，加快实现从教学型向教学研究型大学的战略转变，创建国际知名、有特色、高水平传媒类大学，是我们每位干部教师都必须深入思考的重要课题。

在今后的工作中，我将进一步加强学习，加快角色转变，按照高校领导干部要做“懂政治的教育家和懂教育的政治家”这一标准严格要求自己，不断增强宏观思考和驾驭全局的能力；牢固树立坚定的政治意识、大局意识和责任意识，坚决贯彻执行党的路线、方针、政策，牢牢把握高等教育发展规律以及内涵建设、特色发展要求，紧紧抓住学校发展各方面有

新任校党委书记刘超美发言

利机遇，加快推进学校转型跨越，切实提升学校对北京经济社会发展的贡献力和在国内外传媒高等教育中的影响力。

在今后的工作中，我将认真贯彻落实民主集中制，全力支持校长的工作，不断加强领导班子自身建设，自觉维护班子团结，增强班子整体合力。不动摇、不懈怠、不折腾，对于正确的决策、看准了的事情、有利于学校发展和师生利益的事情，要坚定不移地推进落实，保持学校各项工作的连续性和稳定性，在巩固学校发展的良好势头的同时不断开创学校事业又好又快发展的新局面，让市委放心，让师生满意。

在今后的工作中，我将坚持“围绕中心抓党建，抓好党建促发展”，自觉践行党的群众路线，密切联系师生，汇集师生智慧；坚持发展为了师生、发展依靠师生，把学校事业发展和师生个人成长有机结合起来，把各方面有利因素和工作积极性调动起来；坚持为民务实、廉洁自律，要求别人做到的，自己首先要做到，坚持常修为政之德、常怀敬畏之心、常行律己之为，以良好的工作作风赢得最广大群众的支持。

强化改革意识　狠抓工作落实
正确把握和处理好几个重要关系*

过去的一年，在全校师生的共同努力下，学校学科建设、人才培养、科学研究、队伍建设、后勤基建、党建和思想政治工作等各方面都取得了长足的进步。新的一年，是全面贯彻落实党的十八届三中全会精神的开局之年，也是推进学校“十二五”规划承前启后的攻坚之年。做好今年的工作，对于全面落实学校第二次党代会精神、顺利实现学校“十二五”规划各项目标有着极其重要的意义。上个星期以来，学校先后召开了领导班子工作务虚会、党委常委会、全委会，就 2014 年学校主要工作进行了讨论和研究，形成了《2014 年学校工作要点》。借此机会，我强调 3 点要求。

一、强化改革意识，统筹推进学校各项改革任务

党的十八届三中全会提出，“全面深化改革的总目标是完善和发展中国特色社会主义制度，推进国家治理体系和治理能力现代化”。当前，我国发展已经步入了爬坡过坎的关键时期，深化教育领域综合改革的攻坚战已经全面展开。全校上下要牢牢把握“依托行业、内涵发展、坚持特色、

* 这是 2014 年 2 月 26 日刘超美在北京印刷学院 2014 年工作部署会上的讲话。

开放办学、提高质量”的总要求，以改革破解难题，以改革凝聚力量，以改革推动发展，通过改革把全校师生的智慧和力量凝聚起来，把各级各类人才的创造性活力激发出来，使学校各项事业展现新气象、再上新台阶。

2014 年 2 月 26 日，北京印刷学院召开 2014 年工作部署会议

一要增强改革意识。高等教育发展的形势、行业转型升级和技术变革、北京经济社会新的发展变化，要求我们必须增强改革创新和进取意识。经过 50 多年的建设和发展，学校取得了显著的办学成绩，但也还存在着一些制约发展的瓶颈性问题，在特色发展、创新发展、跨越发展等方面还有很大的提升空间，在优化学科布局、深化科技创新、科学规范管理、培养高端人才，特别是紧跟行业技术创新和服务首都经济社会发展转型等方面还有很多需要努力的地方。这些问题不仅是埋头苦干就可以解决，不是用老思路就可以破解，我们必须以时不我待的紧迫感和责任感抢抓机遇，赢得主动，改革阻碍学校事业发展的体制机制障碍，持续释放办学活力、增添发展动力。

二要加强顶层设计。在学校转型的关键阶段，必须更加重视顶层设计，加强总体规划和全面统筹，做到既有想法，又有办法，才能有力推进重点领域和关键环节的各项改革，有效破除阻碍学校发展的各种深层次体制机制障碍，从而不断把改革引向深入，促进学校各项事业全面协调可持续发展。落实好顶层设计，必须坚持有效的实施路径。当前各领域各环节改革的关联性、互动性明显增强，每项改革都会对其他改革产生重要影响，每项改革都需要其他改革协同配合。这就要求我们对各项改革周密谋划，整体推进，相互配合，积极调动多方资源推动学校综合改革，形成推动改革的整体合力。校院两级领导班子和职能部门作为改革的总体设计、组织协调和执行推进者，要抓好调查研究，各项改革方案要尽可能多听一听基层和一线的声音，尽可能多接触第一手材料，我们要做到重要情况心中有数，不断增强改革的系统性、整体性和协同性。

三要把握改革重点。学校各方面的改革不能“头痛医头、脚痛医脚”，一定要瞄准目标，找好定位，把握重点，坚持循序渐进，以改革不断促进办学活力的充分释放，以开放不断加强办学空间的更大拓展，以创新不断推进办学模式的更大调整。要加强学科布局调整和传统专业的升级改造，加快人才培养模式、课程内容以及教学方法的综合改革，积极探索科研管理、协同创新、科技成果转化与产业化体制机制创新，以重点突破带动整体改革的推进。要进一步加强各类资源优化配置、深化干部人事人才制度改革，完善科学评价机制和教职工激励制度，形成愿意做事、能做成事、能做大事的环境。要加快现代大学制度建设，进一步健全和完善分工合理、职责明晰的内部治理结构，提升学校科学管理水平。

二、狠抓工作落实，确保全年各项工作取得实效

一分部署，九分落实。学校的发展目标和全年的各项工作任务已经非常明确。抓好落实，是当前我们做好各项工作的关键词，这是学校发展、师生期盼，也是对全体干部、教师能力和水平的重要检验。

一是要瞄准目标。目标就是方向，目标就是动力。当前我们就是要瞄

准“十二五”规划和“国际知名、有特色、高水平传媒类大学”这个总目标，从具体事情抓起，把原则要求变成可操作的具体措施，把目标任务变成实实在在的工作成效，做到每项任务、每项措施都有清晰的“路线图”、翔实的“时间表”、明确的“责任人”，逐项抓分解，逐件抓落实，持之以恒，务求实效。对于今年的工作要点，党委要求逐项分解到每一个部门，逐项明确主责单位和配合部门，逐项落实到具体负责人和完成具体时间，年底考核时要逐项对照检查，作为各二级单位考核的重要依据。

表彰 2013 年度考核优秀单位

二是要敢于担当。想不想抓落实、会不会抓落实，是对各单位领导班子和全体干部教师的政治素质、管理水平、工作能力的最直接检验。当前，学校正处于重要的战略机遇期，发展的机会稍纵即逝。要想抓住和用好机遇，乘势而上，赢得未来发展的主动权，不仅需要具备强烈的事业心和责任感，而且也需要展现出干事创业的智慧和能力。学校干部教师，特别是中层干部必须树立强烈的事业心和责任感，该面对的矛盾不能回避，该承担的责任不能退缩，该解决的问题不能推诿，该主动协调的事情不能扯皮，以尽心尽责、富有成效地工作，担当起抓好落实之责。

三是要注重实效。要切实解决落实工作中存在的重部署轻检查、重形式轻效果的现象，以作风的转变促进工作的落实。要改进调查研究，剖析问题症结，拿出落实措施，敢抓敢管、敢闯敢试、敢为人先，努力形成重实绩、办实事、说实话、求实效的良好风气。高层次人才要在重大课题研究、重大技术攻关、重大成果打造等方面发挥好带头作用，切实提高学校科研的层次；处级干部要切实增强责任意识，以责无旁贷的高度自觉，抓住制约学校发展的瓶颈性问题攻坚克难，以"钉钉子的精神"保持持久的工作动力，取得实实在在的工作成效。

三、要正确把握和处理好几个重要关系

习近平同志指出，应对当前我国发展面临的一系列矛盾和挑战，关键在于全面深化改革。必须从纷繁复杂的事物表象中把准改革脉搏，把握全面深化改革的内在规律，特别是要把握全面深化改革的重大关系，处理好解放思想和实事求是的关系、整体推进和重点突破的关系、顶层设计和摸着石头过河的关系、胆子要大和步子要稳的关系、改革发展稳定的关系。在推进学校改革发展过程中，解决好上述五个关系同样尤为重要，开学前的校级领导班子工作务虚会就正确处理好这五个关系进行了深入讨论，希望大家在推进全年各项工作任务的过程中认真思考，准确把握。

一是解放思想和实事求是的关系。思想观念是总开关，观念变，则思路变；思路变，则出路通。实践在发展，形势在变化，解放思想永无止境。要善于审视、及时发现不适应学校现实情况和发展要求的政策和制度措施，积极挖掘并充分释放蕴藏于广大师生中的智慧和活力；要坚持实事求是，狠抓落实，坚决克服"领导不催不落实、大小事情找领导"的惰性习惯，坚决反对和纠正那些对工作"合意则取，不合意则舍"的不良倾向，抓出经得起师生和实践检验的、实实在在的业绩，努力把思想解放的新成果转化成学校发展的新成就。

二是整体推进和重点突破的关系。年度工作部署之后，重点是抓好落实。抓落实，不能眉毛胡子一把抓，不能均衡用力，而是要在众多的任务和复杂的事物面前，分清主次和轻重缓急，明确主攻方向，把握关键环节，以重点的突破带动学校整体教育质量和办学水平的提高。要树立“一盘棋”的大局意识，在集中精力抓好大事、要事和难事的同时，上下联动、相互促进，左右协调、相互配合，形成推动工作的整体合力。

三是顶层设计和摸着石头过河的关系。摸着石头过河，就是摸规律，从实践中获得真知。今后一个时期学校面临着诸多重要改革任务，为此党委专门成立了深化改革领导小组，就是要加强对改革的整体设计和统筹协调，加快现代大学制度建设，推进学校内部治理结构改革。希望大家本着对学校事业发展高度负责的态度积极建言献策，确保各项改革取得预期成效。

四是胆子要大和步子要稳的关系。在新的历史条件下，强调胆子要大，就是对于看准了的事情就大胆地试、大胆地闯，不断总结经验，对的就坚持，不对的赶快改，新问题出来就抓紧解决，使各项改革扎扎实实向前推进。强调步子要稳，就是要求我们在重大问题上不能犯颠覆性错误。

五是改革发展稳定的关系。改革是动力，发展是目的，稳定是前提。只有通过改革，才能推动发展，才能实现可持续的动态稳定；只有健康、快速、可持续的发展，才能从根本上解决学校事业发展中出现的新情况、新问题。当然，发展是硬道理，稳定是硬任务，要健全维护校园安全稳定工作责任制，切实提高校园安全防范能力和水平，共同营造安全稳定、积极向上、和谐有序的校园氛围，为学校改革发展各项事业创造良好的内外部环境。学校各级党组织要高度重视意识形态领域工作，特别注意加强青年教师思想政治工作，进一步把握教师群体重理想、重情感、重名誉、重成就的思想特点，把社会主义核心价值观教育作为师生思政工作的核心内容，加强思想政治课、第二课堂以及网络阵地的领导与管理。

老师们，同志们，发展的机遇不可错失，师生的期待不能辜负。学校新的领导班子将团结带领全校干部师生，以奋发有为的精神面貌，全力以赴的工作状态，志在必得的勇气信心，坚决跑好历史接力赛中属于我们的这一“棒”，为学校各项事业再创佳绩担当起我们应有的责任。

巩固成果　再接再厉 推进学校改革发展*

2013 年 8 月份以来，按照中央和北京市委要求，在市委第 32 督导组的指导下，学校扎实开展党的群众路线教育实践活动，有力推动了作风建设和学校发展。北京市和教工委教育实践活动工作会议召开后，学校党委很快召开常委会传达学习，成立了领导小组及办公室，制定了我校《实施意见》及工作方案。学校于 2013 年 8 月 20 日召开了全校动员大会，各单位也以各种形式开展动员，成立了领导小组，制定了工作方案。半年多来，校领导班子和全校 38 个院部处级单位班子、110 多个支部、1500 多名师生党员按照“照镜子、正衣冠、洗洗澡、治治病”总要求，认真参加了教育实践活动，取得了重要的阶段性成果。

下面，我对学校教育实践活动开展情况作简要总结，并就做好下一步整改工作讲 3 点意见。

一、学校教育实践活动的主要做法

（一）认真开展学习教育，深入群众听取意见

首先，抓好学习教育，深入交流研讨。学校党委按照“规定动作要

* 这是 2014 年 2 月 27 日刘超美在北京印刷学院党的群众路线教育实践活动总结会上的讲话。

到位、自选动作有特色”的基本要求精心组织好学习教育活动，举办校院两级中心组理论学习、领导讲党课、专题研讨会、听取意见会、辅导报告会等共 12 次，组织党员干部学习习近平总书记等中央领导同志一系列重要讲话精神、中央和北京市委规定的相关学习资料，收看市委书记郭金龙的党课、参观反腐倡廉警示教育基地和《复兴之路》展览。学校网站主页开设了“党的群众路线教育实践活动”专题；采取上下互动方式交流，校领导到基层研讨共享学习成果，请部分处级干部在学校领导班子学习研讨会上作专题发言；结合办学 55 周年校庆开展教育实践活动书画展；开展特色主题研讨活动 10 余次；全体校领导还学习了学校群众路线教育实践活动领导小组办公室收集、整理摘自《人民日报》、群众路线网等媒体的相关学习材料 11 册，约 10 万字；等等。通过学习教育，校级领导班子成员深化了对马克思主义群众观和党的宗旨的认识，增强了进取意识、担当意识和责任意识，作风得到明显改进。广大党员干部深化了对活动重大意义和紧迫性的认识，进一步增强了党员意识和为师生服务的责任感。

其次，广泛听取意见，切实找准问题。学校党委坚持开门搞活动，采取多种方式，广泛听取意见，认真查找“四风”方面存在的主要问题。学校教育实践活动领导小组走访各二级单位，学校领导成员与各自所联系点和分管领域的师生代表进行一对一谈心，请师生帮助班子和自己查找“四风”问题，并亲自做好谈话记录，班子成员平均访谈 10 人以上。党委组织召开了中层干部座谈会、学生代表座谈会、教授（副教授）代表、党外人士代表座谈会、离退休老干部座谈会，工会、教代会、党代表座谈等 8 个座谈会。同时向未参加座谈会的 200 余名群众发放征求意见表。此外，学校专门设置群众意见箱、开设专用电子邮箱向全校师生、上级部门及近年来柔性引进的高端领军人才等征求“四风”方面的意见建议。学校共征求各方意见 405 人次，征集校级领导班子和个人意见建议 170 余条，其中关于“四风”方面的意见 117 条，关于改进工作方面的意见 38 条，关于教育实践活动的意见 11 条，关于其他方面的意见 11 条，在此基础上分类形成 3 个层次的意见梳理材料。通过听取意见，学校党委进一步

聚焦了“四风”方面存在的突出问题，梳理了学校今后科学发展、服务首都、服务行业、服务师生的规律和要求。

（二）认真查摆“四风”问题，深入开展批评和自我批评

一是聚焦“四风”，认真查摆问题。学校党委多次召开专题会议，认真分析、查摆班子自身存在的形式主义、官僚主义、享乐主义、奢靡之风问题。班子每位成员都结合督导组反馈的问题和征求到的意见建议进行“自画像”。经过多种方式、反复查找，梳理出领导班子在“四风”方面存在的主要问题共 10 条。形式主义方面：对建设高水平传媒类大学、教学研究型大学和行业特色性大学存在重形式、轻效果的问题；对学校内涵建设遇到的关键问题存在重应付、轻基础的问题；对重大决策的部署检查督办存在重布置、轻落实的问题。官僚主义方面：对涉及学校改革发展和师生切身利益的重大问题存在决策的科学化、民主化水平不高的问题；对基层情况存在了解不够全面透彻、调查研究不够深入持久、分类指导不够细致到位的问题；对重点工作的统筹和协调存在“铁路警察、各管一段”的现象。享乐主义方面：对加快转型发展思想认识不足，存在“小富即安、小进则满”、小打小闹过日子的心态；有的领导干部在精神状态上存在精神懈怠，安于现状，不思进取，遇到矛盾绕着走，碰到困难往后缩，领导不催不落实，大小问题找领导的习惯。奢靡之风方面：质量效益意识不强；勤俭节约意识不强。经统计，党员领导干部个人在“四风”方面存在的主要问题共计 65 条，为扎实开好专题民主生活会奠定了良好的基础。

二是坦诚沟通，深入开展谈心谈话活动。领导班子开展深入的谈心谈话活动，坦诚沟通思想，深入交换意见，把问题谈开谈透，把矛盾和问题解决在专题民主生活会前。我和永生校长与班子每个成员之间、班子成员相互之间、班子成员与分管部门负责同志之间都开展了多次深入的谈心谈话，每位校领导还与普通干部、群众、联系点的师生以及联系的统战人士谈心谈话。谈心时间安排充分，一次谈不透，就多次谈、反复谈。学校教

2014 年 2 月 27 日，北京印刷学院召开党的群众路线教育实践活动总结大会

育实践活动领导小组办公室还专门印制了校领导班子成员《谈心谈话情况记录表》，班子成员均认真准备，详细记录。大家坦诚相待，充分沟通，消除顾虑，推心置腹地交换意见，凡准备在会上提的问题和意见，都在会前谈深谈透，进一步统一了思想、凝聚了共识，为开好专题民主生活会打下良好基础。

三是深刻剖析，认真完成对照检查材料。在查摆问题、谈心交流的基础上，学校领导班子及成员结合征求意见反馈的情况和自身思想工作实际，按照衡量标准严、查摆问题准、原因分析透、整改措施实的要求，撰写了班子和个人对照检查材料，在督导组严格把关下，前后进行了 5 次修改。每位班子成员也都对照党章、廉政准则和群众期盼，从遵守党的政治纪律情况，贯彻中央八项规定和北京市委 15 条意见精神、转变作风等方面亲自动手、认真撰写个人对照检查材料，领导班子成员个人对照检查材料平均修改次数 3 次，最高为 8 次。通过撰写和修改对照检查材料，大家在认识上有了更大提高，思想上受到了很大的触动。各二级单位领导班子和党员领导干部也按照学校教育实践活动领导小组办公室要求，在学校联络组的指导下，认真撰写班子和个人对照检查材料。各党总支、直属党支部书记负责主持撰写班子对照检查材料，对班子成员对照检查材料认真把关，再交由学校联络组审查，活动办公室最后审定，普遍经过3—5次修改。通过撰写对照检查材料，二级单位领导班子和干部思想上得到很大震动，认识到了自身存在的问题，明确了本单位发展方向，为开好本单位民主生活会打好基础。

四是以整风精神召开高质量的民主生活会。民主生活会上，班子成员打消思想顾虑，放下心理包袱，直面自身问题，带头欢迎大家“向我开炮”。其他同志也纷纷拿起批评与自我批评的有力武器，有的坦言自己“有时凭经验决策，听取意见不够全面，有偏听偏信现象”，有的明确提出自己“性子太直，批评干部有时不注意方式和场合”，有的谈及自己“在公务接待、生活应酬等方面，有随大流、讲排场和浪费现象”，有的希望班子把步子迈大，胆子更大一些，等等。班子成员相互之间提出批评意见共42人次、68条。大家充分吐露了心声、碰撞了思想、讨论了问题、交流了观点，对班子及自身存在的问题有了更清醒的认识，也明确了整改方向和目标，实现了班子自我教育、自我净化和自我提升。会后，学校召开校级领导班子专题民主生活会通报会。与会人员普遍认为学校班子带头以整风精神开展批评和自我批评，自我批评敢于揭短亮丑，触及思想深处，触及问题实质，不怕刺、不怕痛；互相批评敢于动真碰硬，点到问题关键，抓住问题要害，不遮羞，不留情，很多话都说到大家心坎里，真正开了一次高质量的民主生活会。

（三）认真进行整改落实，深入推进建章立制

一是科学制定整改方案。针对学校领导班子查摆出来的“四风”问题，强化专项整治和建章立制，认真制定了党的群众路线教育实践活动整改方案。党委常委会认真进行研究，整改方案数易其稿，不断充实，在方案制定过程中党委还特别提出，要切实把握和处理好5个方面的关系，即：务虚与务实之间的关系，眼前与长远之间的关系，继承与创新之间的

关系，学校发展与师生利益之间的关系，行政权力与学术权力之间的关系。针对领导班子在“四风”方面查找出来的10个方面的问题，逐条对应，拿出解决办法。共提出整改项目17个，整改措施93条。此外，对照《北京市开展“四风”突出问题专项整治方案》，学校将8个方面的突出问题列入了专项整治；按照系统、科学、管用的原则，围绕反对“四风”问题和加强班子自身建设，拟新订制度12项，修订制度5项，废止制度9项。

二是边查边改，确保活动实效。党委专门设立建章立制工作组，负责学校规章制度梳理和废改立工作。活动中，总结梳理出拟办实事50余项，并根据具体条件，按照近期办理、通过努力中期办理、创造条件远期办理进行分类推进落实。（1）已经具备条件的立行立改的有9项：全委会、常委会、办公会会议纪要由原来的只面向处级以上干部公开改为面向全校师生公开，增加了决策透明度；切实压缩会议数量、控制会议规模，杜绝不必要的陪会；改进新闻报道方式，更多面向基层和一线师生；校领导与师生互动交流明显增强，如王永生校长为大一新生开设“开学第一课”，举行“校长有约”活动，拉近了校长与学生之间的距离；调整校区间班车时间，方便师生出行和校区往来；改进干部、教师年度考核方式，简便易行，减轻基层负担；调整专业技术职务聘任有关政策，为教师职业发展创造有利条件；开展科研项目经费内部审计，促进科研经费的规范管理和使用；从严管理干部，实行处级干部离任经济审计，严格出国审批管理；加强了对加大重要决策的督办落实。（2）近期具备条件正在改的有8项：清理行政办公用房，规范教学科研用房，改善教师办公用房，扩大学生活动场所；启动学校制度清理废改立工作；修订《学术委员会章程》，继续降低学术委员会中行政领导所占比例；健全专业技术职务评聘机制；严格控制处级以上干部在市教委、校级科研项目中的申报比例；完善工会和教职工代表大会参与民主管理的机制，健全征求意见反馈机制；加强和改进新闻宣传报道，多报道基层特别是师生典型情况，减少领导日常活动报道；投入专项资金改造校园网，解决师生长期反映的网速慢的问题。（3）

此外列入整改计划的还有：抓紧解决一批师生反映强烈的具体问题，如改善分校区食堂饭菜质量；加强学校资产配置、使用、处置等管理；建立和完善财务监督体系，加大内部审计力度等。

二、学校教育实践活动的主要成效

学校在教育实践活动中坚持 4 个结合：即把上级要求与学校实际紧密结合，把解决思想问题和解决实际问题紧密结合，把领导干部带头与师生广泛参与紧密结合，把集中开展活动和建立长效机制紧密结合，主要活动成效体现在以下 4 个方面。

一是经受了党性锻炼，加强了班子建设。通过开展教育实践活动，全校师生党员经受了一次思想洗礼和党性锻炼，特别是党员领导干部全心全意为人民服务的宗旨意识和马克思主义群众观点得到进一步增强。党内生活出现了新变化，广大党员大力弘扬求真务实、真抓实干的优良作风，深入开展调查研究，落实民主集中制，带着问题学、以解决实际问题为导向，切实把工作的着力点放在研究解决学校转型跨越发展中的重大问题上来，放到研究解决事关师生群众切身利益的热难点问题上来，敢于讲实话、勇于出实招、勤于办实事，遇事不推诿，办事不拖沓，每一项工作都提速提效，由此让广大师生群众感受到了变化。

二是提高了思想认识，凝聚了发展共识。通过征求意见、座谈研讨，找准病根，把转变党员干部思想观念作为教育实践活动的重点课题。校院两级党组织和党员干部围绕学校改革发展目标，转变观念，增强危机意识、进取意识和发展意识，积极参与学校转型跨越发展，有力推进了学校第二次党代会精神和“十二五”规划的贯彻落实，切实凝聚了攻坚克难、推动发展、建设“国际知名、高水平、有特色”大学的共识。

三是强化了群众观念，增强了服务意识。从基层师生最关心、最迫切需要解决的事情做起，为师生群众办实事、解难事，完善了帮扶工作机制，把组织的关怀送到困难人员的家中，向多位特别困难的在职同志发放帮扶救助金，探访困难人员、走访先进模范等各类群体人员共计200余人次。通过扎实有效的工作，赢得了师生群众的信任和支持，队伍的凝聚力、战斗力进一步增强，服务意识进一步提高。

四是聚焦了突出问题，激发了改革动力。学校以本次活动为契机，把学校转型跨越发展的思路和措施向党员干部交底，使大家清醒认识学校发展的现状、前景和面临的挑战，统一了思想，凝聚了共识，在事关学校转型跨越发展的各项工作中坚持群众路线，务实做好工作。除前面所列举的各项工作外，还在充分发挥民主的基础上，做好了年度专业技术职务聘任工作，召开了教学工作会、学科工作会、科研工作会，完成了工会教代会换届，等等，为学校发展进一步汇聚正能量，使活动的成效在推动转型跨越发展上得到体现。

活动之所以能够取得阶段性成果，既是校院两级党组织和广大师生共同努力的结果，更得益于市委第32督导组的正确指导和关心支持。活动期间，督导组组长刘木春同志和其他成员多次亲临学校听取汇报和调研，给予了全方位指导和帮助，表现出了深厚扎实的理论素养，严谨负责的敬业精神，求真务实的工作作风，特别是指导把关对照检查材料时敢于唱黑脸、敢较真，值得我们学习！为我们树立了榜样、作出了表率。

在总结成绩的同时，我们也要清醒地认识到工作中存在的问题和不足：一是个别领导干部有过关思想。联系思想实际、带着问题学习的意识和学习的针对性还不够强。对自身“四风”的查找上存在以工作问题代替“四风”问题的情况，从自身理想信念、宗旨意识、群众观念思想深处深挖根源不够。二是党委对二级单位在普通党员中开展群众路线教育活动指导的力度和实效性还不够，个别单位和干部认为反对“四风”是校级领导班子的事，组织学习针对性不够，征求意见不够广泛，查摆问题不够透彻。三是少数党员干部掌握群众工作方法不够，做群众工作的能力和意识明显不足。产生以上问题的原因，既有党员干部个人宗旨意识淡漠、务实意识不强，基层组织创新意识、协调能力不足等主观因素，也有师生诉求多元、日常工作繁重、活动时间有限等客观原因。这些问题和不足，需要我们高度重视，在今后切实加以解决。

三、以“钉钉子精神”做好整改落实工作

党的群众路线是党的生命线和根本工作路线，党的群众路线教育实践活动是每个党员干部一生的必修课，整改落实是开展教育实践活动的根本。下一步，我们要边总结边深化，不断巩固和扩大活动成果，做到认识再提高、措施再完善、工作再推进。

一要抓好整改方案的分解和落实。习近平总书记指出，工作要“一分部署、九分落实”。我们要牢固树立“关键在于落实”的思想，以“钉钉子精神”抓好整改方案的落实，把整改真正落实到行动上。要将整改方案的每个项目进行任务分解，明确时限和要求，扎扎实实进行整改，特别是在整改突出问题上，要动真格、敢碰硬，明确责任，加强监督，确保兑现承诺。要加强对照检查，达不到整改要求的不能放过，以整改落实的实际成效取信于群众。

二要建立健全作风建设长效机制。要按照统筹考虑、简单易行的原则，抓紧建立健全反“四风”、转作风的各项规章制度，以制度固化作风建设的成果，防止问题反弹、反复。同时，要强化制度执行，对违反制度规定的，发现一起查处一起，维护制度的严肃性和权威性。要总结活动经验，加强理性思考，深化规律性认识，将活动的有益探索和新鲜经验转化为推进学校改革发展的宝贵财富。

三要建立从严管理干部长效机制。坚决落实中央八项规定出台以来制定的规范干部行为的多项禁令和办法，贯彻落实中央和北京市组织部长会议精神，强化制度意识，强化法治思维，着力规范和严格执行干部监督制度。严格选拔，注重培养，科学考评，建设一支适应学校转型跨越发展的干部队伍。加强对年轻干部的培养和多岗位挂职锻炼，提高干部境外培训、党校学习、访问学者、专题培训的实效性。引导干部做好职业生涯规划，制订科学合理的考核评价制度，加强对“双肩挑”干部投入管理工

作情况的考核，健全领导干部谈心谈话制度，严格党内生活，严明党的组织纪律和政治纪律，提高干部的责任意识、担当精神和执行力，形成敢于担当的用人导向。

四要持之以恒抓好作风建设。习近平总书记强调，“作风建设一定要从上头抓起”。我们要用好这次教育实践活动取得的实践成果、制度成果和理论成果，将本次活动的好经验、好做法融入经常性工作，不断增强党员干部贯彻群众路线的自觉性，不断健全干部作风状况考核评价机制，使好作风成为党员干部的行为习惯，使联系群众、改进作风常态化、长效化。

五要立足实际推动改革发展。开展教育实践活动、抓作风改作风，目的是更好地推进学校改革发展。我们要把总结活动经验同贯彻落实党的十八届三中全会精神紧密结合起来，把活动中激发出来的正能量转化为工作思路、工作措施和工作动力，转变思想观念，实施精细管理，稳步推进改革，以更好的作风、更好的状态、更好的精神，推动学校各项工作的改革发展再上新台阶。

同志们，教育实践活动有阶段性，但是贯彻群众路线、加强作风建设无止境。我们要进一步深入贯彻落实党的十八届三中全会精神，以更加务实的作风、更加有力的措施、更加扎实的工作，巩固好教育实践活动的成果，再接再厉，总结提炼活动中好的经验做法，深入落实各项整改措施，努力推进学校改革发展，为建设“国际知名、有特色、高水平传媒类大学”作出应有的贡献！

聚共识强基础转作风促发展 加快建设国际知名、有特色、高水平传媒类大学*

北京印刷学院一直以来具有高度重视党建和思想政治工作的优良传统。近3年来，党委坚持以“聚共识、强基础、转作风、促发展”为主线，加强和改进党的思想、组织、作风、反腐倡廉和制度建设，为建设国际知名有特色高水平传媒类大学提供了坚强保障。过去3年，我校各项事业蓬勃发展，是历史上发展快、变化大、取得标志性成果最多的3年。我校争创“党建先进校”综合报告已送各位专家审阅，下面我就主要做法和成效作以下概要汇报。

一、坚持思想引领，聚共识

思想是行动的先导，共识是发展的基础。党委坚持思想引领，用目标激励师生、用班子团结师生、用干部带领师生，把全校师生的思想统一到党委决策上来，行动统一到工作落实上来。

1. 党委领导坚强有力

坚持正确办学方向。党委始终坚持社会主义办学方向，认真贯彻党的

* 这是2014年3月12日刘超美在北京印刷学院党建和思想政治工作汇报上的发言。

2014 年 3 月 12 日，北京市第七次党建和思想政治工作先进校入校考察专家组入校考察

教育方针，充分发挥总揽全局、协调各方、凝聚人心、引领发展的领导核心作用。坚持党委领导下的校长负责制，严格按民主集中制议事，科学决策能力明显提升。坚持发展是第一要务，稳定是第一责任，抓思想抓战略抓队伍抓稳定，领导班子办学治校能力明显提升。坚持走群众路线，集聚师生智慧，干部的群众工作能力明显提升。

科学谋划顶层设计。党委强化顶层设计，每学期都对学校发展面临的机遇、挑战和任务进行深入研讨，适度超前地确定发展方向。第二次党代会在系统总结办学成就和基本经验的基础上，提出了“创建国际知名、有特色、高水平传媒类大学”总目标；“十二五”发展规划确定了质量立校、人才强校、创新驱动、党建创新“四大工程”；领导班子研究落实规划的实施路径。

凝聚事业发展共识。党委坚持解放思想、开放办学，积极请进来、走出去，注重校内外走访调研，准确把握行业和首都发展战略需求，遵循高等教育办学规律，提出“依托行业、内涵发展、坚持特色、开放办学、提高质量”总要求，确立“小精尖”发展定位，实施“小中见大”发展策略，由过去的按专业办学向以学科为基础、统领学校各项事业发展的办学模式转变。

2. 全校上下人心思进

班子建设成效明显。党委重视学习型、务实型、清廉型领导班子建设，党政交叉分工，干部勤政廉政，团结一心，形成了全校工作“一盘棋”的良好局面。2013 年 7 月，市委巡视组反馈意见认为：“学校党委领导班子是一个政治坚定、善抓机遇、团结务实、开拓创新的领导集体。”党委拓展二级班子组织建设思路，采取“院长+执行院长”的配置模式，聘请了聂震宁、杨义先、危岩、何洁等高端领军人才担任二级学院院长，提升了班子的学术影响力；注重培养选拔学术背景强的教授担任二级学院党总支书记，提升了党总支围绕中心开展党建的意识和能力；实行党总支副书记兼任副院长，促进基层班子党政融合。

干部能力大幅提升。党委高度重视干部培养，采取“理论培训+挂职锻炼”相结合的干部培养模式。长期坚持举办处级干部培训班、高层次人才培训班、中青年骨干教师读书班和境外中青年骨干教师培训班，大力开展校内外挂职锻炼。3 年来，共选派 46 名中青年干部到国家部委、北京市区县（委办局）、行业企业、边远地区等挂职锻炼，目前已有 10 余名挂职干部走上了处级管理岗位。经过培养，中层干部开阔了视野，提高了执行力，一批中青年骨干成为干部队伍的“蓄水池”和“后备军”。

师生精神动力十足。党委始终把调动全校师生积极性作为学校各级党组织工作的重要内容，通过深化岗位聘任和人事分配制度改革，加大高层次、上水平教学科研成果的奖励力度，激发教师从事教学、科研工作的积极性。通过落实党代表、教代会代表提案制，完善教代会、团代会、学代会制度，举办“校长有约”“和谐校园面对面”，开展师生思想状况调研，搜集学生网络舆情，搭建学校领导与师生沟通的“直通车”，虚心听取师生意见，及时采纳合理建议，认真解决师生提出的问题，营造了人人“想干事、能干事、干成事”的良好氛围。

二、坚持突出重点，强基础

基础不牢地动山摇。党委抓住影响发展的“牛鼻子”，抓基层组织建设、抓思想政治教育、抓办学内涵建设，集中力量攻坚克难，夯实基础。

1. 强基固本，不断增强基层党组织生机活力

夯实基层党组织工作基础。加强基层党建工作制度保障，制订了《二级学院党政联席会议制度》《关于加强基层党支部建设的指导意见》等文件。按照“有利于发挥作用，有利于开展活动，有利于联系群众”的原则，调整了基层党支部设置，做到了支部工作延伸到每个师生身边。采取“公推直选”方式选举产生教工党支部书记，为二级学院党总支配备书记助理，坚持党支部书记定期培训，增强了基层党组织负责人的公信力和工作能力。坚持“三会一课”制度，每年进行两次党支部工作检查，党内生活质量明显提高，提升了党支部建设规范化水平。

激发基层党组织生机活力。党委高度重视基层党建创新工作，坚持定期开展党支部特色活动大赛，大力推广“红帆”“五个一工程”及“学生党建论坛”等品牌活动，组织开展领导点评支部、党员评议书记、群众评议党员活动，实施党支部测评和分类定级，评选表彰优秀党支部，不断提高基层党组织的凝聚力和战斗力。积极开展校署、校地、校社、校内支部共建活动，全校基层党组织开展校内外共建结对 57 个，此项目获北京高校党建创新项目奖、党建成果三等奖。

2. 立德树人，不断提高思想政治工作实效性

重视师德师风建设。党委以师德师风建设为抓手，高度重视意识形态工作，不断提高教师思想政治工作的实效性。制定了《关于加强教师思想政治工作的意见》《关于进一步加强和改进师德建设的意见》《师德规范》《师德考评办法》等制度，在各项考核、晋升、评优中明确师德的首要地位，坚持师德一票否决制。定期召开教师座谈会、组织教师开展社会实践、师德演讲比赛等活动，每年都在毕业生中开展“我最尊敬的老师”评选活动，以榜样的力量感染人、带动人。金杨教授被授予首都“五一”

劳动奖章，多名教师被评为北京市师德先进个人。教师教书育人的责任意识和为人师表的道德素养明显提高，教书育人、管理育人、服务育人、文化育人的合力明显增强。

加强理想信念教育。党委始终坚持把理想信念教育作为大学生思想政治工作的核心内容，制定了《关于加强和改进大学生思想政治教育的意见》，配套制定了加强辅导员班主任队伍建设、学生心理素质教育、困难学生资助、班集体建设、学生骨干管理等方面的文件 30 余个，做到了“政策有倾斜、经费有专项、队伍有规划、场地有专属”，有力地保障了学生思想政治教育工作的顺利开展。统筹一、二、三课堂，充分发挥第一课堂主渠道作用，切实提高“三进”质量；青年教师宁阳获得北京高校思想政治理论课教学基本功比赛一等奖；第二课堂活动丰富多彩，促使学生在第一课堂上所接受的思想观念、政治准则和道德规范转化为实际的行动；开展第三课堂活动，促使学生走向社会、了解社会，增强学生的使命感和责任感，将社会主义核心价值观教育融入学生教育、管理、服务全过程。发挥榜样示范作用，“青春榜样”宣讲活动作为北京高校“中国梦”唯一的主题宣讲团参与了北京市的评选，被评为市委教工委“我的梦 中国梦”优秀宣讲团；我校的“青春榜样”1 人入选教育部编写的优秀学子典型事迹材料，2 人被《中国青年报》报道，2 人获得“首都大学生十大诚信楷模”。

3. 学科统领，不断打牢内涵发展软硬件基础

凝练学科优势。学校在出版传播、印刷包装、设计艺术等领域具备了一定的特色和优势，学科和专业设置涵盖完整的新闻出版产业链，凝练了支撑办学特色的传媒技术、传媒文化、传媒艺术和传媒管理“四大特色学科群”，传播学、信号与信息处理、材料物理与化学、设计艺术学等被纳入北京市重点学科；完善了学术型、专业型研究生学位教育培养体系，专业学位授权点取得突破，获批北京高校产学研联合研究生培养基地；联合培养博士研究生取得积极进展。

教学科研并重。学校实施教学质量与教学改革工程，开展“卓越工

程师培养计划”，先后开办“毕昇”“韬奋”“雅昌”等5个实验班；学生参加国际国内各类大赛累计获奖2000余人次。获批国家级校外人才培养基地，被原国家新闻出版总署授予技能人才培育突出贡献单位。科研条件明显改善，省部级重点研究机构从4个增加到8个；围绕产业重大关键共性技术问题，凝练了印刷电子等5个特色方向。依托特色学科体系，组建跨学科、跨部门、跨单位学术团队，构建科技成果转化和产业化平台，增强了学校科技创新能力。

人才队伍支撑。实施“人才强校”战略，积极推进与特色学科建设相配套的教师队伍建设，师资队伍学历、职称、年龄结构不断优化，学科梯队初步形成。先后入选北京市创新团队1个，长城学者3人，特聘教授4人，青年拔尖人才培育计划11人，青年英才培育计划15人；入选全国新闻出版行业领军人才8人。加大校内选拔资助，投入经费600余万元，资助校级优秀教学、科研团队19个，“北印学者”“北印英才”19人，初步构建了与市级人才培养项目相衔接的分层次、多渠道、重实效的教师培养体系，一批优秀人才脱颖而出。

三、坚持服务为本，转作风

打铁还需自身硬。作为行业特色鲜明的地方高校，学校牢固树立以服务求生存的观念，在服务师生、服务首都、服务行业中练就过硬本领。

1. 服务师生

加强干部作风建设。坚持领导干部联系基层等制度，定期召开学生、少数民族学生、教师、党外代表人士、老干部等座谈会，及时听取意见，改进工作。特别是党的群众路线教育实践活动过程中，党委坚持把上级要求与学校实际紧密结合，把解决思想问题和解决实际问题紧密结合，把领导干部带头与师生广泛参与紧密结合，把集中开展活动和建立长效机制紧密结合，取得了重要的阶段性成果。教育实践活动群众满意度测评，校级领导班子“好率+较好率”为100%。

考察组组长、时任市教委主任线联平主持考察汇报会

促进学生成长成才。学校坚持把立德树人作为教育的根本任务，把学生的成长成才作为学校一切工作的出发点和落脚点，建立了从入学到毕业的全过程学业指导体系，由心理咨询、就业指导、困难资助构成的服务体系，切实帮助学生解决了学习、生活、成长中遇到的实际困难。多年来，没有一名学生因贫困而辍学，没有发生学生非正常死亡事件。学校先后被评为“北京高校心理健康教育工作突出进步单位”“北京高校学生心理素质教育工作先进单位”。

解决教师实际困难。学校坚持思想政治教育与解决实际问题相结合，积极为教职员工办实事，民生得到进一步改善，教职工工资收入稳步增长；积极帮助解决青年教师子女入托、入学难题，与大兴区教委合作建立北京印刷学院附小；积极利用校外资源为教职工提供价格优惠的住房；给每位教职工上意外伤害险；为每位女教工上特殊疾病险；开展“四必访”送温暖活动；建立离退休人员“特困基金”和“空巢家庭关爱基金”，解决离退休老同志的实际困难。

2. 服务首都

围绕首都经济社会发展，主动开展调研，走访主管部门，寻找服务首都的切入点，发挥在新闻出版领域的优势，加强北京绿色印刷包装产业技术研究院建设，成为中关村科学城首批 6 个建设项目中唯一的市属高校；引入了首都科技条件平台、中关村开放实验室等重要服务平台，5 个市级重点实验室和 1 个国家级检测机构面向社会提供科技服务；组建“北京数字化制造产业技术创新联盟”和“北京绿色印刷产业技术创新联盟”，促进了产业链上下游之间的紧密结合；设立“数字版权保护中心”，成为北京国际版权交易中心首个在高校专门设立的数字版权保护机构；共建“京南大学科技园”，与驻区高校携手支持科研成果落地转化。产学研多要素协同创新平台建设，促进了科技成果转化和产业化，提升了服务首都经济社会发展的能力和水平。

3. 服务行业

学校主动深入行业企业、主管部门等，寻求支持和合作，瞄准行业发展前沿和重大需求，依托绿色研究院，与中国科学技术发展战略研究院共建“印刷包装产业发展战略研究所”，发挥学校为行业服务的“智库功能”；受国家新闻出版广电总局委托，连续两年发布《实施绿色印刷成果报告》，举办印刷电子与防伪技术发展论坛、中欧数字出版论坛、中英出版论坛，得到总局充分肯定，取得积极社会影响。与天津大学、中国科学院化学所、中国印刷集团等共建印刷电子研究中心、纳米绿色印刷实验室、绿色包装材料研究所等 10 余个开放式研发机构，开展前瞻性产业技术研发；与总局质检中心共建国家印机检测中心、绿色印刷检测实验室等高端服务平台，为社会提供行业技术检测、认证等服务。为新疆、内蒙古、西藏等少数民族地区新闻出版业务管理骨干开设了学历和非学历培训班，受到广泛欢迎。

四、坚持改革创新，促发展

改革释放活力，创新推动发展。学校领导班子抓住制约学校发展的瓶颈性问题，在体制、机制上进行了大胆改革，在政策措施上进行了大胆创新，学校发展取得了可喜成就。

北京市级教学成果一等奖实现了历史性突破，学校 2012 年共获得一等奖 5 项。三年来，为社会输送本专科毕业生 5000 余人，研究生 530 余人，就业率始终保持在 97%以上，位列北京高校前茅。

一级学科硕士学位授权点从零增加到 7 个，二级学科硕士点从 6 个增加到 19 个。在全国学科评估中，设计学、新闻传播学、美术学分列第 8、第 9、第 11 位。

科研经费连续翻番，从“十一五”期间年均 1300 万元增长至近三年年均6500 余万元，近两年稳定在7000 万元以上；承担省部级以上项目 75 项；专利授权 2011 年在北京地区高校中名列第 10 位，在市属高校中名列第 2 位；四个产业化股权投资项目，总投资两亿元。

柔性引进两院院士、“千人计划”“长江学者”“海聚工程”等高层次领军人才近 20 名；多名专家教授在行业学会、协会担任重要职务，蒲嘉陵教授即将担任国际标准组织印刷专业委员会（ISO/TC130）主席；博士后科研工作站成功获批，目前已与清华大学等重点高校联合开展博士后招收工作。

在北京市教委大力支持下，目前学校共有建筑面积 10 万平方米的 5 个项目陆续建设或投入使用，实验楼、新食堂等新建项目和图书馆、美术馆等改造项目改善了师生学习、工作和生活条件，制约学校发展的瓶颈问题得到一定程度的缓解。

学校社会影响力不断提升。光明日报、中国教育报、北京日报、北京电视台等媒体对学校发展成果报道 200 余次。教育部李卫红副部长，国家新闻出版广电总局党组书记蒋建国，北京市委赵凤桐、苟仲文等领导莅临学校，就学校事业发展给予有力指导。蒋建国同志先后 3 次到校指导工作并听取汇报，对学校事业发展以及为新闻出版行业作出的贡献充分肯定。赵凤桐、苟仲文等同志多次就学校提高办学质量、加强协同创新、促进区域发展进行指导。李卫红同志指出：“北京印刷学院是一所非常有特色的高校，近年来学校围绕国家和行业、产业急需，准确把握办学定位，不断提高教育教学水平和服务社会能力，实现了学校事业的快速发展。”

各位领导、各位专家，回顾过去 3 年的工作，我们深深体会到，只要始终坚持将党建和思想政治工作与谋划学校发展战略、增强学校办学特色紧密结合，与加强人才队伍建设、提升干部教师整体素质紧密结合，与提高人才培养质量、促进学生全面成长紧密结合，与统筹各类资源、提升办学效益和服务水平紧密结合，通过思想引领聚共识、突出重点强基础、服务为本转作风、改革创新促发展，就一定能够推动学校各项事业再上新的台阶。

在北京印刷学院转型跨越发展的关键时期，各位专家莅临我校考察指导，既是我们难得的学习机会，更是我们总结经验、查找不足、改进工作、加快发展的重要机遇。希望各位领导继续关心、关注、支持北京印刷学院的建设和发展。

学习十八届四中全会精神 提高依法治校水平[*]

2014 年 10 月 20 日至 23 日，党的十八届四中全会在北京召开，这次全会首次以依法治国作为主题，审议通过了《中共中央关于全面推进依法治国若干重大问题的决定》。10 月 23 日，全会发布了公报。10 月 28 日，新华社全文播发《中共中央关于全面推进依法治国若干重大问题的决定》（以下简称《决定》）和习近平总书记所作的《关于〈中共中央关于全面推进依法治国若干重大问题的决定〉的说明》。

一、《决定》的主要内容

全文约 1.7 万字，分 7 个部分：

（1）坚持走中国特色社会主义法治道路，建设中国特色社会主义法治体系

（2）完善以宪法为核心的中国特色社会主义法律体系，加强宪法实施

（3）深入推进依法行政，加快建设法治政府

---

* 这是 2014 年 10 月 30 日刘超美在北京印刷学院十八届四中全会精神学习辅导党课上的讲授提纲。

（4）保证公正司法，提高司法公信力

（5）增强全民法治观念，推进法治社会建设

（6）加强法治工作队伍建设

（7）加强和改进党对全面推进依法治国的领导

1. 指导思想

《决定》指出，全面推进依法治国，必须贯彻落实党的十八大和十八届三中全会精神，高举中国特色社会主义伟大旗帜，以马克思列宁主义、毛泽东思想、邓小平理论、“三个代表”重要思想、科学发展观为指导，深入贯彻习近平总书记系列重要讲话精神，坚持党的领导、人民当家作主、依法治国有机统一，坚定不移走中国特色社会主义法治道路，坚决维护宪法法律权威，依法维护人民权益、维护社会公平正义、维护国家安全稳定，为实现“两个一百年”奋斗目标、实现中华民族伟大复兴的中国梦提供有力的法治保障。

2. 总目标

全面推进依法治国，建设中国特色社会主义法治体系，建设社会主义法治国家。

3. 五个坚持

坚持中国共产党的领导、坚持人民主体地位、坚持法律面前人人平等、坚持依法治国和以德治国相结合、坚持从中国实际出发。

4. 五个体系

完备的法律规范体系、高效的法制实施体系、严密的法制监督体系、有力的法制保障体系、完善的党内法规体系。

5. 六大任务

完善以宪法为核心的中国特色社会主义法律体系，加强宪法实施；深入推进依法行政，加快建设法治政府；保证公正司法，提高司法公信力；增强全民法治观念，推进法治社会建设；加强法治工作队伍建设；加强和改进党对全面推进依法治国的领导。

6. 九大亮点

（1）重大任务：完善以宪法为核心的中国特色社会主义法律体系；推进依法行政，建设法治政府；保证公正司法；增强全民法治观念，推进法治社会建设；加强法治工作队伍建设；加强和改进党对全面推进依法治国的领导。

（2）拓宽公民有序参与立法途径：立法先行，发挥立法的引领和推动作用。科学立法、民主立法，完善立法项目征集和论证制度，健全立法机关主导、社会各方有序参与立法的途径和方式，拓宽公民有序参与立法途径。

（3）依宪治国：依法治国首先要坚持依宪治国，坚持依法执政首先要坚持依宪执政。健全宪法实施和监督制度，完善全国人大及其常委会宪法监督制度，健全宪法解释程序机制。

（4）最高人民法院设立巡回法庭：优化司法职权配置，实行审判权和执行权相分离试点，最高人民法院设立巡回法庭，探索设立跨行政区划的人民法院和人民检察院，建立检察机关提起公益诉讼制度。

（5）律师法学家可晋身法官检察官：推进法治专门队伍建设，完善法律职业准入制度，健全从政法专业毕业生中招录人才的规范便捷机制，完善职业保障体系。

（6）重大决策要做合法性审查：健全依法决策机制，把公众参与、专家论证等确定为重大行政决策法定程序，建立重大决策终身责任追究制度及责任倒查机制。

（7）领导干部干预司法将被追究：完善确保依法独立公正行使审判权和检察权的制度，建立领导干部干预司法、插手案件处理的记录和责任追究制度。

（8）把法治建设纳入政绩考核：把法治建设成效作为衡量各级领导班子和领导干部工作实绩重要内容，纳入政绩考核指标体系。

（9）建设社会主义法治文化：弘扬社会主义法治精神，建设社会主义法治文化，增强全社会厉行法治的积极性和主动性，形成守法光荣、违法可耻的社会氛围。

二、习近平总书记关于《决定》的说明

1. 依法治国为什么要坚持党的领导？

党和法治的关系是法治建设的核心问题。党的领导是中国特色社会主义最本质的特征，是社会主义法治最根本的保证。中国特色社会主义制度是中国特色社会主义法治体系的根本制度基础，是全面推进依法治国的根本制度保障。中国特色社会主义法治理论是中国特色社会主义法治体系的理论指导和学理支撑，是全面推进依法治国的行动指南。坚持党的领导，是社会主义法治的根本要求；党的领导和社会主义法治是一致的，社会主义法治必须坚持党的领导，党的领导必须依靠社会主义法治。

2. 依法治国的总目标为什么要这么提？

全面推进依法治国总目标是建设中国特色社会主义法治体系，建设社会主义法治国家。提出这个总目标，既明确了全面推进依法治国的性质和方向，又突出了全面推进依法治国的工作重点和总抓手。一是向国内外鲜明宣示我们将坚定不移走中国特色社会主义法治道路。二是明确全面推进依法治国的总抓手。三是建设中国特色社会主义法治体系、建设社会主义法治国家是实现国家治理体系和治理能力现代化的必然要求，也是全面深化改革的必然要求。

3. 为什么要建立宪法宣誓制度？

宪法是国家的根本法，必须把宣传和树立宪法权威作为全面推进依法治国的重大事项。完善全国人大及其常委会宪法监督制度；加强备案审查制度和能力建设，依法撤销和纠正违宪违法的规范性文件；将每年 12 月 4 日定为国家宪法日。全会决定提出建立宪法宣誓制度，凡经人大及其常委会选举或者决定任命的国家工作人员正式就职时公开向宪法宣誓。这样做，有利于彰显宪法权威，也有利于在全社会增强宪法意识、树立宪法权威。

4. 为什么要完善立法体制？

明确立法权力边界，从体制机制和工作程序上有效防止部门利益和地方保护主义法律化。一是健全有立法权的人大主导立法工作的体制机制，发挥人大及其常委会在立法工作中的主导作用。二是加强和改进政府立法制度建设，完善行政法规、规章制定程序，完善公众参与政府立法机制。三是明确地方立法权限和范围，禁止地方制发带有立法性质的文件。

5. 为什么要加快建设法治政府？

一是推进机构、职能、权限、程序、责任法定化，推行政府权力清单制度。二是建立行政机关内部重大决策合法性审查机制，建立重大决策终身责任追究制度及责任倒查机制。三是推进综合执法，建立执法全过程记录制度。四是加强对政府内部权力的制约，防止权力滥用。五是全面推进政务公开，重点推进财政预算、公共资源配置、重大建设项目批准和实施、社会公益事业建设等领域的政府信息公开。

6. 为什么要提高司法公信力？

建立领导干部干预司法活动的记录、通报和责任追究制度；健全行政机关依法出庭应诉的制度；建立健全司法人员履行法定职责保护机制。推动实行审判权和执行权相分离的体制改革试点；探索实行法院、检察院司法行政事务管理权和审判权、检察权相分离。完善人民陪审员制度，推进审判公开、检务公开、警务公开、狱务公开；建立生效法律文书统一上网和公开查询制度。

7. 为什么最高人民法院要设立巡回法庭？

近年来，随着社会矛盾增多，全国法院受理案件数量不断增加，尤其是大量案件涌入最高人民法院，导致审判接访压力增大，息诉罢访难度增加，不利于最高人民法院发挥监督指导全国法院工作职能，不利于维护社会稳定，不利于方便当事人诉讼。全会决定提出，最高人民法院设立巡回法庭，审理跨行政区域重大行政和民商事案件。这样做有利于审判机关重心下移、就地解决纠纷、方便当事人诉讼，有利于最高人民法院本部集中精力制定司法政策和司法解释、审理对统一法律适用有重大指导意义的案件。

8. 为什么要设立跨区人民法院和人民检察院?

随着社会主义市场经济深入发展和行政诉讼出现，跨行政区划乃至跨境案件越来越多，涉案金额越来越大，导致法院所在地有关部门和领导越来越关注案件处理，甚至利用职权和关系插手案件处理，造成相关诉讼出现“主客场”现象，不利于平等保护外地当事人合法权益、保障法院独立审判、监督政府依法行政、维护法律公正实施。探索设立跨行政区划的人民法院和人民检察院，这有利于排除对审判工作和检察工作的干扰、保障法院和检察院依法独立公正行使审判权和检察权，有利于构建普通案件在行政区划法院审理、特殊案件在跨行政区划法院审理的诉讼格局。

9. 为什么要建立检察机关提起公益诉讼制度?

从建立督促起诉制度、完善检察建议工作机制等入手，对一些行政机关违法行使职权或者不作为造成对国家和社会公共利益侵害或者有侵害危险的案件，无法提起公益诉讼，导致违法行政行为缺乏有效司法监督，不利于促进依法行政、严格执法，加强对公共利益的保护。由检察机关提起公益诉讼，有利于优化司法职权配置、完善行政诉讼制度，也有利于推进法治政府建设。

10. 为什么要推进以审判为中心的诉讼制度改革?

党的十八届四中全会决定提出推进以审判为中心的诉讼制度改革，目的是促使办案人员树立办案必须经得起法律检验的理念，确保侦查、审查起诉的案件事实证据经得起法律检验，保证庭审在查明事实、认定证据、保护诉权、公正裁判中发挥决定性作用。全面推进依法治国是一个系统工程，是国家治理领域一场广泛而深刻的革命，制定好这次全会《决定》具有十分重要的意义。

三、贯彻四中全会精神，提升领导班子依法治校的能力和水平

学习贯彻党的十八届四中全会精神是当前和今后一个时期一项重要的

政治任务，我们要把学习贯彻四中全会精神与深入学习贯彻习近平总书记系列重要讲话精神，特别是有关教育工作的重要论述结合起来，与贯彻落实党的十八大以来中央作出的各项战略部署结合起来，与巩固和扩大党的群众路线教育实践活动成果结合起来，弘扬法治精神，增强法治意识，提高法律素质，推进依法办学、依法治校进程，为学校全面深化综合改革提供坚实保障。

1. 坚持和完善党委领导下的校长负责制

10月15日，中共中央办公厅印发了《关于坚持和完善普通高等学校党委领导下的校长负责制的实施意见》，这是党中央推进中国特色现代大学制度建设的重要举措，对于新形势下加强和改进党对高校的领导，完善高校内部治理结构，促进高校科学发展，具有十分重要的意义。

党的十三届四中全会以后，党中央确定高等学校全面实行党委领导下的校长负责制。20多年来，这一制度为高校全面贯彻党的教育方针，坚持社会主义办学方向，培养中国特色社会主义事业合格建设者和可靠接班人，促进高校改革发展稳定，提供了坚强的组织保证。

按照“集体领导、民主集中、个别酝酿、会议决定”的原则，认真贯彻执行民主集中制，学校重大事项应当由党委集体讨论决定。党委统一领导学校工作，校长主持学校行政工作并作为学校的法定代表人。

党委领导下的校长负责制是一个不可分割的有机整体，坚持党委的领导核心地位，保证校长依法行使职权，建立健全党委统一领导、党政分工合作、协调运行的工作机制。

（1）党委的职责

高等学校党的委员会是学校的领导核心，履行党章等规定的各项职责，总揽学校改革发展稳定大局，把好方向，抓好大事，管好干部，把握学校发展方向，决定学校重大问题，监督重大决议执行，支持校长依法独立负责地行使职权，保证以人才培养为中心的各项任务的完成。

①全面贯彻执行党的路线方针政策，贯彻执行党的教育方针，坚持社会主义办学方向，坚持立德树人，依法治校，依靠全校师生员工推动学校

科学发展，培养德智体美全面发展的中国特色社会主义事业合格建设者和可靠接班人。

②讨论决定事关学校改革发展稳定及教学、科研、行政管理中的重大事项和基本管理制度。

③坚持党管干部原则，按照干部管理权限负责干部的选拔、教育、培养、考核和监督，讨论决定学校内部组织机构的设置及其负责人的人选，依照有关程序推荐校级领导干部和后备干部人选。做好老干部工作。

④坚持党管人才原则，讨论决定学校人才工作规划和重大人才政策，创新人才工作体制机制，优化人才成长环境，统筹推进学校各类人才队伍建设。

⑤领导学校思想政治工作和德育工作，坚持用中国特色社会主义理论体系武装师生员工头脑，培育和践行社会主义核心价值观，牢牢掌握学校意识形态工作的领导权、管理权、话语权。维护学校安全稳定，促进和谐校园建设。

⑥加强大学文化建设，发挥文化育人作用，培育良好校风、学风、教风。

⑦加强对学校院（系）等基层党组织的领导，做好发展党员和党员教育、管理、服务工作，发展党内基层民主，充分发挥基层党组织的战斗堡垒作用和党员的先锋模范作用。加强学校党委自身建设。

⑧领导学校党的纪律检查工作，落实党风廉政建设主体责任，推进惩治和预防腐败体系建设。

⑨领导学校工会、共青团、学生会等群众组织和教职工代表大会。做好统一战线工作。

⑩讨论决定其他事关师生员工切身利益的重要事项。

（2）校长的职责

校长是学校的法定代表人，在学校党委领导下，贯彻党的教育方针，组织实施学校党委有关决议，行使高等教育法等法律规章规定的各项职权，全面负责教学、科研、行政管理工作。

①组织拟订和实施学校发展规划、基本管理制度、重要行政规章制度、重大教学科研改革措施、重要办学资源配置方案。组织制定和实施具体规章制度、年度工作计划。

②组织拟订和实施学校内部组织机构的设置方案。按照国家法律和干部选拔任用工作有关规定，推荐副校长人选，任免内部组织机构的负责人。

③组织拟订和实施学校人才发展规划、重要人才政策和重大人才工程计划。负责教师队伍建设，依据有关规定聘任与解聘教师以及内部其他工作人员。

④组织拟订和实施学校重大基本建设、年度经费预算等方案。加强财务管理和审计监督，管理和保护学校资产。

⑤组织开展教学活动和科学研究，创新人才培养机制，提高人才培养质量，推进文化传承创新，服务国家和地方经济社会发展，把学校办出特色、争创一流。

⑥组织开展思想品德教育，负责学生学籍管理并实施奖励或处分，开展招生和就业工作。

⑦做好学校安全稳定和后勤保障工作。

⑧组织开展学校对外交流与合作，依法代表学校与各级政府、社会各界和境外机构等签署合作协议，接受社会捐赠。

⑨向党委报告重大决议执行情况，向教职工代表大会报告工作，组织处理教职工代表大会、学生代表大会、工会会员代表大会和团员代表大会有关行政工作的提案。支持各级党组织、民主党派基层组织、群众组织和学术组织开展工作。

⑩履行法律法规和学校章程规定的其他职权。

坚持党的领导，是社会主义法治的根本要求。我们要认真学习贯彻落实中共中央办公厅、中组部、教育部近期下发的《关于坚持和完善普通高等学校党委领导下的校长负责制的实施意见》精神。

坚持学校党委的领导核心地位，准确把握党委的职责定位；正确处理党委领导和校长负责的关系；认真贯彻执行民主集中制，健全完善党委会议、校长办公会议等会议制度和议事规则，提高科学决策、民主决策、依法决策水平；完善协调运行的工作机制，加强党政协调配合，完善党委书记和校长定期沟通、重大事项决定前酝酿沟通等制度，不断提高学校领导班子的凝聚力和战斗力；合理确定领导班子成员分工，明确工作职责。领导班子成员要认真执行集体决定，按照分工积极主动开展工作。

2. 坚持依法治校，推进现代大学治理

按照学校 2014 年工作要点要求，制订《北京印刷学院章程》，做好学校管理规章制度梳理和修订工作，进一步健全和规范内部管理体系和工作规程。

①落实《高等学校学术委员会规程》，优化学术管理组织架构和运行机制。

②落实《教育部关于建立健全高校师德建设长效机制的意见》，大力加强和改进师德建设。

③落实党代会、教代会、学代会代表会议制度，完善教职工和师生参与学校民主管理和监督的制度保障。

④认真巩固深化群众路线教育实践活动成果，继续推进制度创新，把建章立制、照章办事贯穿到深化改革的各项任务中，加强作风建设，讲纪律、讲规矩、讲程序，营造依法治校的良好氛围。

3. 坚持依法治教，全面深化综合改革

对照年初确定的目标任务，把握时间节点和工作进度，找问题、抓重点、破难题、补短板，以“钉钉子”精神，认真抓好各项改革任务的贯彻落实，推进学校全面深化综合改革。

①要深入推进人才培养模式改革，加强专业内涵建设，提升人才培养质量；要以制订实施重点建设规划为契机，加强重点学科建设，提升学科建设和科研水平。

②要全面推进基层学术组织改革，创新学院管理模式，激发学院改革活力；要积极推进科研管理与学术评价体系改革，建立导向明确、质量与

数量并重、有助于科研团队建设的分类评价标准和开放评价方法。

③要尽快出台新一聘期岗位设置与聘任管理实施方案，深入推进人事分配制度改革，不断增强办学活力与核心竞争力。

4. 加强法治教育，切实提高师生法律意识

①要把法治教育纳入国民教育体系，把法治教育与培育践行社会主义核心价值观相结合，与学生日常管理相结合，与法治教育实践相结合，在广大师生中深入开展法治宣传教育。

②要扎实推进“法律进课堂”活动，重视思想道德修养和法律基础课的教学工作，开展以提高法律素质、培养社会主义法治理念为主的课堂教学改革。

③要以“廉洁文化教育活动月”为抓手，坚持在广大党员干部中加强党风廉政建设，在广大教师中加强师德建设，在广大学生中强化诚信教育。

④要深入推进校园法治文化建设，充分利用第二课堂，开展形式多样、内容丰富的法治教育实践活动，营造良好的校园法治环境。

5. 坚持民主办学，维护师生合法权益

①进一步发挥教职工代表大会民主决策、民主监督的作用，全面推进校务公开，保证教职工对学校重大事项决策的知情权和民主参与权。

②树立以人为本理念，完善师生各类申诉、维权渠道，自觉尊重并维护广大师生的人格权和其他合法权益。

③切实改善师生工作、学习、生活条件，加大对困难教工、贫困学生的帮扶力度。

④深化平安校园建设，加强安全教育，落实各项安全防范措施，提高对各类突发事件的预防和妥善处理能力，保护师生人身和财产安全，维护校园稳定。

全面深入推进“平安校园”创建工作*

2011年5月，北京市委教工委、市教委、首都综治办和市公安局等4部门联合下发了《关于深入推进高校“平安校园”创建工作的意见》，同年10月，市委教工委发布了《首都高校“十二五”期间深化“平安校园”创建工作方案》。以此为标志，首都高校“平安校园”创建工作全面正式启动。截至目前，已经有20多所高校先后通过市委教工委等部门联合组织的“平安校园”创建工作检查验收，取得了很好实效，也积累了很多宝贵经验。一直以来，我校始终坚持把安全稳定作为首要的政治任务，作为学校各项工作的重中之重常抓不懈。在上级部门（包括大兴区有关部门）的大力支持和全校师生的共同努力下，学校安全稳定工作取得了很好的成效，为学校发展提供了良好的环境和氛围。近日，学校党委常委会专题研究了“平安校园”创建工作方案和学校维稳组织机构，接下来主要是如何将各项工作任务组织好、落实好，形成维护校园安全稳定工作长效机制。下面我就学校深化“平安校园”创建工作讲3点意见。

---

* 这是2014年11月15日刘超美在北京印刷学院“平安校园”创建工作动员部署会上的讲话。

一、统一思想、凝聚共识，充分认识“平安校园”创建工作的重要意义和深远影响

安全稳定是一个国家、一个民族快速发展的基本保障，学校的安全稳定是学校服务学生成长成才、促进学校改革发展的基本前提。同时，安全稳定工作也是高校综合竞争力的重要内容，是一所大学办学治校和管理水平的重要体现。本次市委教工委关于创建“平安校园”工作的整体部署，更是学校进一步规范制度、创新机制、提升能力、全面构建和谐校园的一次重要契机，必将极大地促进我校的安全稳定工作向着更加规范、完善和高水平的方向发展。

（一）要从讲政治的高度充分认识维护学校安全稳定的极端重要性

学校安全稳定关系广大师生的生命财产安全，关系学校事业健康发展以及社会和谐稳定，特别是首都高校的安全稳定，事关首都稳定乃至全国稳定大局。高校是社会思潮的集散地，社会问题、社会热点容易向高校传导，社会因素对高校安全稳定的影响越来越直接、越来越深刻。当前，西方敌对势力千方百计向高校进行思想文化渗透，与我争夺意识形态阵地。北京历来是思想文化交流交融交锋的最前沿，是各种敌对势力、敌对分子实施捣乱破坏活动和暴力恐怖活动的首选地区，是各类社会矛盾和热点问题叠加出现的地方。特别是在意识形态领域仍然存在着一些错误思潮，意识形态领域的斗争依然复杂尖锐、不容忽视。再加上来自互联网的影响和冲击，国际国内相互呼应，校内校外相互影响，网上网下相互作用，保持和发展高校和谐稳定局面的任务非常艰巨繁重。同时，转型期社会矛盾凸显，一些社会思潮对高校安全稳定的影响越来越大，高校自身也存在诸多不安定因素，各种新矛盾、新情况、新问题不断出现，影响高校安全稳定的不确定因素明显增加，维护稳定、凝聚人心、促进发展的任务十分艰巨。我校地处北京，更要深刻认识学校安全稳定工作的极端重要性和特殊敏感性，把学校安全稳定作为维护社会和谐稳定的重要内容，务必引起高度重视，纳入重要议事日程，时刻保持高度的政治自觉，切实增强做好学校安全稳定工作的责任感和紧迫感。必须牢固树立"安全重于泰山、稳定压倒一切"的政治意识、大局意识和责任意识，切实担负起维护学校安全稳定的政治责任，切实履行好维护校园安全稳定这个第一责任，在任何时候都不能有一丝一毫的松懈，在意识形态领域斗争等重大政治原则和大是大非问题面前，保持高度的政治清醒，旗帜鲜明，敢于亮剑，敢于发声，坚持下好先手棋、打好主动仗，坚决把问题预见于未发之时、解决在萌芽之中，做到万无一失。

2014 年 11 月 15 日，刘超美（前台中）出席北京印刷学院"平安校园"创建工作动员大会

（二）要从全局和战略角度深刻分析维护安全稳定面临的复杂形势

当前高校改革发展稳定呈现良好局面，但也要看到，随着我国步入经济社会转型期，社会利益关系日渐复杂，首都高校工作面临着许多新问题、新挑战，维护安全稳定的形势更趋复杂严峻。突出表现在 4 个方面：

一是涉及国际关系和少数民族的问题高度敏感，使高校安全稳定面临严峻考验。涉及国家主权和领土完整、涉及国家利益和民族尊严方面的问题，往往容易激起学生的群体情绪，是引发学生群体事件的重要因素之一。涉及西藏、新疆等少数民族地区发展稳定、方针政策、风俗习惯等方面的问题，是影响少数民族学生思想稳定、引发群体性事端的重要因素。二是意识形态领域工作趋于复杂，使学校安全稳定面临突出挑战。一些境外非政府组织针对大学生群体开展教育培训、社会调查和讲座沙龙等活动，加紧对高校进行渗透；一些境外宗教势力和境外所谓“家庭教会”针对大学生的传教活动（特别是校园传教）也在升级；一些有害功法也披着宗教外衣，或者以商业合作为名，加紧向高校发展。三是学生安全问题纷扰不断，使高校安全稳定面临巨大压力。高校师生精神疾患、非正常死亡，特别是自杀案件高位出现，需要引起我们的高度重视。学生遭受重大财产损失的各类事故、案件，以及学生违法犯罪现象仍不时发生。四是互联网、手机等新兴媒体的聚集放大效应日益凸显，对高校安全稳定提出了新课题，“药家鑫案”“李刚门”等社会热点事件，都显示了网络的强大力量。面对严峻的形势和繁重的任务，在做好学校安全稳定工作中，既要看到做好工作的有利条件，又不能盲目乐观、掉以轻心，要对当前影响学校安全稳定的各种问题有足够的估计和充分的准备，不断增强政治敏锐性和工作责任感、使命感、紧迫感，把维稳工作放在更加突出的位置，真抓实干，同心协力，切实维护好学校的安全稳定。

（三）要强化底线思维，不断提高全校干部师生维护安全稳定的责任心和自觉性

学校把“平安校园”创建工作纳入学校总体规划统筹推进，通过开展治安、消防、交通等方面的宣传教育，组织“消防、避险、逃生”安全演练，不断提高师生的安全意识和防灾自救能力；通过化解矛盾纠纷、关注特殊人群、排查安全隐患，从源头上预防和减少了不稳定因素；坚持定期开展安全工作检查，重点区域每天检查，重大活动、重要时间节点和

敏感时期全面检查，并采取不同等级的防控措施；通过严格落实"一岗双责"、推进科技创安、不断完善动态预警机制，有效提高了校园安全稳定防控能力。近年来，校园内未发生任何政治性、群体性事件、火灾、人身伤亡及重大刑事案件，维护了校园安全稳定的良好局面。学校连续4年获得北京市公安局集体嘉奖，多次荣获北京市交通安全、消防安全先进单位。在看到学校安全稳定工作取得重要成绩的同时，我们要切实增强忧患意识，坚决克服麻痹思想和侥幸心理，强化底线思维，以严之又严、细之又细、实之又实的作风，扎扎实实、精益求精地做好维护校园安全稳定的各项工作。要站在依法治校、民主办学的高度，深入开展法治教育与安全教育，引导师生牢固树立社会主义法治理念和法治意识，建立完善师生利益诉求表达和协调机制，深入开展矛盾纠纷排查化解工作，有效防止问题积累和矛盾升级。要不断提升安全稳定工作法制化、制度化、规范化水平，建立安全稳定工作的长效机制，从被动防范向抓源头管理转变，从事后查处向强化基础工作转变。各级领导干部要切实增强责任心、紧迫感，要把安全稳定工作放在更加突出的位置，贯穿到学校各个方面、各项工作的始终。针对影响学校安全稳定的突出问题，健全完善应急预案，做好应急处突准备，按照抓早、抓小、抓苗头的原则要求，努力把不安定事端化解在萌芽状态，把影响控制在最小范围。

（四）要以创建"平安校园"为重要契机加快提升学校安全稳定工作的科学化水平

"平安校园"创建工作是全面贯彻落实中央关于维护高校发展稳定工作的相关精神，和市委、市政府关于深入开展平安中国、平安北京建设的一项重要举措，也是市委教工委、市教委总结多年来高校安全稳定工作经验，特别是巩固"平安奥运""平安国庆"工作成果，与首都综治办、市公安局共同推动的一项安全稳定基础工程，是为整体提升首都高校安保维稳能力水平的一项重大部署和重要抓手，是贯穿"十二五"的一项重要任务。其核心内容是"实现一个目标，建设六大体系"，即实现"大事不出、小事减少、管理有效、秩序良好”的一个总目标，整合优化组织领导体系，强化对安全稳定工作的领导和统筹；健全完善维护稳定工作体系，形成平战结合的维稳工作机制；建立涉校矛盾纠纷排查化解体系，最大限度预防和减少不稳定因素；建设立体化校园综合防控体系，形成整体防控格局；完善校园安全教育管理服务体系，筑牢维护安全稳定的基石；健全完善校园应急处置体系，积极预防、有效应对各类突发事件。六大体系包括 8 个一级指标、24 个二级指标、57 个测评要素，涵盖安全稳定工作各个方面，形成一个有机整体，共同构建机构人员齐备、责任措施落实、管理服务到位、组织保障有力的大安全、大稳定工作格局。今天我们召开“平安校园”创建工作动员部署会议的主要目的是使大家真正认识和领会“稳定压倒一切”和“安全第一”的指导思想，认识到“安全稳定工作怎么强调也不过分”，并且把其认真贯彻到具体的工作中去，让大家知道为什么要创建“平安校园”、创建什么、怎么创建，以及自己在“平安校园”创建工作中的职责和任务。各单位要牢牢把握深化“平安校园”创建工作的大好机遇，进一步理顺安全稳定工作体制机制，加强安全稳定专兼职工作队伍建设，进一步修订和完善各项安全管理规章制度，深入开展矛盾纠纷排查化解，认真查找和消除各类安全隐患，大力开展全员安全教育和法治教育，全面提高维护稳定和预防灾害事故的能力和水平。“平安校园”创建工作，绝不是保卫部门或者学生部门一个部门的事情，而是一项系统性、全校性工作，各单位要齐心协力，密切配合，统筹安排，实现学校安全稳定工作更好的发展。要充分发挥各基层单位、基层组织的作用及广大师生员工的主观能动性，结合本学院和本部门工作实际，进一步细化任务分解，明确工作责任，不断完善校园安全稳定工作体系。

二、明确责任、狠抓落实，确保“平安校园”创建工作的各项任务落实到位

上月底，学校党委常委会听取了保卫部关于创建“平安校园”的专

题汇报，会后以党委文件的形式下发了《北京印刷学院关于深入推进"平安校园"创建工作的实施意见》《北京印刷学院"平安校园"创建工作实施方案》等3个文件，明确了"平安校园"创建工作的总体要求、主要任务、组织机构、时间安排。各单位要按照文件要求确保创建工作各项任务落到实处，实现"四个到位"。

（一）责任落实到位，实施"一把手"工程。学校党委对贯彻落实北京市"平安校园"创建工作负全面领导责任，实行党委统一领导，党政齐抓共管，安全稳定领导小组总体协调，各单位、各部门各负其责的"平安校园"创建工作领导体制和工作机制。我和王永生校长担任学校安全稳定领导小组组长，是第一责任人，其他校领导各负其责，负责指导分管工作部门的"平安校园"创建工作。各单位、各部门党政正职是本单位"平安校园"创建活动第一责任人，各单位要按照职能分工，明确工作任务，做到思想到位、工作到位、责任到位。同时，各部门要按照任务分工，建立和完善本单位安全稳定工作责任体系，要将安全稳定责任落实到具体岗位、具体人员和具体环节，努力做到安全稳定工作无死角、无盲区。

（二）任务分解到位，保质保量完成工作任务。现在距离专家组进校验收还有半年时间，实际工作时间也就4个多月的时间。我们要在这不长的时间里抓出成效，实现学校安全稳定工作的整体提升，是对大家工作能力、水平和作风的一次集中检验。各单位要按照时间进度和工作部署，精心组织，抓好每一项任务的落实。不能是简单地应付检查，为完成任务而完成任务，一定要有创新性，要按照高水平、高质量的标准来要求，出色地完成好各项工作任务。学校"平安校园"任务分解表共84小项，牵头单位涉及学校大多数部门和单位，没有列入的单位也不代表没有工作任务，也要利用此次机会，认真梳理本单位涉及安全稳定的工作事项。要首先经得起自己检查，然后再迎接学校督查小组和专家组的检查。各单位要认真对照任务分解表，以及工作措施和时间安排，抓紧制定本单位任务分解方案，逐项落实工作要求和负责人。

（三）宣传教育到位，大力营造安全和谐校园环境。广大师生员工是创建“平安校园”的主体，也是受益者。我们要充分依靠广大师生员工，把创建“平安校园”建立在广泛的群众基础之上。组织、宣传部门要通过会议部署和校内橱窗、广播、多媒体、网络等各种阵地，结合各种讲座、培训和主题班会，进一步加大“平安校园”创建工作的教育宣传力度，营造平安和谐的校园氛围，努力做到人人关心、全员参与。学工部门和各二级学院要进一步加强大学生思想政治教育工作，营造浓厚的教育环境，帮助青年学生树立正确的世界观、人生观和价值观，自觉抵御西方思想渗透和侵袭。同时，通过举办形式多样、内容丰富的安全教育和法制教育活动，不断提高广大青年学生的法律意识和安全意识。

（四）督促检查到位，深入推进基层单位平安创建工作。各二级单位要按照学校“平安校园”创建工作的统一部署，认真开展自查自评工作，学校“平安校园”创建工作组，要分阶段组织开展检查测评，深入了解各二级单位在“平安校园”创建工作中创造出的新经验和新办法，并及时予以总结推广。同时积极协助各部门、各学院解决工作中存在的实际困难，并对“平安校园”创建工作中存在的问题和不足，提出改进意见和建议。对在“平安校园”创建工作中表现优秀的单位和个人，学校将给予表彰奖励，对工作责任不落实、安全措施不到位的单位和个人，给予严肃处理。

三、夯实基础、勇于创新，建立和完善维护校园安全稳定工作长效机制

专家组入校检查验收的时间虽然只有一天，但这一天里将集中反映学校近年来在维护校园安全稳定、促进学校事业发展方面的主要成果，集中体现我校党员、干部、师生的精神风貌以及战斗力和凝聚力。学校各级党组织、各单位要开展广泛的宣传动员，认真学习领会相关文件和材料，营造校园安全稳定人人共建、人人共享、人人受益的浓厚氛围，把广大师生

员工的热情凝聚到"平安校园"创建的实际行动中来，确保高质量完成"平安校园"创建任务。

（一）要统筹协调，形成工作合力。学校安全稳定领导小组统一领导"平安校园"创建工作，各有关工作小组要指导二级单位按照工作要求及《任务分解表》认真开展自查，重点查找各类安全隐患、安全责任和安全制度的落实情况，并提出整改意见。各牵头单位要对照检查验收标准，查漏补缺，进一步梳理各项检查要素是否还有提高、改进的空间；要把握工作的重点、亮点和特色，总结提炼好汇报材料。要按照各自的工作职责，认真落实责任制，做到每一项工作都落实到人，每一个环节都有序衔接，确保工作不出纰漏。

（二）要夯实基础，完善工作体系。通过"平安校园"创建工作，各部门、各学院要进一步夯实安全稳定基础工作，建立和完善安全稳定"人、地、物、事"4 个工作要素相关信息库和工作台账，做到本单位、本部门各个事项情况清、底数明。同时，要扎实推进学校安全稳定工作体系、机构、队伍、条件和基础设施建设，筑牢维护安全稳定根基。学校将把创建工作成效列入对单位和个人的年度考核，对未能按期完成或因工作不力、履责不到位引发重大问题造成严重影响的单位和个人，按有关规定进行责任追究，直至实行评优晋级的"一票否决"。

（三）要勇于创新，破解工作难题。对学校改革发展过程中出现的一些新情况和新问题，我们要用创新的思维和发展的眼光对待和解决。针对突出矛盾化解、意识形态领域渗透、校园传教、互联网维稳等重点难点问题，我们要不断创新理念、体制机制、方式和方法，在服务和管理过程中加以破解。各单位要善于总结、勇于创新，及时总结和推广，固化工作中的好经验、好做法；要加强学习交流和工作研究，破解工作难题，努力建立健全安全稳定工作长效机制。

创建"平安校园"是"十二五"时期的一项重要工作，是一项长期而艰巨的任务。本次动员大会的召开，标志着我校迎接"平安校园"检查验收进入了最后的冲刺阶段。希望各单位进一步统一思想、提高认识、精心组织、狠抓落实，全面深入推进“平安校园”创建工作，进一步提升学校安全稳定工作水平，巩固和发展我校持续稳定的良好局面，满足广大师生对平安和谐校园的期待，为全面推进学校的建设和发展作出新的更大贡献。

为我国版权事业迎来大有可为的明天作出新的更大贡献*

尊敬的阎晓宏副局长、于慈珂司长、王国庆理事长、邹建华书记，尊敬的各位领导、各位来宾、老师们、同学们：

大家好！四月的北京，百花齐放、春意盎然。今天我们在此集会，举行北京印刷学院与中国版权协会合作签约仪式，我谨代表学校向参加仪式的各位领导、各位来宾表示热烈欢迎！对国家新闻出版广电总局、国家版权局、中国出版协会的大力支持表示诚挚感谢！对我校与版权协会即将开启的全面合作表示热烈祝贺！

国家文化产业振兴规划提出要推动文化产业成为国民经济支柱性产业，党的十八大提出要发展新型文化业态，提高文化产业规模化、集约化、专业化水平，党的十八届三中全会提出要整合新闻媒体资源，推动传统媒体和新兴媒体融合发展，党的十八届四中全会提出要制定文化产业促进法，这些都充分表明了国家对文化产业发展的重视。版权事业作为文化产业的重要组成部分，是推动文化科技创新与经济发展的核心要素，是文化发展的基础内容和重要资源，加快转变经济发展方式，建设创新型国家和社会主义文化强国，将更多地依靠版权在内的智力成果和以版权为基础的文化创意。中国版权协会与我国第一部《著作权法》同年诞生，协会

---

* 这是2015年4月17日刘超美在北京印刷学院与中国版权协会签约仪式上的致辞。

参与了我国版权事业的开创工作，在我国版权事业发展的历史进程中发挥了重要作用。多年来，中国版权协会充分发挥联系政府和产业界的桥梁和纽带作用，在行业服务、行业自律、行业交流、行业维权等方面做了大量工作，是国家版权管理部门的好参谋好助手，是联系广大版权工作者的好桥梁好纽带，是推动国际版权交流的好渠道好平台，得到了版权业内外的充分肯定和广泛好评。

2015 年 4 月 17 日，刘超美等在北京印刷学院与中国版权协会签约仪式上为中国版权协会版权研究中心揭牌

北京印刷学院办学近 57 年来，为社会培养、输送了 4 万多名优秀毕业生，形成了传媒科技、传媒文化、传媒管理、传媒艺术四大特色学科专业群，建成了具有时代特征的数字出版、数字媒体艺术等新型数字媒体专业群，拥有北京出版产业与文化研究基地、创意经济研究所等众多文化产业基地。作为一所文化特色鲜明的高校，学校始终高度重视版权工作，并在 2013 年建立了“数字版权保护中心”，成为第一家拥有数字版权保护中心的北京高校。

在文化产业大发展、大繁荣的时代背景下，我们双方正式签约，即将迈向全面合作发展的新阶段，学校将以此为契机，与中国出版协会一道，全力以赴落实好合作项目，努力将各自资源优势向竞争优势和可持续发展优势转化。

时任国家新闻出版广电总局副局长阎晓宏（前排右三）到北京印刷学院调研

学校将充分发挥高校人才和智力优势，依托印刷包装、新闻出版、设计艺术等重点学科、特色专业及柔性引进的行业领军人才，通过联合培训、学历教育等方式，为国家版协会员单位培养骨干力量和高层次人才，为我国版权事业发展奠定更加坚实的人才基础。学校将挂牌成立“中国版权协会版权研究中心”，聚焦我国版权事业发展热点难点问题，联合国家版协共同研究并出台精品报告，为政府统筹版权事业重大战略、发展思路、重大项目等方面提供决策咨询和智力支撑。

希望我们双方不断加强顶层设计和统筹规划，加强定期沟通和深入交流，携手并进、共同奋斗，为我国版权事业迎来大有可为的明天作出新的更大的贡献。

密切协作　共同努力
推进版权事业的创新及发展*

尊敬的阎晓宏副局长、王家新主任、于慈珂司长，各位领导、各位新老朋友：

非常高兴参加今天的座谈会。首先，我代表北京印刷学院，对《版权的力量》新书发布表示热烈的祝贺！同时，对中国版权协会以及在座诸单位长期以来为国家版权事业作出的巨大贡献致以崇高的敬意！

党的十八大以来，以习近平同志为核心的党中央，从坚持和发展中国特色社会主义全局出发，提出并形成了全面建成小康社会、全面深化改革、全面依法治国、全面从严治党的战略布局。在党和国家政治、经济生态发生深刻变化的时代背景下，《版权的力量》出版恰逢其时，必将对2014—2020年国家知识产权战略行动计划深入实施起到积极推动作用。

版权是战略问题，版权的政治属性需要国家强有力的宏观调控。在全面依法治国的大背景下，版权力量关乎国内、国际两个大局的统筹与稳定，影响着国家新闻出版强国战略的进程，影响着文化创新的保护、加强自主创新、建设创新型国家的工作大局。对于中国政府践行对世界的庄严承诺、表明保护知识产权的决心、促进民族软件产业发展以及维

---

* 这是2015年4月27日刘超美在《版权的力量》新书发布座谈会上的发言。

2015 年 4 月 27 日，《版权的力量》新书发布座谈会在京举行

护国家利益具有重大意义。本书的发行，是我国 30 多年版权事业发展的阶段性总结，说明中国政府的版权管理水平和宏观调控能力有了很大的提高，版权保护的法律体系更加完备，社会公众的版权保护意识正在提高。

版权是商品问题，版权的经济属性需要产业界不断地进取。版权制度从它产生之日起就与经济和社会发展有着密切的关系。版权制度的实质是对人类智力创造活动从产权角度进行激励，通过对作者和相关权利人创新精神的保护，带动与作品创作和传播有关产业的发展。在传统出版与新兴出版深度融合的大背景下，发挥市场在资源配置中的决定性作用，就要不断强化版权的商品功能、价值功能和产权功能。当“互联网+”成为文化创意产业发展新常态的时候，版权将关乎产业结构的调整、经济发展方式的转变和社会财富的创造。版权已成为越来越重要的生产要素和财富资源。在座诸位是产业界的领军人才，版权的价值正是在你们的辛勤耕耘下，绽放出巨大的经济光彩。本书的发行，将有利于更多的业界精英关注版权的经济功能。

版权属于知识产权保护范畴，版权的学科属性需要学术界强化研究。版权的服务贸易属性，是需要多学科交叉融合研究的应用性学科。目前，版权的基础研究还比较薄弱，尚没有形成完整的知识体系，复合型版权人才短缺，一定程度上影响了版权实务的开展。本书的发行，将激励更多的高校和科研机构加强版权的学术和应用性研究。作为国家新闻出版广电总局和北京市共建的传媒类高校，北京印刷学院在近 57 年的办学历程中，围绕新闻出版全产业链，形成了传媒技术、传媒文化、传媒艺术、传媒管理等在全国有一定影响力的学科和专业群。面对传统媒体和新兴媒体融合发展的大趋势，学校加快学科专业布局和媒体平台建设，2013 年在首都高校中率先建立了“数字版权保护中心”，今年 4 月 17 日，又与中国版权协会签署了全面战略合作协议，挂牌成立了“中国版权协会版权研究中心”，初步搭建起版权基础研究和应用研究的开放平台。

围绕 2015 年国家知识产权战略实施推进计划，今年我们将从以下 3 个方面开展工作：一是以数字版权保护中心及版权研究中心等平台为支撑，加强知识产权相关领域理论研究和人才培养，着手筹备知识产权本科专业设置，为将来建设知识产权人才培养基地以及知识产权协同创新中心夯实坚实基础；二是聚焦国家版权事业发展热点难点，积极配合中国版权协会，在强化版权保护、促进版权创造运用、加强版权管理服务、拓展版权交流合作、提高版权战略实施保障水平等方面加强研究并出台精品报告，为政府统筹版权事业重大战略、发展思路、重大项目提供决策咨询和智力支撑；三是与中国版权协会一道，协助政府推动新版权法及其配套法规宣传教育，协助权利人维权并提供法律咨询和相关服务，共同组织开展版权领域研讨培训活动，促进版权业内外沟通、交流、合作。

李克强总理在 2015 年政府工作报告中指出，“要加强产学研协同创新，坚决打击侵权行为，切实保护发明创造，让创新之树枝繁叶茂。”在文化产业大发展大繁荣和媒体融合发展的时代背景下，版权事业的创新及发展更加需要政府、企业、高校的密切协作、共同努力。今天的座谈会是推动版权工作的好平台，也是广结益友的好机会，北京印刷学院愿意与大家携手并进，努力汇聚起更大的版权力量，为我国版权事业的进步和文化产业的发展作出新的更大贡献。

大力发展绿色包装
共同扫除快递界的“雾霾”*

“包装垃圾是快递业的‘雾霾’，治理它需要整个产业链共同努力。”近日，北京印刷学院党委书记刘超美在接受本报记者采访时表示，她一直关注着快递业发展进程中带来的包装垃圾问题。印刷业与快递业关系密切，行业各方应当积极推动绿色印刷理念和技术的广泛应用，共同推进绿色快递的发展。

一、绿色包装有“三重境界”

2014 年，快递业年业务量达到 140 亿件，但成绩的背后仍存在一些问题。有专家估算，140 亿件快递包裹会产生约 280 万吨包装垃圾，可摆满 20 万个足球场，使用的胶带至少可绕地球 300 圈。可以想象，随着快递业的持续发展，这一数据将进一步攀升。

出于职业习惯，每次收到网购书籍的快递时，刘超美都会关注快件的包装情况。“图书被放置到纸盒内，外面又贴了一层层胶带。纸质产品本来是可以降解的，但由于贴了不可降解的胶带，就变成了无法回收的包装

* 此文根据 2015 年 7 月刘超美接受中国邮政快递报记者采访时的谈话形成的报道，刊载在《中国邮政快递报》2015 年 7 月 8 日（作者：王洪磊　李平）。

垃圾。”

刘超美表示，目前，部分快递包装材料会被送往废品站进行回收利用，但是塑料盒、塑料袋、包装胶带等没有回收利用价值的材料，最终变成了污染环境、破坏生态的快递垃圾，浪费了大量社会资源。“这不仅不符合勤俭节约的时代精神，也有悖于绿色环保的生态理念。”

“包装垃圾是快递界的‘雾霾’，如果不及时治理，以后我们将会付出更大的代价。”刘超美说，快递业的发展在讲究经济效益的同时也要注重生态环境效益，提倡发展绿色快递、绿色包装已经迫在眉睫。

对此，她建议，快递业要有针对性地开发以“无污染、可回收”为理念的“个性化包装”，实现特定物品特定包装。刘超美用“三重境界”对绿色包装作出解读：第一重境界是对人体无危害，对环境无污染，这是绿色包装的底线；第二重境界是能循环利用，实现“生于这个世界，回流于这个世界”；第三重境界是“以人为本的情怀”，可以提升人们的生活品质，给人以美的享受。

快递企业可以与科研院所进行合作，通过优化设计，提高包装材料的可回收率，并提升人们的生活品质。目前已有应用于快递包装的绿色环保包装案例，如蜂窝纸板等。另外在设计上，以快递信封为例，可以做成文件夹形式，或折叠而成的收纳盒等。包装上可以印上快递企业的商标字样、联系方式等，对于快递公司来讲，快件包装也是宣传品牌的机会。

二、绿色包装是共同课题

我国的快递业发展至今，已经形成了相当的市场规模，但却鲜有快递包装方面的革新，目前这一领域还存在着很多不规范、不环保的地方。反观欧洲一些国家，快递包装已经走上了智能化的绿色包装之路，如瑞典采用印刷电子的方式将智能芯片嵌入到食品包装袋中，会及时向消费者提示其包装的食品保质期。“这确实需要行业各方协同努力，迎头赶上。”刘超美说。

“快递行业的绿色包装不是快递公司一方的事，而是需要整个产业链的上下协调联动才能推动开来。上游的电子商务企业，下游的供应商，乃至消费者都有责任和义务推动绿色包装。”刘超美说。绿色包装涉及材料生产、产品设计、包装设计、运输物流等多个环节，是整个产业链的共同课题。电商的成功经验可以为快递行业提供思路，快递业也可以与电商联合，协同相关产业领域，共同解决绿色包装问题。“单靠一家单位来解决整体性问题的时代已经过去了，要用协同创新的理念进行研究，解决产业链当中的系统性问题。”

刘超美表示，从协同理念来看，除了市场协同，绿色包装还需要政府协同作出相关顶层设计。基于尽快全面实现绿色包装的考虑，需要依靠政府部门明确指定快递包装的禁用目录（负面清单），规范行业发展。此外，尽快建立快递业包装标准，鼓励绿色包装企业的发展，出台法律明确包装制造商、销售商承担回收义务及污染处理费用，这些举措都能进一步推动绿色快递的发展。

短期来看，使用可降解包装材料、可再资源化的包装会加大成本支出，但从社会效益方面来看具有整体收益。此外，随着大规模推广使用，绿色包装价格也会逐步降低。要消除绿色包装对快递行业运营成本的短暂影响，需要政府、快递行业、消费者以及包装生产企业等协同承担社会责任，从保护环境的根本目的出发，协同实现快递行业的健康发展。

“快递业推广实现绿色包装已是大势所趋，在政府和行业主管部门的引导下，通过产业上下游的共同努力，相信不久的将来，我们会迎来一个快递业健康、环保、绿色发展的新时代。”刘超美说。

关于学校“十三五”规划工作的三点意见*

刚才，蒲嘉陵副校长、王关义副校长、雷京书记（纪委——编者注）用了两个多小时的时间，对学校“十二五”规划执行情况进行了总结，对“十三五”规划战略目标、主要任务进行了科学分析，并围绕优化调整学科专业结构、提高人才培养质量以及“十三五”学校人才队伍建设，提出了创造性的思路和可操作性强的举措。3 个报告集中了同志们的智慧，是对暑假务虚会议精神的凝练和升华，从现场反应情况看，也引起了大家的共鸣。会后，请各二级单位主要负责同志组织班子成员和教师围绕本次会议精神进行认真讨论，根据学校“十三五”战略目标和任务要求，迅速启动本单位“十三五”规划制订工作。下面，我结合本次会议主题以及三位同志的发言再谈 3 点意见。

一、认清形势、把握趋势，科学制定“十三五”规划

蒲嘉陵副校长在报告中对我校“十三五”规划的战略目标、战略定位、主要任务作了全面分析和阐述，我就不展开讲了。这里，我重点分析

---

* 这是 2015 年 9 月 16 日刘超美在北京印刷学院“十三五”规划工作推进会上的总结讲话。

一下国家、行业、首都以及高等教育层面谋划和制订“十三五”规划的重要思路和举措。从国家层面看，党的十八届五中全会将在今年 10 月份召开，届时，国家“十三五”规划将成为聚光灯的焦点。按照惯例，规划初稿在中共中央全会上提交审议，并确定基本规划思路；2016 年全国“两会”上，将通过正式的“十三五”规划纲要。这次规划亮点颇多，令人期待，比如李克强总理提出的“三个重大”工程，要推出一批重大项目、一批重大工程、一批重大政策，围绕实现“一带一路”“长江经济带”“京津冀协同发展”等国家重大战略展开投资，引起社会广泛关注。另外，新闻出版广电系统、高等教育系统、北京市也从去年启动“十三五”规划前期工作，并且都形成了编制工作方案。教育“十三五”规划基本思路是：围绕“十三五”教育发展面临的一系列重大课题，比如包括构建终身理念的现代教育体系、深化教育领域综合改革等方面，进一步加快教育改革发展步伐，切实增强教育对区域经济社会发展的服务贡献能力。新闻出版“十三五”规划基本思路是：到 2020 年，初步形成传统出版和新兴出版相互融合的现代格局，推动新闻出版强国建设取得重大成效。北京市“十三五”规划基本思路是，重点围绕“四个中心”的城市战略定位，将北京建设成为国际一流和谐宜居之都。其中有 3 个重要时间节点：一是今年底将污染企业疏解出首都；二是在 2017 年完成高等教育学校、医院的疏解；三是到 2020 年建成可持续发展的和谐宜居之都。

我们在谋划和推进“十三五”规划时，要把所处的发展环境和条件分析透，把前进的方向和目标理清楚，把面临的机遇和挑战搞明白，立足优势、趋利避害。一是在主要目标的设定上，要远近结合，近看 5 年，远看 10 年。既要以 5 年为主，确保“十三五”规划各项目标任务的落实，又要考虑更长时期的远景发展。二是在规划实施的路径上，必须积极作为，既要有所为、又要有所不为，既不能好高骛远、也不能故步自封，不折腾、不懈怠，确保规划提出的目标任务如期实现；三是在发展导向的确立上，坚持问题导向，充分把握好上级的政策要求、我校的现实情况、未来的发展趋势；四是在着力点的选择上，必须从学校实际出发，着力构建

2015 年 9 月 16 日，刘超美主持召开北京印刷学院“十三五”规划推进会

符合自身优势、契合发展趋势、能够服务和引领行业及首都需求的核心竞争力；五是在制定规划的方法上，要特别注意加强调研。从“十二五”没有完成的任务看，有些是受制于外力因素，有些是因为调研不足而导致。因此我们必须集思广益，既要从上而下出思路，又要从下而上问计策，集全校之力和校内外智慧做规划，要让广大师生校友的愿望和呼声得到及时回应、让业内外专家和社会各界意见和建议得到充分表达。要将制定“十三五”规划的过程，成为调动积极性、激发创造性的过程，成为广谋良策、广集众智的过程，成为增进共识度、汇聚正能量的过程。以谋划“十三五”为契机，不断激发广大师生主动作为、干事创业的热情和激情。

二、正确认识和把握更名建设内涵，努力提升学校核心竞争力

更名建设是我校未来 3 年统筹各项重点工作的总抓手，也是“十三

五”规划的重要内容。我们将以更名建设目标为引领，进一步提高学科建设水平、优化师资结构，提升科研水平和服务社会的能力，不断拓展办学空间、提升办学层次。对此，多数干部思想是重视的、态度是坚定的、行动是积极的，但个别干部还存在一些思想误区和工作上的消极被动。有的干部等待观望、被动应付，对更名工作的重要性、紧迫性认识不到位，认为京津冀协同发展规划方案和高等教育层面对高校更名要求高、限制多，学校更名建设工作任务艰巨，可以细水长流，多等等外部环境的形势和变化，多看看兄弟院校的对策和办法。有的干部事不关己、高高挂起，没有从全局高度上思考和应对更名建设工作，担心投入过多精力会增加负担、顾此失彼，只顾“扫好自家门前雪”“管好自己一亩三分地”，至于“更名”等学校重点工作则是校领导的事情，推推动动、不推不动、小推小动。有的干部精神懈怠、不思进取，认为“十二五”以来，学校发展迅速，现在可以歇歇脚、缓口气。对学校外部环境发生的深刻变化反应滞后、应对不足，推动工作思路不变、方法不变，以不变应万变。这些短视的思想、观望的心理、敷衍的态度、畏惧的情绪，要特别警惕。学校领导班子的态度是，更名任务虽重、挑战虽多，但绝非“不可能实现的目标”。针对以上思想，我们要在以下几个方面进一步达成共识：

一要正确认识更名的实质内涵和根本目的。我们不是为了更名而更名，不是为了跑马圈地，不是贪慕“大学”的虚名，更不是丢掉学校的特色和法宝。习近平总书记在中央全面深化改革领导小组第十五次会议上，明确提出，要引导和支持高等院校优化学科结构，凝练学科发展方向，突出学科建设重点，通过体制机制改革激发高校内生动力和活力。要推动一批大学和学科跻身世界一流大学行列。在“十三五”甚至今后相当一个时期，中央向所有高校释放出了重要信号，要进一步夯实基础，加强内涵建设，凝练学科特色，积累标志性成果，提升办学层次和水平，切实增强服务社会的能力。这也是我们更名的根本目的。

二要正确判断和把握更名建设的外部有利形势。首先，党和国家高度重视高校思想政治和意识形态工作。党的十八大首次把“立德树人”写入党的全国代表大会报告中，总书记多次强调，高校办学治校的首要问题是培养什么人，怎样培养人。新闻出版是建设和巩固社会主义思想文化的主阵地，在以社会主义核心价值体系引领社会思潮方面发挥着越来越重要的作用，我校肩负为新闻出版行业培养人才的重要使命，自然迎来了大有可为的机遇期。其次，国家大力发展文化产业，近年来出台关于文化一系列的革故鼎新的大手笔，其中《文化产业振兴规划》更是将发展文化产业上升到国家战略，北京市文化产业规划出台，其中不少项目能够与我校优势特色紧密联系，我们必须积极应对，主动作为。最后，北京市围绕首都功能定位调整，出台了《京津冀协同发展规划纲要》，对我校既有机遇，又有挑战。总之，作为一所与新闻出版行业关系紧密、意识形态属性和文化特色鲜明的首都高校，我们必须顺势而为，作出“更名”这一历史性选择。

三要正确解读高等教育系统关于高校更名精神的实质。2015 年的全国教育工作会上，袁贵仁部长讲：一些本科院校是在原有专科基础上新建的，虽然名称“升格”了，但办学思路和能力并不一定同步“升格”，有些甚至出现了就业难、招生难并存的现象。教育部杜玉波副部长在 2015 年北京高校领导干部会议上指出：高等教育要更加注重内涵发展，而不是一味扩规模、上专业、改校名、提规格。深入解读和准确把握有关精神，我们会发现：国家不鼓励的是没有实力做保障，一味为更名而更名，为升格而升格。相反，如果我们做好“文化”和“媒体”这篇大文章，将特色和优势做好，学校内涵得到提升、实力得到提高，为首都发展和行业发展作出有力贡献，实现更名就是水到渠成。不管更名结果如何，只要我们按照“大学”的标准去努力，结果一定会提升学校核心竞争力，惠及 8000 北印师生，福泽无数北印后来人。

四要清醒认识学校更名建设的自身优势和短板。机遇难得，机遇稍纵即逝。面对难得的历史机遇，我们更要清醒认识到自身的优势和短板。更名建设工作推动的决心与意志，学校特色与发展关系的凝练与把握，全校上下的大力支持和齐心协力，这些都是我们开展更名工作的优势。至于短板，刚才几位校领导也作了详细分析，比如，科研成果培育、办学空间局限、高层次领军人才，等等。对此，学校将多方努力、积极应对，科研成果方面，各二级学院要积极认领科研任务，各研究院也要主动参与奖项拓展，全校上下都努力在培育科研成果方面寻找机遇；空间方面，学校与固安县政府签约后，一直和固安方面积极接洽，力图加快新校区拓展和建设的进度。河北省委、廊坊市委高度重视固安在京津冀协同发展河北方面的桥头堡作用，想把固安县与我校的合作树立为示范和样板，这些都是有利的反馈。硬件条件虽难，却不是最难攻克的堡垒，最难的是我们软实力的提高。办好一所大学，最核心、最关键的是大师，而不是大楼。高素质的人才队伍是办好一所学校诸多因素中最关键的因素。“人才”是我们的软实力，只要我们拥有了一批在学术界和行业领域有重要影响、能带动特色和优势学科快速发展的高层次人才和一支师德高尚、业务精湛、结构合理、勇于创新的高素质专业化教师队伍，其他短板离迎刃而解就不远了。

三、以深入开展“三严三实”专题教育为契机，打造一支“忠诚、干净、担当”的高素质干部队伍

学校“十三五”战略目标和主要任务已经明确，未来发展需要一批信念坚定、为民服务、勤政务实、敢于担当、清正廉洁的干部队伍，需要一批有理想信念、有道德情操、有扎实知识和仁爱之心的教师队伍。今天我们专门请各二级学院的中青年教师参加这次会议，中青年教师是学校干部队伍的蓄水池，是学校发展的希望和未来，中青年教师强，则干部队伍强。毛泽东同志说，路线确定以后，干部就是决定因素。习近平总书记在中央政治局近日召开的第二十六次集体学习会上，就践行“三严三实”对干部提出了新的更高要求。他指出：“三严三实”是我们天天要面对的要求，大家要时时铭记、事事坚持、处处上心，随时准备坚持真理、随时准备修正错误，凡是有利于党和人民事业的，就坚决干、加油干、一刻不停。

我校自党的群众路线教育实践活动以来，全校上下各级干部的作风有了比较明显的转变，得到了广大师生的认可。但作风建设永远在路上，一些作风转变不够彻底，一些消极懈怠情绪在部分干部身上还有所反弹。对此我们必须高度重视，并与正在进行的“三严三实”专题教育紧密结合起来，持之以恒抓紧抓好作风建设，为学校“十三五”提供可靠的组织保障和思想保障。全体干部要争当旗帜和标杆，全体党员要发挥先锋模范作用，要认真践行“三严三实”，立根固本，挺起精神脊梁；要落细落小，注重细节小事；要修枝剪叶，自觉改造提高；要从谏如流，自觉接受监督。在以身作则上见表现，在遵规守矩上见行动，在整改落实上见实效，努力营造积极向上、干事创业、风清气正的良好氛围，积极应对和引领学校事业发展新常态，积极应对工作中存在的突出矛盾和问题，积极应对各种风险和隐患，扎扎实实把学校各项工作落到实处。

同志们，9 月 3 日的首都胜利日阅兵仪式上，习近平总书记昭示了正义必胜、和平必胜、人民必胜的伟大真理，道出了人民的心声、世界的共识，也给予我们深深的启示：最伟大的力量是什么？最伟大的力量是同心协力！新的历史赋予了我们新的使命，历史使命越光荣，奋斗目标越长远，任务工作越艰巨，我们越要增强忧患意识，越要坚定必胜信心，越要携手并肩、同心协力。个体有担当，学校就有力量，在座各位是推动学校发展的骨干力量，大家的认识、态度和决心，会影响到本单位的每一位同志，也会影响到学校重点工作的推进成效。希望大家在校言校、在校爱校、在校为校，以倒计时的状态抓好总落实，以实打实的成效展示新作为，以“等不起”的紧迫感、“慢不得”的危机感和“坐不住”的责任感，将学校各项重点工作落到实处，为学校“十三五”作出无愧于良心、无愧于师生、无愧于党、无愧于历史的贡献。

中秋节即将来临，我代表学校党政领导班子提前祝大家节日快乐，阖家幸福，万事如意！

感谢王永生院长　欢迎罗学科院长*

刚才，北京市委组织部世新副部长宣布了市委市政府的有关任免决定，张雪书记作了重要讲话，对学校未来发展以及领导班子建设提出了新的要求和希望。我代表学校党委和领导班子坚决拥护市委市政府的有关决定，对张雪书记讲话提出的要求和希望，我们要认真学习领会，坚决贯彻落实。

自2000年划转北京市管理以来，北京印刷学院进入了办学史上快速发展的时期，学院各项事业发展取得了喜人成绩，特别是“十二五”以来，学校办学条件明显改善，办学水平明显提高，办学实力明显加强，这些得益于市委市政府以及市委组织部、市委教工委对学校发展的重视和大力支持，得益于全校教职员工的敬业奉献，得益于学院领导班子的团结协作和班子成员的辛勤努力。永生院长作为学校领导班子主要成员、行政工作的主要负责人，为人正直、作风扎实、勤奋敬业、廉洁清正，自2011年7月任职北印以来，以高度的政治责任感和大局意识，认真贯彻民主集中制和党委领导下的校长负责制，为学校改革发展稳定，以及积极融入首都与行业发展作出了重要贡献。

永生院长主动研究并准确把握高等教育的发展规律，结合北印行业特色型高校的办学实际，提出了“依托行业、内涵发展、坚持特色、开放办学、提高质量”的办学思路，以及以学科建设为统领的“小精尖”的

---

* 这是2015年10月16日刘超美在北京印刷学院干部宣布大会上的讲话。

2015 年 10 月 16 日，北京印刷学院召开干部宣布大会

发展定位和“小中见大”的发展策略，从顶层设计上明确了提升办学层次的目标定位和路径选择，探索出了符合学校实际的特色发展之路，有力推动了北印转型跨越发展的步伐。

新老班子成员合影（左七为刘超美，左六为罗学科，右六为王永生）

永生院长以务实的作风、强烈的事业心和责任感，推动学校在优化调整学科专业结构、提升人才培养质量、增强科研竞争力、深化人事制度改

革、提高人才队伍水平、拓展和优化办学空间、提升软硬件实力等方面取得了长足进步，带领学校在一级学科学位点数量、国家级教育教学成果奖项、高质量招生创业就业、国家级教学科研平台及重大项目、科研经费总额和质量、研究院建设和博士后工作站创建、国际化办学等方面取得了历史性突破。

永生院长与学校结下了难以割舍的亲情，他深受师生欢迎，被亲切地称为“学者院长”“儒者院长”。无论是大力推行“北印学者”和“北印英才”，还是广泛开展“校长有约”“校长面对面”，都倾注了对学校和师生深深的爱。履新北京信息科技大学后，永生院长依然就学校工作和我保持电话热线，今年暑期的一个大雨天，还特意打电话叮嘱我注意学校施工安全。回顾北京印刷学院“十二五”以来取得的发展成就，无不凝聚着永生院长的辛勤努力和巨大付出。在此，我代表学校领导班子和全校师生向永生院长表示衷心的感谢和崇高的敬意，祝愿他在新的工作岗位上一帆风顺、再创辉煌。也真挚希望永生院长一如既往地关心和支持北京印刷学院的发展。让我们以热烈的掌声向永生院长表示感谢！

今天，罗学科同志到学校任职，给学校领导班子增添了新的血液、注入了新的活力。学科同志长期在高等学校从事教学研究和管理工作，理论水平高、学术造诣深，在北方工业大学担任副校长并主管本科教学、研究生教育、学科建设等工作，至今已经有 5 年的时间。我相信，学科同志渊博的知识、出色的才干、丰富的经验将为我校未来发展带来新的气息、增添新的动力。在这里，我代表学校党政领导班子和全校 8000 师生，向学科同志表示热烈的欢迎。让我们以热烈的掌声欢迎罗学科同志加入北印大家庭！

在党的十八届五中全会即将召开的重要时点，我们迎来了校级领导班子调整，这是学校发展史上的大事，必将为我校领导班子建设和学校事业发展注入新的活力。当前学校发展进入到新时期，既面临大有作为的重大战略机遇期，也面临诸多难题相互叠加的严峻挑战。站在新的历史起点，面对新的机遇和挑战，我们将以办好中国特色社会主义大学为目标，坚持立德树人，强化思想引领，不断加强和改进党的建设；不断提高领导班子和党员干部前瞻思考、把握机遇的能力和水平；科学谋划和制订好“十三五”发展规划，为未来5年乃至更长时期的远景发展做好顶层设计；我们将认真践行“三严三实”要求，积极应对工作中存在的突出矛盾和问题，认真解决各种风险和隐患；围绕行业和社会需求，积极培育标志性成果，努力提升办学层次和水平、增强办学活力和动力。我们坚信，在市委、市政府的正确领导和大力支持下，汇聚学校党政领导班子的集体智慧，依靠全校师生员工的共同努力，必将开创出学校改革发展各项事业的新局面。

在这里，我提议：让我们再次以热烈的掌声，感谢市委组织部和市委教工委领导对学校建设发展给予的大力支持和帮助！

传承友谊　加强合作　祝愿莫斯科国立印刷大学明天更加美好*

尊敬的 K. 安季波夫校长，亲爱的老师们、同学们，尊敬的各位嘉宾、朋友们：

大家好！

今天，有机会来到美丽的莫斯科国立印刷大学出席 85 周年校庆，感到十分荣幸。我谨代表北京印刷学院全体师生向贵校在各领域取得的优异成绩，表示热烈的祝贺！

任何一所高校都因毕业生的卓越成就而著名。作为俄罗斯最大的一所培养印刷类高级人才的高校，莫斯科国立印刷大学历史悠久，是享誉世界的知名学府，名师荟萃，英才辈出。85 年的文化积淀和沧桑砥砺，为传承人类印刷文明作出了卓越的贡献。

北京印刷学院是莫斯科国立印刷大学的好朋友，双方渊源可以追溯到 20 世纪 50 年代。在 1953—1956 年间，新诞生的中华人民共和国选派 8 名学生和工人到莫斯科印刷学院（即莫斯科国立印刷大学的前身）留学，他们学成回国后参与新中国印刷高等教育创建工作。谢普南等 4 人，作为贵校的优秀毕业生，成为北京印刷学院的教学科研骨干，他们为学校事业发展作出了突出贡献。

---

* 这是 2015 年 10 月 23 日刘超美在莫斯科国立印刷大学 85 周年校庆典礼上的致辞。

刘超美（左二）与莫斯科国立印刷大学校长 **K.**安季波夫合影

刘超美（中）致辞

俄罗斯有句谚语："一个老朋友胜过两个新朋友"。我们作为兄弟院校，50 多年来，教师互访、学生交换，交流合作从未中断、友谊情分绵延不绝。2008 年，贵校前任校长申嘉年科出席我校 50 年校庆，发表了热情洋溢的讲话，回顾并总结了双方合作的历史。特别是 2013 年 4 月，贵校 K.安季波夫校长访问我校，双方进一步完善了两校签订的战略合作协议，掀开了合作的历史新篇章。

亲爱的朋友们！中俄两国互为最大邻国，在国家发展蓝图上有很多契合之处。愿我们的合作，在中俄两国建立全面战略协作伙伴关系的基础上，成为高校深度融合的典范；愿我们的事业，不断迈上新的台阶；愿我们的努力，给两校师生带来更多的福祉；愿我们的友谊，绽放美丽的光彩！

刘超美（中）与莫斯科国立印刷大学前校长申嘉年科及该校教授等合影留念

亲爱的朋友们！为了表示对贵校校庆的祝贺，我们专门制作了承载两校友谊、见证双方合作与交流成果的画册，以示纪念。画册由我校杰出校友创办的雅昌文化集团印制而成。该企业设计并制作了 2008 年奥运会的申办报告，它以自己卓越的业绩在国际上享有盛誉。

亲爱的朋友们！每一次校庆，既是对以往精彩的回放，更是对美好未来的憧憬。我深信，贵校的未来将会光彩照人。衷心祝愿莫斯科国立印刷大学的明天更加美好。

谢谢大家！

依托行业　特色发展
提高办学核心竞争力*

依托行业，特色发展，是学校实现国际知名、有特色、高水平传媒类大学目标，提高核心竞争力，向教学研究型大学转变的基本路径。“十二五”以来，在国家新闻出版广电总局的关心帮助和大力支持下，学校紧密围绕我国新闻出版影视行业转型升级和首都经济社会发展需求，调整学科布局，优化专业结构，加强内涵建设，突出特色发展，努力提升人才培养、科学研究、服务社会以及文化传承创新的能力和水平，各项事业取得了明显进步。

一、近两年来学校建设发展情况

（一）坚持质量立校，教育教学质量稳步提升

学校始终把提高人才培养质量作为核心任务，以专业建设、课程建设、实践教学为基础，积极推进教育教学改革，学生就业质量、考研率与出国比例稳步提升，学风大大好转，同时，取得了一系列标志性成果。一是 2014 年 9 月，学校组织申报的《面向行业，构建“四位一体”的印刷

---

* 这是 2015 年 11 月 4 日刘超美率队拜访时任国家新闻出版广电总局副局长阎晓宏的汇报。

出版创新人才培养模式》成功获得国家级教学成果奖二等奖，取得了建校以来的历史性突破。二是 2015 年 1 月，教育部公布了 2014 年国家级实验教学示范中心名单，北印“数字艺术与创新设计实验教学中心”名列其中，这是学校首个国家级实验教学示范中心。三是学校申请国家级校外人才培养基地获得批准。四是成功加入北京市“双培”和“外培”计划，带动学科建设和教学质量的提高。

（二）坚持创新驱动，科学研究和服务社会能力明显增强

学校以培育高水平科研成果为目标，以重大科研项目为支撑，以四个研究院建设为重点，在科研经费稳步提升的同时，大力加强高水平科研创新平台建设。一是 2015 年 8 月，国家新闻出版广电总局决定将“数字复合出版系统工程”和“版权保护系统工程”两项国家级重大项目落地我校。这两个项目是引领我国数字出版与传播发展的示范性协同发展和创新平台，建设经费 4.75 亿元，全部由国家财政拨款。二是 2014 年受总局委托，完成了《中国印刷业发展研究报告》《实施绿色印刷成果报告》《软件侵权盗版案例研究》等一批重要成果。三是教师作品《绿色印刷与平版胶印机原理结构》获得中国出版政府奖，我校成为国内唯一一所连续三届获得中国出版政府奖的高校。四是北京绿色印刷包装产业技术研究院获批建设“国家绿色印刷包装产业协同创新基地”，成为总局在印刷包装领域首个批复建设的协同创新基地。五是中国版权协会版权研究中心落户我校并挂牌成立。六是我校与总局质检中心联合成立的国家出版产品质量监督检测中心近日通过了相关国际标准论证。七是成立了数字出版与传媒研究院，积极搭建数字出版人才培养和科学研究的新平台。八是获批“北京文化安全研究基地”，我校北京市哲学社会科学研究基地增加至 2 个。

（三）坚持人才强校，人才队伍建设和人事制度改革取得新突破

学校大力实施人才强校战略，不断深化人才队伍引进、培养和管理方

刘超美汇报工作

面的改革。一是在新一轮聘期岗位聘任工作中进一步强化了人才队伍分级分类管理，更加注重统筹教学与科研，引导教师以立德树人为根本任务多出高水平教学科研成果，最大程度打通了教师的职业发展通道。二是加大青年教师和博士后的培养力度，积极鼓励新入职教师进入博士后工作站开展研究，切实提升青年教师的学术能力和水平，实现了青年教师队伍和博士后队伍的协同发展。三是师资队伍结构得到明显优化，目前，学校教职工总数 809 人，具有硕士及以上学位的专任教师比例达到 87%，为学校“十三五”转型发展提供了坚实的人才保障。

（四）统筹校园建设和资源管理，优化调整校区功能，办学空间得到拓展

一是重点工程建设项目取得了积极进展，留学生公寓楼建设、学生宿舍楼改造等项目全部完成，校舍面积增加了近 7 万平方米。实验教学楼工程项目已进入消防验收阶段（内部装修完善同步推进），运动场看台工程项目已完成封顶，进入内部结构施工，绿色大厦主体结构也完成封顶，预计 2017 年将投入使用。二是高度重视校园安全稳定，去年成立了实验室管理处，加强对实验室的安全管理，畅通了实验室危险物废弃物的处置渠道。今年 6 月顺利通过了“平安校园”检查专家组的验收检查。三是校区功能布局进一步调整，今年暑期，学校形成了关于三个校区的功能布局和局部校舍调整方案，最大限度向教学科研、人才培养和师生学习工作释放了存量空间。但从学校未来发展看，用地不足仍然是制约学校事业发展的首要瓶颈问题。

二、期待帮助解决的事项

“十三五”是学校转型升级、提升办学层次水平和行业服务能力的重要战略机遇期。内涵建设是发展主线，优化学科布局和专业结构是抓手，以此为多学科交叉融合的教学研究型大学夯实基础。

（一）关于成立版权学院和设置相关学科专业

版权属于知识产权保护范畴，以著作权制度为基础，以版权保护为手段，以版权交易与贸易为对象，以促进国际间的文化交流、提升一国的文化传播力和影响力为目的。在我国实施知识产权战略、出版强国战略、“一带一路”建设的背景下，版权在宏观层面是提升文化软实力的主要抓手，是适应经济新常态，调整经济结构、转变经济发展方式，发展文化创意产业和互联网经济的核心要素。在微观层面，对于生产者而言，版权是一个产权问题，涉及体制深化改革和运行机制创新，是从事内容生产的传统媒体和新兴媒体必须面对的基础问题；对于消费者而言，版权是商品，内容丰富，涉及面广，体现在经济生活和社会生活的方方面面，关系到消费层次和消费结构的变化。

然而，相对于版权的功能和作用而言，在全局层面却存在着以下不适应。一是版权保护意识强，经济属性发挥弱。加入 WTO 以来，我国在版权保护层面形成了相对完整的法律体系和制度基础，但是版权的经济功能明显不足，没有引起全社会、全行业、学术界的高度重视，版权在内容生产层面的产权属性没有得到充分发挥。二是国家的学科设置和布局不适应版权发展的需要。现有的学科设置和布局多服务于传统的单一媒体，涉猎和支撑版权及关联问题的学科严重不足，而突出版权系统属性的交叉型人才培养更是甚少，目前在国内围绕版权建立物理架构和开展学科建设的高校几乎没有。三是高校的学科基础平台和科研条件不适应版权协同创新的要求。媒体融合要求高校的学科平台体现硬件和软件上的协同，形成产学研用一体化，集人才培养、科技创新和服务社会于一体，但多隶属于传统媒体设置的学科平台，难以适应这一要求。四是高校的师资队伍建设不适应版权集成的要求。高校现有的师资队伍多是在服务传统媒体环境下成长起来的，队伍的结构、层次和水平，尤其是学科带头人和领军人物的复合型与版权需求尚有较大差距。五是高校的人才培养模式与版权需要的复合型人才不适应。版权经济、版权贸易、版权内容与技术融合等协同培养的模式需要创新，学科设置、专业结构、课程体系、培养方式需要改革。

鉴于此，北京印刷学院必须科学谋划，切实推进，早日担负起为行业培养复合型版权人才的重任。为了更好地落实“十三五”规划确定的目标和建设任务，学校拟成立版权学院并设置与此相关的学科研究方向和专业，以适应新闻出版行业需求的转变。目前，学校的条件基本成熟。一是学科基础。学校现有新闻传播学一级学科和出版、新闻与传播 2 个专业学位点，与版权有关的研究方向能够支撑学术研究和统领专业调整和行业服务。二是专业基础。学校从事编辑出版教学已有 20 年的历史，编辑出版专业已经实现一本招生，专业方向涉及版权的相关领域，能够支撑版权经济与贸易、数字版权保护及版权经营人才培养。三是队伍基础。伴随着专业建设和学科建设，学校按照“不为所有、但求所用”的原则，初步储备了开展版权教育的专兼职相结合的师资队伍。队伍的学缘结构涉及版权保护、版权经济、版权贸易和数字版权等，基本能够胜任相关专业的教学和研究任务。四是平台基础。学校围绕“传媒文化”学科群构建了支撑学科建设和专业建设的环境条件，有专属的省部级重点实验室和研究基地。2013 年，在首都高校率先建立了“数字版权保护中心”。今年 4 月 17 日，与中国版权协会签署了全面战略合作协议，共同挂牌成立了中国版权研究中心，“国家版权保护系统工程”重大项目落户学校，直接将人才培养延伸到了行业领域。

时任国家新闻出版广电总局副局长阎晓宏（右五）与刘超美（左五）等合影

为了能使学校转型发展的这一重要内容落到实处，为学校学科布局和结构调整打下基础，恳请国家版权局给予以下指导和帮助：

第一，建议国家版权局对国务院学位办提出建议，调整专业学位研究生教育结构。适应国家知识产权战略和“一带一路”建设需要及新闻出版业深化改革的实际，论证在全国设立版权专业学位授权类型，以完善面向版权指向的应用型人才培养体系，为版权人才培养建立学位基础支撑。

第二，建议从行业需求层面对北京市教委对学校的支持给予呼应。对于学校转型升级、建设教学研究型大学而言，面临的瓶颈性问题之一是办学规模的不足。建立版权学院，设立相关学科，开办相关专业，是优化结构，拓展办学资源的需要，更是扩大规模、提升质量，面向行业需求提高

人才培养针对性的重要举措。上周班子主要领导向北京市教委线联平主任专门汇报，并得到了支持的信息反馈。请求从行业需求的层面建议北京市教委在专业调整和专业设置、扩大本科和研究生招生计划、提高队伍建设编制数等方面给予政策倾斜。

第三，支持学校与国家版权局和行业协会开展实质性合作，以更多的应用性成果惠及人才成长。在成立中国版权研究中心、“国家版权保护系统工程”落户学校的基础上，学校与中国版权协会就合作内容达成一致，近期正在开展大学生辩论赛、版权人才培养、版权资讯与动态、师资合作交流等方面的计划和实施方案制定。为了实现版权学院、版权研究中心和版权保护系统工程一体化建设思路，高标准设置、高规格建设、高起点运行，学校可以利用国家版权局和中国版权协会平台，共同建设版权学院，运用互联网思维从一开始就建立政产学研用为一体的人才培养模式和协同创新机制，打通人才培养、学术研究和行业服务之间的壁垒。请求在课题研究、项目合作、版权案例库建设、教师参与版权实务、培养基地建设、行业领军人才兼职等方面给予帮助和支持。

（二）关于教师队伍的国际化素质培养

出版的功能是传播知识、传递信息和传承文化。而版权作为出版的重要组成部分，从诞生之日起就深深地打上了国际化的烙印。版权人才的培养要求培养方案、课程体系、培养机制与国际接轨，而承担教育职能的师资则必须具备国际化素质和能力。为此，学校把国际化作为“十三五”内涵建设的重要任务。通过体制创新和机制保障，一方面输送包括版权在内的特色学科专业教师出国接受高端培训，另一方面引进国际版权领域先进理念和前沿知识，使权威专家站立北印讲台，传授和引领版权教育和版权人才培养具有国际视野，符合国际标准。国家版权局拥有优质的版权资源，请求在这方面给予学校帮助，在推荐学校版权人才参与国际交流与合作、参与高端培训的同时，介绍国际国内知名专家教授来学校工作，提升学校的国际化水平，以良好的姿态和成果诠释“国际知名”的目标定位。

最后，衷心感谢国家新闻出版广电总局领导一直以来对学校事业发展给予的重视和关心，也希望今后继续得到总局及各部门更多的指导和帮助。北京印刷学院将以更加广阔的视野、更加务实的精神、更加扎实的举措，不断强化使命意识和担当精神，力争使学校发展目标早日实现，以更好的业绩回报社会！

学习贯彻十八届五中全会精神谋划推进学校“十三五”发展*

记者：党的十八届五中全会刚刚胜利闭幕，您曾经指出：“党的十八届五中全会的召开，为学校‘十三五’发展提供了难得的历史机遇。”您认为学校应该如何抓住这次历史发展机遇，服务首都、地方和行业，真正实现学校跨越式发展？

刘超美：党的十八届五中全会明确了今后5年我国发展的指导思想、目标任务、重要举措，发展理念、发展政策、发展体制，取得系列重大突破。全会坚持目标导向和问题导向相统一，既从国家战略考量中立足长远、谋划全局，又聚焦突出问题和明显短板，回应人民群众诉求和期盼，为我校发展指明了正确方向和重要遵循。

第一，党的十八届五中全会确定了国家“十三五”规划基本思路，为我校科学谋划和推进“十三五”发展以重要启示：我们一定要把所处的发展环境和条件分析透，把前进的方向和目标理清楚，把面临的机遇和挑战搞明白：一要远近结合，既要以5年为主，确保“十三五”各项目标任务的落实，也要与第二次党代会的奋斗目标相结合，与2020年学校奋斗目标相衔接，考虑更长时期的远景发展；二要从学校实际出发，着力构建符合自身优势、契合发展趋势、能够服务和引领行业及首都需求的核

* 这是刘超美2015年12月接受北京印刷学院校报记者采访时的谈话。

心竞争力；三要加强形势研判和综合调研，充分发挥校内外智库作用做规划，广泛征求师生校友、业内外专家及社会各界的意见建议；四要加强规划的牵引和导向作用。学校将成立“十三五”规划起草小组，在做好整体规划的同时做好分规划的制定和系列配套措施，切实做到“一张蓝图、分步实施”。

第二，党的十八届五中全会提出了“创新、协调、绿色、开放、共享”五大理念，为我们以统筹全局的战略眼光和智慧审视大势和大局指明了正确方向：一要以“创新发展”理念为引领，努力提高人才培养质量。党的十八届五中全会把创新摆在国家发展全局的核心位置，使创新进入了理论、制度、文化等综合层面，成为对全党全社会提出的紧迫任务，高等教育肩负创新引领的重任，五中全会要求“深化教育改革，把增强学生社会责任感、创新精神、实践能力作为重点任务贯彻到国民教育全过程”。我们必须认真贯彻落实这一重要精神，将社会责任感、创新精神、创新能力、实践能力作为人才培养的基本价值取向，以深入开展创新创业教育为契机，着重引导大学生强化创新意识、培育创新精神、训练创造能力，加强人文课程建设，努力提高大学生的人文素养。二要以“协调发展”理念为引领，积极解决发展短板问题。党的十八届五中全会聚焦全面建成小康社会奋斗目标，提出协调发展理念，旨在弥补短板和薄弱环节，拓宽发展空间，寻求发展后劲，实现全方位的均衡协调发展。深化内部改革是推动事业转型发展的必然要求和根本动力，我们必须把抓改革作为一项重大政治责任，用新发展理念审视我们的发展实践，衡量当前的发展措施，查找存在的问题和薄弱环节，推动改革精准发力、精确落地。三要以“绿色发展”理念为引领，不断提高资源利用效率。党的十八届五中全会从“五位一体”的整体布局出发，把绿色发展理念摆在突出位置，就是要全面节约和高效利用资源，加快建设资源节约型社会。高等教育大众化带来了高校资源的紧缺，但同时也呈现出教育资源配置不合理、人力资源结构不协调、资源利用效率低下等资源浪费现象。结合学校实际，我们必须调整存量、做优增量，减少有限教育资源的浪费和过度消耗，降低学校的运行成本，优化存量资源配置，加强教学资源的改革与整合，努力提高办学资源效益。四要以“开放发展”理念为引领，不断提升开放办学水平。党的十八届五中全会从全球视野思考中国发展问题，提出开放发展理念，既向世界表明了“中国开放的大门永远不会关上”的立场，也揭示了“中国经济的命运与世界的命运息息相关”的内在共赢逻辑。开放发展的理念就是要求高校的人才培养、科学研究、组织管理要从固化、封闭、分割的模式向流动、开放、协同的模式转变，从而使各类教育资源和创新要素从孤立、分散的状态走向汇聚、融合。我们要积极统筹校内外资源，以行业需求为导向，加强与国内外高水平大学以及与行业和社会的合作，全面提升办学效益和水平。五要以“共享发展”理念引领，不断提升学校治理水平。党的十八届五中全会指出：“坚持共享发展，必须坚持发展为了人民、发展依靠人民、发展成果由人民共享，作出更有效的制度安排，使全体人民在共建共享发展中有更多获得感”。其中，“在共建共享中有获得感”强调的是人民参与。对于高校来讲，共享发展就是要调动师生参与学校治理的积极性。我们要以“提高办学水平”为原则确立考核评价导向，引导教师静心教学、干部精心管理，让广大师生在参与的过程中有存在感、获得感、成就感。同时还要增加师生福利、丰富校园文化活动、加大对困难师生帮扶力度，提高师生员工的幸福指数，努力实现学校事业发展与师生个人发展的共赢。

记者：学校更名建设的内涵是什么？核心竞争力又在哪里？

刘超美：学校在2015年明确提出更名建设并启动更名工程，不是为了更名而更名，不是为了在固安跑马圈地，不是贪慕“大学”的虚名，根本目的是以更名建设为抓手，在“十三五”及今后相当一个时期，不断夯实基础，加强内涵建设，凝练学科特色，积累标志性成果，提升办学层次和水平，切实增强服务社会的能力。第一，国家提出建设社会主义文化强国、首都功能再定位、经济结构调整、媒体融合等重大发展战略，作为一所与新闻出版行业关系紧密、文化特色鲜明的首都高校，这些为我校更名创造了千载难逢的外部机遇；第二，学科发展的内涵已超出“北京印刷学院”校名本身的含义，学校围绕“传播”“媒体”“信息”等关键词形成自身比较优势，建立了传媒技术、传媒文化、传媒艺术、传媒管理等特色学科群，形成了数字印刷、数字出版、数字媒体艺术、数字媒体技术等构成的新型数字媒体专业群；第三，学校“十二五”期间内涵建设中取得了积极发展成果，“十二五”规划的主要指标已经完成，取得了一系列标志性成果，在“软指标”方面为更名奠定了坚实的基础。从整体上看，更名建设工作推动的决心与意志，学校特色与发展关系的凝练与把握，全校上下以及行业单位的大力支持和齐心协力，都为更名工程的开展奠定了坚实基础，只要我们按照“大学”的标准去努力，不断优化学科结构，凝练学科发展方向，突出学科建设重点，以体制机制改革激发高校内生动力和活力，结果一定会提升学校核心竞争力、惠及8000北印师生。

记者：*在培养适应社会需求的应用型复合型人才方面，学校有何好特色与经验？*

刘超美：学校始终坚持以为新闻出版行业和社会培养应用型、复合型人才为己任，深入推进“教学质量与教学改革工程”，不断深化人才培养模式、课程体系、教学内容、教学方法的改革，大力推进“卓越工程师培养计划”，先后开办“毕昇班”“韬奋班”“雅昌班”等实验班，着力培养具有开阔视野、通晓传媒业务、熟悉传媒技术的应用型国际化人才。（其中，第一届韬奋班学子国家英语四级一次通过率达到96.3%，第一届卓越工程师班学子获得多个北京市学科竞赛奖。）

特别是近年来，学校积极应对新闻出版业转型加速、“大传媒”时代快速发展对人才培养新需求，加大数字出版、数字印刷、数字媒体、文化产业管理等领域人才培养力度，积极开展双培、外培计划，与中国人民大学、北京交通大学、中国传媒大学、英国伦敦艺术大学等国内外高校联合培养本科生，设立“中美联合培养国际班”开展海外教学活动，接收广东财经学院和河北民族师范学院师生来校学习交流；2012年获4个市级教学成果奖一等奖；2014年组织申报《面向行业，构建“四位一体”的印刷出版创新人才培养模式》获国家级教学成果奖二等奖；此外，获批国家级校外人才培养基地、“数字艺术与创新设计实验教学中心”获批国家级实验教学示范中心，这些也都为学校人才培养奠定了坚实的基础。

学校深入开展创新创业教育，着重引导大学生强化创新意识、培育创新精神、训练创造能力，同时大力加强人文课程建设，努力提高大学生的人文素养和综合能力，近年来学生参加各类学科竞赛，累计获奖超过2000人次。比如，我校师生共同创作完成的《千里江山图》水墨动画长卷，亮相北京APEC峰会雁栖湖国际会议中心，我校学生崔欣晔设计了夏季青年奥林匹克运动会吉祥物“砳砳”；王鹏同学的作品《和·旅行餐具》问鼎“红点至尊大奖”，登上了设计类国际顶级大赛的最高领奖台。

记者：应该打造一支怎样的党员干部队伍，为学校转型发展提供坚实组织保障？

刘超美：学校事业发展既需要有战略思想、能够运筹帷幄的思想者，也需要一大批能够迅速推进工作、执行力强的实干家；既需要一批信念坚定、为民服务、勤政务实、敢于担当、清正廉洁的干部队伍，也需要一批有理想信念、有道德情操、有扎实知识和仁爱之心的教师队伍。党员干部都是党和学校的形象代言人，其精神面貌、作风修养直接决定北京印刷学院在广大师生和社会中的形象，党委始终高度重视领导班子和干部队伍建设，一是优化二级班子队伍结构，采取“院长+执行院长”的配置模式，聘请了聂震宁、杨义先、危岩、何洁等高端领军人才担任二级学院院长，提升了班子的学术影响力；注重培养选拔学术背景强的教授担任二级学院党总支书记，努力提升党总支围绕中心开展党建的意识和能力；实行党总支副书记兼任副院长，促进基层班子党政融合。二是提高干部培养质量，坚持“理论培训+挂职锻炼”相结合的干部培养模式，定期举办各类干部高层次人才培训班读书班和境外学习班，积极开展挂职锻炼，近3年共选派50余名中青年干部到国家部委、北京市区县（委、办、局）、行业企业、边远地区挂职锻炼，一批中青年骨干成为干部队伍的“蓄水池”和“后备军”。特别是学校与总局建立了干部挂职交流长效机制，双方每年各自选派2至3名干部到对方单位挂职锻炼，有效地拉近了双方的距离，密切了双方的交流合作，为学校争取行业主管部门政策和资源支持奠定了可靠基础。三是坚持从严管理干部，强化《准则》和《条例》纪律约束，以深入开展“两学一做”为抓手，加强党员、干部作风建设，着力推动党内教育向广大党员拓展，积极营造从严治党的良好政治生态。2016 年，学校将深入开展“两学一做”纳入学校工作要点之中，着力推动党内教育向广大党员拓展。学校将认真贯彻落实中央《关于深化人才发展体制机制改革的意见》文件精神，着眼于破除人才发展的思想观念和体制机制障碍，解放和增强人才活力，制定符合学校特点的干部和教师管理相关政策和制度，以制度创新激发全校教职员工的积极性和创造性。我们还将认真贯彻落实中央《推进领导干部能上能下若干规定》文件精神及北京市实施办法，结合聘期考核出台干部换届方案，既注重设计好“能者上”的制度安排，又重点打通“庸者下”“劣者汰”的制度渠道，推动形成想作为、敢作为、善作为的良好风尚，形成“能者上”“庸者下”“劣者汰”的良好局面。

贯彻落实“五大发展理念”推动学校健康快速发展*

从2012年开始，每年寒假、暑假召开领导班子务虚会，已成为学校领导班子研讨学校发展重大问题的一项制度安排，在谋划发展、凝聚共识方面起到了积极促进作用。2015年暑假领导班子务虚会围绕“启动‘十三五’、融入京津冀、推动更名建设、促进转型发展”的主题，就“‘十三五’规划、更名建设、办学空间拓展”等重大问题，进行了深入研讨，并达成了共识。此次寒假务虚会主题是“聚焦全面深化综合改革，破解发展难题，抢抓发展机遇、全面提升服务首都和行业发展水平”，昨天11位校班子成员就分管领域工作作了专题发言。今天上午，学科校长作了《准确把握学校事业发展几个关系》的主题发言，从顶层设计的高度对事关学校“十三五”发展的战略性、纲领性、引领性重大战略问题进行了深入思考；提出了“十三五”时期“抢抓机遇、苦练内功、整体推进、重点突破”的发展理念；从把握好“十三五”发展的8个关系入手，对破解学校“十三五”发展难题进行了阐述，明确了今年工作的主要任务。全体与会人员围绕“十三五”顶层设计、学科专业建设、资源优化配置等6个专题，开展了深入讨论。总体上看，这次务虚会充分体现出“三

---

* 这是2016年1月17日刘超美在北京印刷学院2016年寒假校级领导班子务虚会上的发言。

严三实”专题教育的实践成果，和以往务虚会相比，有以下 4 个特点：

一是有调研，每位同志的发言都运用了大量数据、图表和鲜活的例子，丰富的数据、图表、例子，体现了发言人前期做了大量调研，发言之所以能让与会人员产生共鸣，就在于讲得很切合学校实际，大家都有深切感受。二是有分析，每位同志的发言都能坚持问题导向，对分管领域存在的问题，能做到直面问题、不回避、不掩盖，而且问题找得准、找得全，对原因有深刻的分析，有利于学校采取针对性措施来解决问题。三是有思考，每位同志的发言都谈到解决问题的思路和办法，谈到的思路体现了大家对分管领域工作都有系统、深入的思考，谈到的办法也都比较切实可行。四是有高度，每位同志的发言都有很高的站位，大家能站在“一带一路”“京津冀一体化”“双一流”建设等国家战略，以及“媒体融合”“互联网+”等行业发展前沿的高度上去思考分管工作，体现出思考问题的大视野。这次务虚会，通过突出“问题导向、实处入手、集思广益”，达到了“讲足成绩、讲透问题、讲清思路”的目的，起到了统一思想、提高认识、把脉问诊的效果。

下面我结合两天来校级领导专题发言和大家的讨论，谈 3 点意见。

一、充分肯定我校“十二五”期间取得的主要成绩，理性分析学校发展中存在的主要问题，增强发展自信

我校“十二五”期间取得的主要成绩可以用以下 5 个方面进行概括。

一是确立了建设“国际知名、有特色、高水平”传媒类大学的奋斗目标，提出了由教学型向教学研究型大学转型的办学定位。

二是明确了以学科为基础，统领学校各项事业发展、实现战略目标的发展思路，凝练了以印刷包装、出版传播、艺术设计为特色的主要发展方向。

三是抓住了“十二五”北京高校新一轮基建机遇，实现了校舍面积

2016 年 1 月 16 日至 17 日，北京印刷学院召开本年度寒假校级领导班子工作务虚（扩大）会

翻一番的目标，为学校“十三五”发展目标的实现奠定了良好的物质基础。

四是实现了国家教育教学成果奖、国家教学示范中心零的突破。

五是师资队伍的整体素质得到明显改善，科研水平明显提高，服务首都和行业的能力整体提高。

我校在“十二五”期间存在的主要问题：

一是以凸显行业特色应用型人才培养模式尚未完全形成。按照传统新闻出版产业链需要，对相关专业和课程的优化整合不到位，改革碎片化现象严重，不适应媒体融合发展下的行业人才需求。

二是二级学院的办学主体地位不凸显，办学主动性和积极性不高，办学活力不足，体制机制制约了办学主体积极性的充分释放。

三是“十二五”期间，虽然师资队伍的数量和结构得到明显改善，师资队伍整体水平不高，集中力量承接和解决首都和行业发展的前瞻性和重大性问题的能力不强。科研资源缺乏方向性的统筹和集聚。

四是国际化办学成效不明显，仍然停留在迎来送往和学生短期交流的水平上。

五是办学效益不高。勤俭办学、精细化管理、信息化建设等制约了学校的办学水平和办学效益。

“十三五”时期，我们必须在充分肯定“十二五”发展的基础上，理性思考存在问题的主要原因，找出症结，精准发力，也就是说我们如何继承和创新发展的问题，习近平总书记在谈调查研究的一篇文章中指出，“深入研究影响和制约科学发展的重大理论和实际问题，深入研究事关改革发展稳定大局的重点问题，深入研究当今世界政治经济领域的重大问题，全面了解各种新情况，认真总结群众创造的新经验，努力探索各行各业带规律性的东西，积极提供相应的对策，使调查研究工作同中心工作和决策需要紧密结合起来，更好地为各级党委和政府科学决策服务，为提高党的领导水平和执政水平服务”。总书记还讲：“调查研究的根本目的是解决问题，调研结束后一定要深入细致的思考，要经过一番交换、比较的工作，把零散的认识系统化，把粗浅的认识深刻化，直到找到事物发展的本质规律，找到解决问题的根本方法。”所以我们要把今天务虚会的思考、建议和问题进行很好的梳理和比较，上升到学校“十三五”发展战略层面和破解难题的工作层面。

二、践行“五大发展理念”，破解制约发展的重点难点问题

学校“十三五”时期的发展，可以说是“三期”叠加：一是“互联网+”、媒体融合所带来的传媒行业的转型期，二是京津冀一体化、“双一流”建设的机遇期，三是学校综合改革的攻坚期。面对“三期”叠加，就如何推进学校各项事业健康快速发展，下边我从党的十八届五中全会提出的“创新、协调、绿色、开放、共享”五大理念的角度，谈谈对破解学校发展中重点难点问题的看法。

（一）以“创新发展”理念为引领，提高人才培养质量

创新发展理念把创新作为引领发展的第一动力，把人才作为支撑发展的第一资源，而人才的创新精神和创新能力是创新的源泉。党的十八届五中全会《建议》要求“深化教育改革，把增强学生社会责任感、创新精神、实践能力作为重点任务贯彻到国民教育全过程”。其中，学生“社会责任感”培养，这是在国家层面的文件中首次提到，说明这个问题已经引起了高度重视。因此，学校要把社会责任感、创新精神、创新能力、实践能力作为人才培养的基本价值取向。

如何增强学生的创新精神和实践能力，国务院办公厅《关于深化高等学校创新创业教育改革的实施意见》从“完善人才培养质量标准、创新人才培养机制、健全创新创业教育课程体系、改革教学方法和考核方式、强化创新创业实践、改革教学和学籍管理制度、加强教师创新创业教育教学能力建设、改进学生创业指导服务、完善创新创业资金支持和政策保障体系”等9个方面对高校创新创业教育进行了全面部署。对于深化创新创业教育改革，全校上下思想上要有正确认识，要形成共识。国家推行创新创业教育，并不是另起炉灶、另搞一套，而是全面推行素质教育的一个重要组成部分。1999年6月，中共中央、国务院出台了《关于深化教育改革全面推进素质教育的决定》标志着中国教育进入了以“素质教育”为核心的发展阶段，该文件提出了“以提高国民素质为根本宗旨，以培养学生的创新精神和实践能力为重点”。国务院办公厅《关于深化高等学校创新创业教育改革的实施意见》在指导思想部分提出“以推进素质教育为主题，以提高人才培养质量为核心，以创新人才培养机制为重点，以完善条件和政策保障为支撑”。从中可以看出创新创业教育始终是素质教育的重要内容，创新创业教育只是为了更好地落实素质教育。学校要把创新创业教育改革作为推进学校综合改革的突破口，全面深化人才培养模式改革，切实解决人才培养与传媒行业发展需求脱节的问题，稳步提高人才培养质量，提升学生的就业竞争力。

（二）以“协调发展”理念为引领，解决发展短板问题

协调发展新理念重在解决发展不平衡问题，从思维方式上要求坚持问题导向，重点是解决发展中的短板问题。我校提出更名建设任务后，对照教育部大学更名的指标，可以发现：占地面积、学生人数等规模问题成为制约更名的重要短板，而且这两个短板受制于首都教育政策，本已没有太大解决的希望，但是京津冀一体化，为学校解决规模问题提供了难得的机遇，因为京津冀一体化，不仅仅意味着首都功能疏解，更为重要的是空间布局的调整，以及在空间布局调整过程中的资源整合。

北京市落实《京津冀协同发展规划纲要》的意见中就提出：“推动部分教育、医疗、培训机构等社会公共服务功能疏解。推动在京部分普通高等学校本科教育有序迁出，老校区向研究生培养基地、研发创新基地和重要智库转型，支持有条件的北京普通高等学校、中等职业学校通过部分院系搬迁、办分校、联合办学等方式向外疏解、引导东城区、西城区中等职业学校向郊区县疏解”。高校向外疏解，一方面意味着老校区功能的转型，另一方面意味着办学空间的拓展。在郊区没有分校区的市内高校，都积极在河北拓展办学空间，北京化工大学在秦皇岛办分校、北京科技大学在唐山办分校。我们学校虽然不在疏解之列，但是可以借此机会拓展办学空间，进一步优化或者拓展学校的办学资源。

北京高校向外疏解的过程，是京津冀地区教育布局调整和教育资源深度整合的过程。北京市关于教育功能疏解提出了如下原则要求：一是严格控制高等教育办学规模，大幅压缩中等职业教育和成人教育规模；二是统筹配置各级各类教育资源，推进教育资源空间布局调整，推动中心城区教育布局优化提升；三是发挥首都教育资源优势，推动建立健全区域教育合作机制；四是引导教育资源优化布局，加强在高等教育、职业教育和基础教育领域的合作。这些原则表明政府支持教育资源的整合，以北京城市学院为例，在从海淀疏解到顺义后，市教委把原现代职业技术学院、顺义一职等学校并入北京城市学院，在实现办学空间拓展的同时，通过整合顺义

区的教育资源，扩大了办学规模。市教委除了做好北京市内教育整合的同时，也在进行着京津冀三个地区相互之间教育资源整合方面的积极探索。如果能够搭上京津冀一体化的快车，整合其他教育资源，将是我校扩大办学规模的最好路径。

（三）以“绿色发展”理念为引领，提高资源利用效率

节约发展是绿色发展的重要内容和基本要求。党的十七大以来，国家就将建设资源节约型社会作为生态文明建设的基本内容和要求。党的十八届五中全会要求，坚持节约发展，就是要坚持节约资源的基本国策，全面节约和高效利用资源，树立节约集约循环利用的资源观，加快建设资源节约型社会。我国高等教育大众化带来了高校资源的紧缺，但同时又有大量资源浪费现象的存在，呈现出教育资源配置不合理、人力资源结构不协调、资源利用效率低下等现象。如何减少有限教育资源的浪费和过度消耗，降低学校的运行成本，是绿色发展对教育提出的新要求。

我校办学资源虽然总量比较可观，但是相对比较分散，存在很大结构性问题，资源的有效使用已经成为制约学校发展的一个重要瓶颈性问题。今后要按照“调整存量、做优增量”的思路，一方面进一步优化存量资源的配置，切实提高资源使用的效率，今年最为重要的就是做好 3 个校区资源的统筹搬迁工作，确保平稳过渡；另一方面要加快增量资源建设的力度，已竣工建筑要加紧投入使用，未竣工建筑要按照计划建设，固安新校区的筹建要积极推进。办学资源的有效利用，还需要打破学院、部门、体系之间的壁垒，建立资源共享、共用机制，减少设备重复购置，解决资源闲置或者使用率不高等问题。要进一步加大师资、课程、实验室等教学资源跨学院间配置的力度，建立不同学院、不同专业间相互支撑的机制。要加快推进学校科研平台资源与二级学院的对接，切实发挥科研平台在教学、科研、服务社会方面的作用。

（四）以“开放发展”理念为引领，提升开放办学水平

开放发展是全球化时代条件下高等教育科学发展的重要战略之一。对高校来讲，所谓开放发展，就是高校的人才培养、科学研究、组织管理要从固化、封闭、分割的模式向流动、开放、协同的模式转变，从而使各类教育资源和创新要素从孤立、分散的状态走向汇聚、融合。当前，提升学校开放办学水平，要从两个方面着力：

提升国际化办学水平。能否积极主动地开展国际间的交流与合作，体现了一所高校在教学科研和组织管理方面的能力水平，也决定着一所高校未来可能达到的高度和可能产生的影响。我校在国际化办学方面也做了大量探索，成立了国际教育学院，建设了留学生公寓，虽然有所成就，但是整体水平还不高，有待进一步拓展和提升。关于国际化办学，学校已经召开了专门会议，进行了专项部署，关键在抓落实，我在此就不再多谈。

抓住京津冀一体化的契机。去年 10 月，河北、北京两地教育部门签署了《京冀两地教育协同发展对话与协作机制框架协议》以及教育合作框架协议，根据《协议》，两地将在“联合办学、异地办学、学科专业建设、资源共建共享、干部教师培训挂职、科技协同创新、产教融合、人才培养与需求对接”等领域，推进务实合作。京津冀高校之间也在积极组建“京津冀高等学校联盟”，促进高等学校优质教学科研资源共享，如北京大学牵头与南开大学等高校联合成立“京津冀协同发展联合创新中心”，北京工业大学、天津工业大学、河北工业大学携手成立“京津冀协同创新联盟”。政府与政府之间、高校与高校之间合作的积极探索，必将推进京津冀教育资源跨界合作向纵深发展。随着北京印刷行业向河北疏解，以及我校拟在河北拓展办学空间，一定要有与河北地域内政府、高校、行业企业合作的意识。学校在服务面向定位上要有“大地域”观，要从以前立足首都拓展到立足京津冀，要把服务河北传媒行业发展作为另一个重点，通过服务赢得河北方面对学校拓展办学空间和办学资源方面的大力支持。

（五）以“共享发展”理念引领，提升学校治理水平

党的十八届五中全会《公报》指出：“坚持共享发展，必须坚持发展为了人民、发展依靠人民、发展成果由人民共享，作出更有效的制度安排，使全体人民在共建共享发展中有更多获得感”。其中“为了人民、依靠人民、成果共享”就是以人为本，“在共建共享中有获得感”强调的是人民参与。对于高校来讲，共享发展就是要调动师生参与学校治理的积极性，使广大师生在参与的过程中有存在感、获得感、成就感，努力实现学校事业发展与师生个人发展的共赢。我校的行政管理色彩比较浓，通常是上级不催不动，一级等一级指令，老师等学院、学院等机关、机关等学校领导，广大师生自觉思考、推动工作的积极性不高，这种学校文化不利于调动师生参与学校治理的积极性，必须彻底扭转。

依据教育部 2012 年发布的《依法治校——建设现代学校制度实施纲要》，解决学校问题的关键就在于真正建立“现代大学制度”。教育部部长袁贵仁在 2014 年全国教育工作会议上发表了《深化教育领域综合改革加快推进教育治理体系和治理能力现代化》的讲话，破解发展中的难点热点问题就在于构建现代大学治理体系。按照建立现代大学制度、构建现代大学治理体系的要求，抓住今年中层干部换届的契机，全面梳理学校事务，合理设置部门、机构和岗位，科学界定职责，探索建立“全员参与、各司其职、各安其所、制度健全、管理规范”的治理体系。按照“简政放权”的原则，在部分学院试点的基础上，进一步扩大学院办学自主权，激发学院办学的活力，真正把学院打造成办学的实体，逐步形成金字塔式的治理结构。

要调动教师参与学校治理的积极性，考核评价是导向，学校各类考核评价都要围绕有利于“提高办学水平”这一主题来设计，引导教师静心教学、干部精心管理。在教师评价方面，学校作为教学型大学，应该把“教学效果”和“教学质量”作为评价的首要指标，与教师的职称评定和岗位聘任直接挂钩，引导教师把更多的精力投入到教学上来。在科研评价

方面，根据《教育部关于深化高等学校科技评价改革的意见》，建立“分类评价”“开放评价”“长效评价”相结合的机制，在做到评价公正、公平、透明的基础上，把科研导向引导到注重“创新质量”和“实际贡献”上来，引导到与教学结合上来。

三、关于加强和改进党的领导

2016 年，学校要出台综合改革方案，深化改革的任务非常繁重。我们必须加强领导、落实责任，充分发挥好各级党组织和广大党员干部的领导核心、战斗堡垒和先锋模范作用，团结带领全校师生共同奋斗，形成推动学校事业发展的强大合力。

（一）要始终保持良好的精神状态

精神状态至关重要，越是面临艰难任务，越要在敢于担当、攻坚克难、开拓进取中体现我们的自信，全校各级干部要进一步坚定理想信念，增强向党中央、向北京市委、向学校党委看齐意识，在思想上政治上行动上始终与党中央、与北京市委、与学校党委保持高度一致，为实现学校事业发展战略目标而奋斗拼搏。

（二）充分调动好各方面工作积极性

要充分调动和激发人的积极性，特别是注重调动广大教师、学生、各级干部、柔性引进的高级人才以及编外用工人员的积极性、主动性、创造性，要健全完善提升工作积极性的政策和举措，注重正面激励，鼓励大家积极投身到学校事业发展的工作实践；我们还要旗帜鲜明地为那些呕心沥血做事、不谋私利的干部和教师员工撑腰鼓劲，激发他们勇于担当、主动作为的精神和想干事、干成事的热情。

（三）营造风清气正的干事氛围

在干部评价方面，要把“忠诚、干净、担当”作为考核干部的重要标准，建立以任期制为核心的干部正常更替和适度淘汰机制、以年度考核为核心的干部动态调整机制、以日常管理和综合评价为核心的干部应急调整机制，引导干部鼓实劲、出实招、干实事、求实绩。各级党组织和党员领导干部要增强纪律意识、规矩意识、责任意识和大局意识，坚持党要管党、从严治党，自觉履行好党风廉政建设的主体责任和监督责任；坚持党性原则，切实担负起意识形态工作的政治责任和领导责任，做到守土有责、守土负责、守土尽责。

（四）狠抓落实，以加强检查监督和问责追责为抓手，把各项工作落到实处

我们要切实把该办、该管的事情办好、管到位。特别是遇到困难和挑战时，要不观望、不畏难、不停步，拿出披荆斩棘的胆气、勇往直前的毅力和雷厉风行的作风，在关键时候站得出来、冲得上去、干得成事；各级单位和党员干部要坚持求真务实、注重实效、注重落实，把工作的着眼点放在脚踏实地、真抓实干上，把工作着力点放在解决问题、推动发展上，努力创造出实实在在、不含水分、师生认可的业绩来。

新常态寻找新机遇 新平台谋求新发展*

毕昇的雕像静静地矗立在北京印刷学院的校园内，凝望着匆匆走过的师生员工。这位印刷业的“老祖宗”，一直以期盼的目光注视着北京印刷学院的发展与变化。建校 58 年来，无数北印学子从这所全国印刷行业唯一的专业高校走出，他们像一颗颗“珍珠”一样，扎根于行业内的多个领域，将学校的办学思路和育人理念不断传播并发扬光大。

记者：“十二五”期间，北印确定了“质量立校、人才强校、创新驱动、党建创新”的发展战略，确立了“创建国际知名、有特色、高水平传媒类高校”的奋斗目标，您认为“十二五”期间学校发展取得的最显著的成绩有哪些？

刘超美：“十二五”期间，北京印刷学院把握国家建设新闻出版强国的机遇，提升学校服务社会、行业的贡献力，积极融入“三个北京”、中国特色世界城市和中关村国家自主创新示范区建设中，坚持“质量立校、人才强校、创新驱动、党建创新”的发展战略，取得了可喜的成绩。学校获得国家级教学成果奖二等奖，获得国家级实验教学示范中心和国家级校外人才培养基地；一本招生专业扩大到 16 个省份；“十二五”末在校

* 这是 2016 年 7 月刘超美接受北京教育杂志社专题采访时的谈话，刊载在《北京教育（高教版）》2016 年第 7—8 期（作者：李艺英、翟迪、张晓新）。

研究生规模近千人，较2010年增长近96.7%，学校获批北京高校产学研联合研究生培养基地；在原有4个二级学科硕士学位授权点的基础上，建成7个一级学科硕士学位授权点，19个二级学科授权点，新增新闻与传播等3个硕士专业学位授权点。2012年，在国家组织的学科评估中，设计学、新闻传播学、美术学分别取得并列第8、第9、第11名的好成绩。科研经费达到3.18亿元；获批北京绿色印刷包装产业技术研究院、绿色印刷与出版技术北京市高校协同创新中心等高层次科研条件平台；新建省部级重点实验室或工程中心5个；绿色印刷与出版技术国际科技合作基地被认定为国家级示范基地；获批国家级、省级科研项目100余项，实施产业化项目5项；获省级政府奖11项；成功对接国家数字复合出版系统工程、数字版权保护技术研发工程；主导成立了全国印刷电子产业联盟等，引入国家新闻出版广电总局质检中心绿色印刷检测实验室等3个国家级公共技术服务平台，中国版权协会版权研究中心挂靠学校，受国家新闻出版广电总局委托，连续3年成功撰写了《实施绿色印刷成果报告》；专任教师中具有硕士及以上学位的教师比例提高到近90%，其中具有博士学位教师的比例近40%；具有高级专业技术职务的教师比例提高到51%。柔性引进“两院院长”“千人计划”“长江学者”等20多位高层次人才；获批博士后科研工作站，目前在站博士后达到34人。新增校园建筑面积10万平方米。学校实施“党建创新”工程，党建项目获得市级以上表彰30余项。

记者：“十三五”期间，学校将如何落实党的十八届五中全会提出的“五大发展理念”，进一步做好人才培养工作？

刘超美：“十三五”时期，学校仍处于快速发展和转型的关键时期，国家经济发展新常态、北京功能定位调整、京津冀协同发展、传统行业转型升级和跨界发展、高等教育发展等诸多重大变化和重要影响因素，对学校发展既带来了难得的发展机遇，也提出了新的更高要求，需要充分清醒认识和准确把握。学校将重点做好以下4方面工作：一是把握高等教育发展变革趋势，树立人才培养新理念；二是适应国家经济建设和社会发展需要，全面深化综合改革；三是服务北京“四个中心”建设和京津冀协同发展，抢抓发展机遇；四是聚焦行业产业转型升级与跨界融合发展，发挥重要支撑和引领作用。

在这里我想重点围绕“学习贯彻五大发展理念，做好学校人才培养工作”谈谈个人的想法。

五大发展理念是党的十八届五中全会提出的很多重要思想中最引人注意的一个理论观点，是党的十八大以后治国理政新理念新思想新战略的重要组成部分。五大发展理念不仅是我们全面建成小康社会的决胜阶段的理论和实践指南，也将在很长时期内成为中国发展的理论指导和实践指南。那么，对高等教育来讲，特别是像我们这样的行业特色高校如何贯彻实施好五大发展理念?

五大发展理念是一个有机的整体。创新是引领发展的第一动力，关于创新总书记自党的十八大以来谈得很多，把创新摆在国家发展全局的核心位置，说明它的重要性，这事关国家经济摆脱中等收入陷阱，事关“两个一百年”目标的实现。当前提出“大众创业、万众创新”也是基于这样的战略考虑。从教育领域来讲，创新不仅是第一动力，而且也是教育的本质所在，我们培养的学生必须具有创新的素质和能力。

协调发展是国家经济社会发展的内在要求，若没有整体布局上的东部、中部、西部的协调发展，没有工业现代化、农业现代化、科技现代化等协调发展就不可能有全面建成小康社会目标的实现。对于教育来讲，协调同样是内在要求，比如国民教育体系的协调问题，东中西部教育发展的协调问题，等等。

绿色发展在五大发展理念中主要是生态、资源、环境、人与自然的和谐与协调发展问题。对于教育来讲，绿色的含义可能会更广泛一些，比如说教育理念、教育手段方法、科学研究、教育环境等都存在绿色发展的问题。

开放是国家经济社会发展的必由之路，也是基本国策，从改革开放之初，邓小平同志提出“三个面向”，就是用最大的开放理念来引导现代教

育的发展。现在我们教育开放面临着一些新的情况、新的问题，特别是“一带一路”建设的实施，对我们教育的开放提出了一些新的，甚至是全新的课题。

共享就是要解决社会公平正义问题，习近平总书记讲中国梦归根到底是人民的梦，必须紧紧依靠人民来实现，成果由全体人民共享，必须不断增进人民群众的福祉。教育的一个重要特征，就是教育公平问题，这次对《教育法》的修订，最引人注意的就是将教育公平写进了《教育法》，用法律的形式加以明确，这是对教育认识的一个极大的飞跃。

就我校人才培养服务的领域——文化创意产业和新闻出版行业来讲，在五大发展理念的指导下，下一步也将获得新的发展。一是创新发展会进一步加快。党的十八届三中全会强调文化体制改革的中心环节是激发全民族的文化创造活力，那么就要求我们出版单位推出更多的优秀出版读物，满足人民群众日益增长的物质文化需求。出版业目前比较流行的理念是IP 理念（全称为 Intellectual Property Right），所谓 IP，就是一种无形的财产权，也称智力成果权，指的是通过智力劳动者所获得的成果，并且由智力劳动者对成果依法享有的专有权利。这种权利包括人身权利和财产权利，也称之为精神权利和经济权利。在创意产业领域，IP 更多是指改编权，以及由此带来的产业开发价值。在互联网思维的视域下，IP 可以催生出巨大的长尾效应，不断延展产业链条的价值。如湖南出版集团“十三五”规划的第一项就是以 IP 为中心的内容开发，就是他们不仅要做书，还要做电视剧、做电影、做网剧、做游戏等，一种产品多种开发，多次获利。二是出版业将出现“挺拔主业，逐步多元”的发展格局。《国家新闻出版广电总局“十三五”发展规划纲要》明确指出：“促进文化与信息、科技、旅游、体育、金融产业的和谐发展……”这就需要做好协调。如江西出版集团一方面坚持不懈地挺拔出版主业，促进出版产业转型升级；另一方面坚定不移地推进多元投资，抓好文化传媒、文化金融、文化科技等新兴业态，努力培育新的经济增长点。最近他们投资 26 亿元人民币控股一家数字技术公司做网络传播，效果非常好。三是绿色出版将得到有效推进。据说，以色列人会在给小孩制作书的原料中加入蜂蜜，并让小孩舔食，他们的孩子很小就知道书是可爱的、是甜美的，他们的出版是绿色的。现在我们国家也在大力推动绿色印刷出版，幼儿园、中小学生的课本也将做到绿色环保。目前我校在研制绿色油墨方面也获得很好成效，教师的科研成果也获得多项产业化。四是出版“走出去”的力度会加大。关于出版“走出去”，中央领导高度重视，特别是“一带一路”建设的实施，为出版“走出去”提供了前所未有的机遇，也为北京印刷学院的发展提供了前所未有的机遇。五是公共文化服务体系的构建会得到进一步加快。

那么，五大发展理念指导下的文化创意和新闻出版人才需求和培养会是怎样呢？我想，有了教育和行业发展的趋势，人才培养问题也就顺理成章地呈现出来，“十三五”时期，我校将进一步做好以下 5 类社会急需人才的培养：一是内容创意人才。这是我们人才培养的主要内容，因为随着创新发展、协调发展、绿色发展、开放发展、共享发展，这些方面的主要内容的创意，需要有专门人才来做。二是传播创意人才。目前各个单位都有微信公众号、官方微博，都需要通过互联网、大数据了解受众对出版物的喜好程度，需要通过新媒体手段将出版的读物推荐出去，所以传播创意人才是社会急需人才。随着传播外延的不断扩大，我们今后要着力培养新技术、新媒体、互联网、大数据等各门类新型人才。三是数字出版人才。数字出版需要多方专业人员的共同协作，要求编辑人员必须是具备多方面知识和技能的复合型人才，目前社会对该领域的高层次人才已经出现批量化的需要，培养一批既熟悉专业出版知识，又掌握现代数字出版技术和善于经营管理的复合型出版人才，是刻不容缓的艰巨任务。四是国际传播人才。目前我国的文化影响力在国际上仍处于弱势地位，要推动中华文化“走出去”，提升我国文化在国际上的地位和竞争能力，需要更多具有国际视野、开阔眼界、现代出版理念和深厚文化素养的复合型、外向型人才。五是公共文化服务人才。目前我国公共文化服务体系还不完善、不健全，东中西部之间、城乡之间发展很不平衡、差距很大，需要培养大量专

门人才去基层做文化推广和服务工作，提高全民族素质。

记者：面对经济发展新常态、首都功能定位调整，传统媒体与新兴媒体融合、京津冀协同发展的难得机遇，学校在服务首都、服务地区和行业方面，下一步将重点做哪些工作？

刘超美：我国经济发展新常态、首都功能定位的调整、京津冀协同发展、行业转型升级与媒体融合发展、高等教育发展变革等诸多因素为学校发展既带来了难得的历史性机遇，也提出了新的挑战，将深刻影响学校"十三五"时期的发展。"十三五"时期学校将实现两大转变：一是基本完成由主要服务传统印刷、包装、出版产业向主要服务传媒、文化创意、印刷与包装及相关产业转变；二是基本完成由教学型大学向教学研究型大学转变。

近期学校要做两件事：一是成立新媒体学院。网络和数字技术裂变式发展，带来媒体格局的深刻调整和舆论生态的重大变化，新兴媒体发展之快、覆盖之广超乎想象，对传统媒体带来极大的冲击。2014 年 8 月 18 日，中央全面深化改革领导小组第四次会议审议通过了《关于推动传统媒体和新兴媒体融合发展的指导意见》。习近平总书记在会上强调，要着力打造一批形态多样、手段先进、具有竞争力的新型主流媒体，建成几家拥有强大实力和传播力、公信力、影响力的新型媒体集团，形成立体多样、融合发展的现代传播体系。当前新媒体人才极其短缺，开展新媒体人才培养的学校还很少。我校成立新媒体学院意义重大，这项工作也得到了国家新闻出版广电总局领导的高度肯定。新媒体学院是我校成立的第一个学科交叉融合的学院，学院将以现代传媒产业为平台和依托，以学校艺术类相关学科专业数字媒体艺术、动画、数字影像和传播学网络新媒体专业以及计算机学类数字媒体技术为支撑，紧密跟踪和围绕新媒体传播的形态变化和专业特点，打破旧的学科界限和产学分割，致力于采用跨学科交叉融合、产学研联合培养的思路，培养兼具技术基础、人文社会科学思维、较高艺术表现力的复合型新媒体人才。

二是成立京南大学联盟。"十二五"之初，北京印刷学院、北京石油化工学院、北京建筑大学与大兴区签约共建京南大学科技园，京南三校紧紧围绕大兴区“一区六园”的产业布局战略，积极搭建区域科技创新和产业化平台。2016 年年初，3 所高校负责人再次召开碰头会，以此将“京南大学联盟”进一步做实。近期 3 所京南高校将共同发起成立京南大学联盟，举行“京南大学联盟”成立仪式暨“京南大学联盟服务大兴行业计划”发布仪式，联盟三方也将共同签署《共建京南大学联盟协议》，这对于首都发展、京津冀协同发展、科技创新发展将起到有力的推动作用，也有利于联盟成员之间的学科专业交叉融合，促进学生尤其是研究生在成员学校之间的跨校交流与联合培养。

与此同时，2016 年 3 月，学校与河北省承德市联合研发的休闲类移动网络游戏《承德传奇》发布，这是学校与承德市签订协同发展框架以来，积极发挥双方优势，在文化创意产业发展上的一大力作。河北承载了许多从北京迁出的印刷企业，形成了涵盖出版物印刷、文化创意研发、印刷包装产业物流在内的大规模产业集群。这为地处大兴的北印提供了难得的发展机遇。同时，首都和区域发展需要一大批物流、航空服务、物业管理等方面的应用型专门人才，也需要一所与产业密切相关的高校提供发展保障。因此，学校要从思想上、行动上积极融入京津冀协同发展时代大局，努力在促进京津冀协同发展、疏解首都非核心功能、服务区域经济社会发展的时代潮流中，做到服务“大北京、大行业、大兴区”。

记者：今年 1 月，学校学生的设计作品《太极猴》和《金猴打鼓》荣获“全球吉庆生肖设计大赛”一等奖。在“大传媒”时代快速发展的当下，学校在培养应用型、复合型人才方面，有什么好的特色与经验？

刘超美：近些年，新闻出版行业所面临的改变与冲击是巨大的，但是学校始终坚持以为新闻出版行业和为社会培养应用型人才和复合型人才为己任。学校毕业生的去向大多是文化产业，这就需要学生必须有过硬的政治素质和业务素质。在学生的培养中，学校将“立德”放在首位，特别强调培养学生具有较强的政治辨别力和较高的文化素养。同时，深入推进“教学质量与教学改革工程”，推进“卓越工程师培养计划”，开办“韬奋班”“毕昇班”“雅昌班”等实验班，着力培养具有开阔视野、通晓传媒业务、熟悉传媒技术的应用型国际化人才。

积极开展双培计划和外培计划，与国内外高水平高校联合培养本科生，设立“中美联合培养国际班”开展海外教学活动。学校获批“国家级校外人才培养基地”“数字艺术与创新设计实验教学中心”获批国家级实验教学示范中心，这些都为学校人才工作培养奠定了基础。学校深入开展创新创业教育，引导大学生强化创新意识、培育创新精神、训练创造能力。同时加强人文课程建设，努力提高大学生的人文素养和综合能力，近年来学生参加各类学科竞赛，累计获奖超过 2000 人次。例如，学校师生共同创作完成的《千里江山图》水墨动画长卷，亮相北京 APEC 峰会雁栖湖国际会议中心；学校学生崔欣晔设计了夏季青年奥林匹克运动会吉祥物“砳砳”；王鹏同学设计的《和・旅行餐具》问鼎“红点至尊大奖”，登上了设计类国际顶级大赛的最高领奖台。

记者：应该打造一支怎样的党员干部队伍，为学校转型发展提供坚实的组织保障？

刘超美：队伍建设在学校的发展中是一个瓶颈问题，学校事业发展急需有战略思想、能够运筹帷幄的决策者，也需要一大批能够迅速推进工作、执行力强的实干家；既需要一批信念坚定、为民服务、勤政务实、敢于担当、清正廉洁的干部队伍，也需要一批有理想信念、有道德情操、有扎实知识和仁爱之心的教师队伍。近年来，学校多次组织教师到祖国的红色根据地进行“情景式教学”。学校认为只有教师有信念、爱党、爱国，才会引导并教育好学生爱党、爱国。同时，党员干部是党和学校的形象代言人，其精神风貌、作风修养直接影响学校在广大师生和社会中的形象，学校始终高度重视领导班子和干部队伍建设：一是优化二级班子队伍结构，采取“院长+执行院长”的配置模式，聘请行业内高端领军人才担任二级学院院长，提升二级班子的学术影响力；注重培养选拔学术背景强的教授任二级学院党总支书记，努力提升党总支围绕中心开展党建的意识和能力等。二是提高干部培养质量，坚持“理论培养+挂职锻炼”相结合的干部培养模式，定期举办各类干部高层次人才培训班、读书班和境外学习班，积极开展挂职锻炼，近 3 年选派 50 余名中青年干部到国家部委、北京市区县（委、办、局）、行业企业、边远地区挂职锻炼，一批中青年骨干成为学校干部队伍的“蓄水池”和“后备军”。特别是学校与国家新闻出版广电总局建立了干部挂职交流长效机制，双方每年互派 2 至 3 名干部到对方单位挂职锻炼，密切了双方的交流合作，为学校争取行业主管部门政策和资源支持奠定了基础。三是坚持从严管干部，强化纪律约束，以深入开展“两学一做”学习教育为抓手，加强党员、干部作风建设，着力推动党内教育向广大党员拓展，着力营造从严治党的良好政治生态。四是学校将着眼于破除人才发展的思想观念和体制机制障碍，解放和增强人才活力，制定符合学校特点的干部、教师管理相关政策和制度，做好领导干部考核和换届工作，既注重设计好“能者上”的制度安排，又重点打通“庸者下”“劣者汰”的制度渠道。

“长风破浪会有时，直挂云帆济沧海”。北京印刷学院将以全新的理念、崭新的方法、创新的思路寻求发展突破，以严谨的精神和求实的干劲抓住机遇，做好“十三五”期间的各项工作，努力将机遇转化为动力，将优势转化为胜势，为服务首都、服务地区和行业作出特殊的贡献。

审时度势　加强谋划
以“钉钉子”精神推进工作落实*

2012年6月，学校召开第二次党代会，提出“到2020年，初步建成国际知名、有特色、高水平传媒类大学，基本实现从教学型向教学研究型大学的转变”的战略目标。2014年12月，学校召开党员代表大会，系统梳理了第二次党代会以来学校各项事业发展状况，并基本形成了每两年召开一次党员代表会议的惯例。

按照本次会议安排，下面，我将2014年党员代表大会以来的工作情况向各位代表作报告。

一、近两年以来开展的主要工作

1. 科学谋划制订“十三五”发展规划

从2015年暑期到现在，学校全面启动了“十三五”规划的调研和制订工作，先后两次召开领导班子务虚会进行集中研讨；组织印刷与包装、出版与传播、艺术与设计3个学科专业方面的专题调研；成立规划起草工作组，在广泛深入调研的基础上，认真分析研究高等教育综合改革、首都功能定位调整以及媒体融合发展带来的新机遇与学校发展的契合点，既立

* 这是2016年12月22日刘超美在北京印刷学院党员代表会议上所作的工作报告。

足长远、谋划全局，又聚焦突出问题和明显短板，科学谋划和制订好“十三五”发展规划，明确了到2020年学校“2221工程”的总体战略——完成“两个转变”，由服务传统印刷包装出版产业向服务传媒文化创意印刷包装及相关重大需求产业转变、由教学型向教学研究型的转变；建设“两个基地”，基本完成建设应用型高级专门人才和复合型行业领军人才的培养基地、科技创新和成果转化基地；实现“两个进一步”，实现工、文、艺、管多学科格局的进一步优化，实现印刷包装、出版传播、设计艺术特色优势的进一步提升；达到“一个一流”，办学综合实力达到国内同类行业院校的一流水平。此外，“十三五”规划提出了扩大办学规模、优化学科结构、深化教育教学综合改革、拓展办学空间等10个方面的重点任务；以及实施“深化综合改革工程”“学科专业攀登工程”“服务京津冀协同发展工程”“更名建设大学工程”4大工程，力争“十三五”末学校综合实力达到国内同类行业院校一流水平。目前，学校正推动总规划、各项分规划以及年度计划协同有序推进，努力做到“一张蓝图，分步实施”。

2. 以内涵建设为根本推动学校事业稳步发展

结合国家建设一流大学与一流学科总体方案部署，加强学科的整合与重点培育，制订《学科布局与发展规划》以及特色优势学科培育和建设计划，强化印刷、出版、艺术等优势和特色学科建设，新增新闻与传播、会计、电子与通信工程3个硕士专业学位授权点；成立中国版权协会版权研究中心和中国编辑学研究中心，搭建新闻出版平台，学校获批绿色印刷与出版技术北京市高校协同创新中心，绿色印刷与出版技术国际科技合作基地被认定为国家级示范基地，“数字复合出版系统工程”和“版权保护系统工程”两项国家级重大项目落地我校；首次以中英文对照形式印发本科人才培养方案，圆满完成“双培”“外培”计划，与中国人民大学等5所部属高校、英国伦敦艺术大学等3所境外高校联合培养本科生，学校被授予北京市首家大学生自主创业孵化基地，今年在创青春挑战杯、第二届“互联网+”大赛等全国重要创新创业大赛中均取得历史性突破，我校

师生进入文化部、财政部双创人才重点人才库，全校 2 千多名学子在全国及北京市各类竞赛中获奖；多名教师获评“全国新闻出版行业领军人才”“北京市高层次创新人才”称号，4 名博士后获得国家博士后面上基金资助，10 人获得北京市博士后科研活动项目资助，在市属单位获批国家和北京市项目总人数中位列第三，资助人数占在站博士后人数比例排名第一；学校新建实验教学楼、留学生公寓已经投入使用，6 万平方米绿色大厦明年将投入使用，体育场看台改造基本完成，校本部教学楼群楼成功设计改造，三校区功能布局和局部校舍调整布局完成，最大限度向教学科研、人才培养与学生校园学习和生活释放存量空间；学校与贸促会签约参展文博会、科博会，承办或举办的中国国际印刷周、全国图书编辑出版能力大赛、第七届全国机械设计大赛、西沙英雄与首都青年面对面等活动取得广泛关注和积极影响。

3. 不断加强思想政治和党员干部队伍建设

加强第一课堂主渠道和第二课堂主阵地建设，切实提升思想政治教育质量和水平，我校成为“北京市高校中国特色社会主义理论研究协同创新中心”协同单位；创新“互联网+大学生思政教育”形式，青春榜样主题宣讲会、“一二・九”大学生颁奖晚会在互联网上获得百万余人次的观看和点赞；成立网络安全与信息化建设领导小组，开展网络安全宣传周，展出 320 件网络安全设计作品，举办首届大学生网络安全知识竞赛；将凝练办学特色与增强党建工作实效深度融合，引导党支部利用专业优势，围绕“服务师生、服务行业、服务大兴”，开创“聚力工程”等 11 项党建创新品牌，坚持每月一主题开展党建活动，全年开展党支部特色活动过百项，参与学生过千人，为学生党支部配备十多名党建导师，党建经费投入较去年翻了一番；校领导班子和全校院部处级单位班子、党支部、师生党员积极投入“三严三实”“两学一做”，以党支部为基本单位，以“三会一课”等党的组织生活为基本形式，以落实党员教育管理制度为基本依托，以集中学习时间保障专题学习效果，以闭卷考试的方式检验党员干部掌握《纪律》《准则》成效，以问题为导向广泛征求基层意见并形成 3 个清单，以“严、准、实”的精神开好民主生活会；健全改进作风长效机制，紧盯“四风”新动向，坚决防止反弹回潮，群众路线活动中制定的17个方面的整改项目和94项整改措施已经按计划总体完成；开展干部换届工作，既注重设计好“能者上”的制度安排，又重点打通“庸者下”“劣者汰”的制度渠道，着力解决为官不正、为官不为、为官乱为等问题。

4. 不断提升党委班子办学治校能力和依法决策水平

党委在加强理论学习和思想政治建设的基础上，注重抓大事谋全局，与北京建筑大学、北京石油化工学院共同发起成立京南大学联盟，发布123项京南大学联盟服务大兴行业计划，以打破学科界限和产学分割为目标成立我校首个学科交叉融合学院新媒体学院，与承德市联合发布《承德传奇》，将紧贴文创需求、培养特色人才融入到服务京津冀时代大局中；以强化党委党建主体责任为目标，重新调整了领导班子分工，改变了以往党委书记、副书记兼管“人财物”等行政工作的局面；密切联系基层和师生，将多数党员校领导的党组织关系由机关转到基层单位，并带头以普通党员身份参加基层组织生活会，实行校领导晚值班制度；以提升班子依法决策水平为目标、以《北京印刷学院章程》为统领完善学校制度体系，明确2016年为学校“制度建设年”，成立学校法治办公室，制定或修订“三重一大”事项决策制度、常委会和校长办公会议事规则等系列重要制度，加强对“三重一大”事项决策落实情况的评估检查和监督力度，充分发挥干部、人才、基建、财务、资产等工作领导小组的作用，为校长办公会、党委常委会出台重大决策提供科学有效依据，充分利用“外脑”辅助决策；认真落实党风廉政建设主体责任，推动“主体责任”向二级单位延伸，顺利通过北京市党风廉政建设入校检查验收；重视并加强校园安全稳定工作，形成了全校工作一盘棋的良好局面。

二、存在主要问题以及面临的机遇挑战

近年来学校事业发展取得了显著进步，但与建设国际知名、有特色、

高水平传媒类大学的奋斗目标相比，仍存在较大差距。比如，在内涵建设、创新驱动、特色发展等方面还有很大的提升空间；在优化学科布局、强化科技创新、科学规范管理、培养高端人才，特别是服务首都经济社会发展等方面还有待完善；学科、专业结构需要进一步优化和调整，办学特色和优势需要进一步提升和创新发展，等等。未来几年，学校仍将处于快速发展和转型的关键时期，我国经济发展新常态、首都功能定位调整、京津冀协同发展、行业转型升级与媒体融合发展、高等教育发展变革等诸多因素为学校发展既带来了难得的历史性机遇，也提出了新的挑战，将深刻影响学校“十三五”时期的发展：一是，党的十八大以来，以习近平同志为核心的党中央领导集体提出了“四个全面”战略布局，以及实施首都功能定位调整、京津冀协同发展、媒体融合、“一带一路”、世界一流大学和一流学科建设等重大战略举措，对学校发展提出了新的要求。二是，我国高等教育进入大众化教育阶段乃至部分地区已进入普及化教育阶段，“数”与“网”时代到来，教育信息化，创新人才培养模式，改革教学方法，更新教学内容，对学校发展提出了新的要求。三是，传统印刷、包装、出版三大行业正在加速转型发展，媒体融合等正在加速重构新的人才培养生态圈，对学校发展提出了新的要求。

总之，我们要认真贯彻落实国家和北京市的相关政策要求，坚持问题导向和需求导向，集全校师生智慧，主动适应我国高等教育发展形势，深化综合改革，加强内涵发展，牢固树立服务首都、行业和经济社会发展的理念，围绕特色和强项开展高水平建设。

三、今后一个时期学校的主要工作任务

2016 年的工作已接近尾声，2017 年是推进“十三五”的关键一年，各方面发展机遇需要我们审时度势、加强谋划，以钉钉子精神推进工作落实。

（一）强化思想引领，牢牢把握意识形态领导权

全国高校思想政治工作会议是党中央召开的一次十分重要的会议，

习近平总书记的讲话对于当前高等教育发展的方向更加明确，对思政工作定位更加准确，对思政教育工作思路更加清晰。北京印刷学院肩负着为新闻出版行业输送人才的重要使命，我们必须牢记自己的政治责任，始终坚持把立德树人作为一切工作的根本，把学习贯彻会议精神作为当前和今后一个时期首要的政治任务抓紧抓实，在坚持什么、发展什么、反对什么、警惕什么上，必须举旗帜、指方向、亮底牌、点要害，牢牢抓实抓好意识形态工作。要健全完善校院两级理论中心组学习、务虚研讨、专题学习和干部自学制度，加强对首都、行业发展趋势的调查研究，深化对学校适应高等教育综合改革趋势的重大理论和实践问题的战略研究，增强做好学校战略规划和顶层设计的自觉与自信；要充分利用学校新闻出版领域的特色优势，运用媒体融合的思维和方式做好宣传思想工作，出台学校加强意识形态工作的责任制，加强网络安全管理，通过线上线下、校内校外多种途径，加强正面引导，积极营造网络正能量；要以建设马克思主义学院为契机，深化思想政治理论课教学改革，旗帜鲜明地推进马克思主义进教材、进课堂、进头脑，加强教师、辅导员班主任和心理咨询教师队伍建设，保证这支队伍后继有人、源源不断。

（二）找准发展定位，稳步推进“十三五”战略目标

“十三五”是我校建设国际知名、有特色、高水平传媒类大学的决胜时期，同时，我们也将迎来办学 60 周年这一重要历史时刻，推动规划各项任务落实到位是重中之重。学校“十三五”规划已经出台，如何抓好规划的落实呢？要有“钉钉子”的精神，坚持“一张蓝图绘到底”，习近平总书记指出：“抓落实，一定要防止虎头蛇尾。目标确定了，任务明确了，就要咬定青山不放松，不达目的不罢休”。“我们要有‘功成不必在我’的精神。一张好的蓝图，只要是科学的、切合实际的、符合人民愿望的，大家就要一茬一茬接着干，干出来的都是实绩，广大干部群众都会看在眼里、记在心里。”抓工作必须保持一抓到底的执着精神，树立不达目的决不罢休的勇气和决心，不折腾、不懈怠、不反复，善始善终，务求

实效，工作蓝图要管全局管长远，不能朝令夕改，要做到“一张蓝图绘到底”“一张蓝图干到底”。全校各单位要迅速把思想和行动统一到学校发展大局上来，自觉从学校事业发展全局的高度来思考和谋划自身领域的工作，切实推动任务落实、责任落实。要树立精准化理念把蓝图执行落到实处。2014 年 5 月 9 日在指导兰考县委常委班子专题民主生活会时，习近平总书记指出：“要从细节处着手，养成习惯。如果对工作、对事业仅仅满足于一般化、满足于过得去，大呼隆抓，眉毛胡子一把抓，那么问题就会被掩盖。”工作落实贵在精准。要牢固树立精准落实理念，凡事注重具体和准确，工作精准到位、在一个个具体的点上解决问题，避免大而化之、笼而统之，因此在制订本单位“十三五”分规划时，一定要把所处的发展环境和条件分析透，把前进的方向和目标理清楚，把面临的机遇和挑战搞明白，着力构建符合自身优势、契合发展趋势的核心竞争力，充分发挥校内外的智库作用，加强形势研判和综合调研，广泛征求广大师生校友、业内外专家以及社会各界意见和建议。

（三）坚持问题导向，不断深化学校综合改革

实现“十三五”目标的关键在于集全校之力、深化综合改革，破解事业发展中的瓶颈性问题，破解体制机制障碍，激发内生动力。下一步，学校将制定综合改革方案，从战略规划和顶层设计层面深入思考并努力解决制约学校发展的人才、资源等瓶颈性问题，重点解决学科建设、专业布局、人事制度改革中的难点问题，统筹好教学与科研、学术与行政、立足北京与服务行业、职能部门与二级学院、内涵建设与规模拓展等不同主体之间的关系，释放发展活力。改革推进过程中，我们要抓好调查研究，要尽可能多听一听基层和一线的声音，建立有效的沟通、协调、反馈和纠偏机制，不断增强改革的系统性、整体性和协同性；改革推进过程中，我们要增强改革定力，善于分析研究不同类型工作之间的内在联系，善于调动方方面面的有利因素，抓住改革时间窗口，一旦确定就一抓到底、务求必胜；改革推进过程中，我们要强化改革督导督察，既要督任务、督进度、

督成效，也要察认识、察责任、察作风，以改革促进派、实干家的标准要求自己，以严和实的作风谋划改革、落实改革；改革推进过程中，我们要把师生满意不满意作为检验工作的“试金石”，认真解决师生员工最关心、最直接、最现实的利益问题，让师生共享教育发展成果，拥有更多的获得感，切实提高师生员工的生活质量、发展潜能和幸福指数。

（四）强化用人导向，加强党员和干部队伍建设

党的十八届六中全会强调：“要坚持正确的选人用人导向，坚持德才兼备、以德为先，坚持五湖四海、任人唯贤。”学校一直高度重视优化二级班子队伍结构，采取“院长+执行院长”的配置模式，聘请行业内高端领军人才担任二级学院院长，提升二级班子的学术影响力。注重培养选拔学术背景强的教授任二级学院党总支书记，努力提升党总支围绕中心开展党建的意识和能力等。按照中央要求，高校未来用人既要重学术科研、又要重德行品质，把握好人才选用上的政治关和廉洁关，既注重设计好“能者上”的制度安排，又重点打通“庸者下”“劣者汰”的制度渠道，真正把“信念坚定、为民服务、勤政务实，敢于担当、清正廉洁”的好干部选好用好，保障干部换届工作顺利完成，为学校“十三五”事业发展提供坚强的组织保障。我们还要坚持从严管干部，强化纪律约束，加强党员干部作风建设，着力推动党内教育向广大党员拓展，着力营造从严治党的良好政治生态。

（五）深化改革创新，进一步夯实党建基础

党的基层组织是党的全部工作和战斗力的基础，我们要把抓基层、打基础作为落实“十三五”的长远之计和固本之举。要进一步加强“十三五”党建工作的统筹谋划，深入研究基层党组织“十三五”期间在服务首都经济社会发展，特别是针对首都功能定位调整以及京津冀协同发展等重大国家战略的服务内容和支撑。梳理发现党建工作难点问题，并进行专项研究，对“互联网+”创新党建工作等好经验好办法及时总结、凝练、

推广并长期坚持，形成规律性认识以指导基层党建工作；要加大对基层党组织“人财物”等方面的支持，探索建立稳定的经费增长保障和政策支持机制，在加强基层党组织学习型、服务型、创新型功能建设的基础上，进一步强化基层党组织立德树人的政治功能、从严治党的监督职能和创新创业的引导职能，充分发挥基层党组织联系服务群众“最后一公里”的功能和作用，促进基层党建工作的整体提升；要充分发挥党委全委会在基层党建工作中的作用，加强院系党委党支部书记队伍建设，加强党员发展和党员教育工作、意识形态工作等方面的专项培训，将抓党建的实效作为考核基层党组织负责人的首要目标，对基层党建工作进行述职评议并形成长效机制，建立完善督察督办制度和党建工作问责机制。

（六）加强自身建设，不断提升党委班子能力水平

2016 年上半年，习近平总书记就学习毛泽东同志《党委会的工作方法》作出重要批示，要求各级党委（党组）领导班子要全面加强党委（党组）领导班子思想政治建设、作风建设和能力建设，更好发挥党总揽全局、协调各方的领导核心作用，为协调推进“四个全面”战略布局、贯彻落实五大发展理念提供坚强政治保证和组织保证。

做好改革发展稳定的各项工作，关键在于领导班子和领导干部。我们要持之以恒地加强思想建设，把强化理论武装、加强思想政治建设摆在领导班子建设的首位，及时学习领会、贯彻落实国家、北京市关于高校思政理论的文件、政策、会议等有关精神，进一步坚持党性原则，坚定理想信念，提升党性修养，强化宗旨意识，提升班子整体的政治水平与理论素养；加强作风建设，继续深入改进领导班子的工作作风，坚持求真实干，狠抓部署落实，加强督察督办，提升班子决策部署的执行力；加大领导班子与基层单位、高层次人才、党外统战人士等群体的日常联系，聚焦、解决群众关切的热点难点问题，提升服务群众工作的水平；加强能力建设，优化现有班子的知识体系与技能水平，培养和锻炼班子的年轻成员，提升班子整体对于行业发展、学校发展的专业认知水平，加大对懂行业、懂专

业的年轻后备干部培养，储备专业性的领导人才；加强廉政建设，坚决把规矩和纪律挺在前面，知底线、明红线，严格按照廉洁自律准则的要求来开展各项工作，开好领导班子民主生活会、党委中心组理论学习、务虚会等会议，及时“红红脸、出出汗、扯扯袖子”，做到班子成员之间互相提醒监督，保持班子整体先进性与战斗力。

各位代表、同志们，希望大家把思想和行动进一步统一到学校发展目标上来，坚持党员标准、以身作则，以优良的党风干风带动教风学风的根本好转，营造和谐文明、安定有序的校园政治生态，推动学校事业发展迈上新的台阶。时值年终岁末，希望大家作好年终总结和明年工作计划，既要兼顾全面、又要突出重点，既要讲成绩、也要说问题。同时，将推动本单位工作与“三严三实”活动结合起来，与科学编制“十三五”规划结合起来，与破解改革发展难题结合起来，把发展的眼光放得更远，把发展的脚步踩得更实，不辜负肩负的光荣使命，不辜负北印八千师生的厚爱！

把出版企业社会责任工作引向深入*

春至花如锦，夏近叶成帷。每当春末夏初，我们校园鲜花盛开、绿树成荫、生意盎然，充满着勃勃生机。欢迎各位领导和嘉宾在这样一个美好的时节光临北京印刷学院，出席由我校和中国编辑学会共同主办的我国出版企业社会责任理论与实践研讨会。

刚刚主持人已经介绍了，今天与会的嘉宾中有中宣部和国家新闻出版广电总局的领导，有我国社会责任研究领域的专家学者，有社会责任实践方面作出成绩的企业代表，有关注我国出版企业社会责任发展的老师和同学们。在这里，我代表北京印刷学院，对大家的到来表示热烈的欢迎和衷心的感谢！

今天我们研讨会的关键词是社会责任，由此，我们首先想到了高校的社会责任。东汉语言学家许慎说："教，上所施下所效也。""育，养子使作善也。"作为高校的教育工作者，当我们面对一个个朝气蓬勃的身影、一张张渴求知识的脸庞时，时常为自己选择了教育工作感到骄傲，也时刻为肩负的责任重担而感到压力。高校既要传授知识，也要教会学生有责任担当。广博的知识如何教？责任的情怀如何育？我们一直在思考、一直在探索，也一直在努力。

---

* 这是2017年5月19日刘超美在我国出版企业社会责任理论与实践研讨会上的讲话。

2017 年 5 月 19 日，刘超美（中）出席“我国出版企业社会责任理论与实践研讨会”

习近平总书记在全国高校思想政治工作会议上强调：“高校立身之本在于立德树人”。北京印刷学院作为新闻出版单位人才培养的摇篮，一直十分强调学生的品德培育，多年来为我国众多的新闻出版单位输送了大批品学兼优的专门人才。然而，当下意识形态领域里社会思潮复杂、文化价值多元，在这样的时代背景下成长起来的学生也许是未来的出版家、企业家或是出版企业员工，他们的道德水准、他们的责任精神就显得至关重要。我们深感：无论是教书育人、科学研究还是服务社会，首先要筑牢思想之基、坚守信念之魂、强化责任之本。

我们一方面注重培育讲政治、有责任、敢担当、重情怀的革命事业的接班人；另一方面也密切关注我国新闻出版领域社会责任工作的发展动向，我们愿意与出版行业同呼吸、共命运，也愿意为更好地推动出版行业的社会责任工作付出努力。

2015 年 9 月，中共中央办公厅、国务院办公厅联合发布的《关于推

刘超美（左）与时任中国编辑学会会长郝振省（中）交流

动国有文化企业把社会效益放在首位，实现社会效益和经济效益相统一的指导意见》中要求文化企业："注重道德调节，坚守社会责任，把两个效益相统一的要求落到实处。"并要求"探索建立国有文化企业社会责任报告制度。"基于此，2016年9月，我校专门为新成立的中国编辑学研究中心开设了一个课题，希望先从我国出版企业社会责任报告发布现状这个小切口入手，着手研究我国出版企业的社会责任工作。

经过半年多的努力，课题组取得了一些初步成绩，发表了一些论文，出版了一本专著，但这只是触及了冰山的一角。我们意识到，出版行业的社会责任是一个大课题，深入研究还需要行业主管部门、出版企业和社会各方的共同努力。今天把各位领导、各位专家、各位朋友、老师和同学们邀请到这里，就是希望通过学习和分享大家对企业社会责任的理论思考和实践经验，开启思路、拓宽眼界、深化研究，把出版企业社会责任工作引向深入。出版企业的社会责任，是企业家的社会责任，是企业员工的责任，也是我们出版教育工作者的责任。

当今的时代需要流芳百世的出版精品，需要品德高尚的出版名家，需要有社会责任的企业，更需要我们所有人付出热情和行动。千里之行始于足下，让我们携起手来，共同努力，为促进我国出版行业社会责任工作迈上新台阶作出应有的贡献！

为中华民族的文化理念走出国门而努力*

今天，我们在这里隆重举行北京印刷学院“出版大讲堂”。出席今天大讲堂的领导和嘉宾有：

全国政协委员、原新闻出版总署副署长、中国新闻文化促进会理事长李东东同志，中国新闻文化促进会副秘书长吴焕同志，中国新闻文化促进会学术期刊委员会主任张建国同志，中国新闻文化促进会培训部主任赵冬同志，中国新闻文化促进会秘书处办公室副主任纪策同志。出席今天大讲堂的还有北京印刷学院部分党政领导、部分师生代表。让我们以热烈的掌声对各位领导和嘉宾的到来表示热烈的欢迎和衷心的感谢！

北京印刷学院在创新对外交流方式、培养新媒体和新传播人才、提高开放办学水平的发展历程中，得到了中国新闻文化促进会特别是李东东理事长的大力支持与帮助。中国新闻文化促进会成立于 1989 年，会员单位覆盖新闻出版广电等文化产业链的各重要组成部分，是国家新闻出版广电总局与新闻业界联系的桥梁和纽带，在促进和推动文化市场主体的联系交流和国内外新闻文化交流合作等方面发挥了重要作用。李东东同志是全国政协委员、中国新闻文化促进会理事长、中国作家协会会员。曾先后在新闻出版单位、地方党委、国务院部委工作。历任经济日报社总编室副主

* 这是 2017 年 5 月 24 日刘超美在北京印刷学院 2017 年“出版大讲堂”上的主持词。

任，特刊部主任；湖南省张家界市委副书记；国家体改委副秘书长；中国改革报社社长兼总编辑；宁夏回族自治区党委常委、宣传部长；原国家新闻出版总署党组成员、副署长。李东东同志长期担任宣传思想和新闻出版战线的领导职务，不仅具有丰富的新闻实践和行政管理经验，还是一位优秀的词赋和散文作家，她的赋作在词赋界颇有盛名，先后创作了《宁夏赋》《中共中央党校小赋》《国家行政学院小赋》《北戴河赋》《八一赋》《清华赋》《协和赋》《北斗赋》《军事外交赋》《嫦娥赋》《铁道兵赋》《故宫人颂》等脍炙人口、广为传颂的辞赋，并且出版了《五颂宁夏》《远离北京的地方》《赋心墨韵》《赋心诗韵》《李东东辞赋辑》《红蓝寄家国》等专著，是一位专家型、学者型的领导。

2017 年 5 月 24 日，刘超美（左五）等与时任中国新闻文化促进会理事长李东东（左六）合影

文化的发展，是国家综合实力的体现，党中央高度重视文化建设和文化强国建设。党的十八大以来，习近平总书记在多种场合多次强调文化强国的极端重要性。他强调，“文明特别是思想文化是一个国家、一个民族的灵魂”；“没有文明的继承和发展，没有文化的弘扬和繁荣，就没有中国梦的实现”。在庆祝中国共产党成立 95 周年大会的讲话中，习近平总书记对文化自信特别加以阐释，指出“文化自信，是更基础、更广泛、更深厚的自信”。其语境更为庄严，观点更为鲜明，态度更为坚决，文化自信继道路自信、理论自信和制度自信之后，成为中国特色社会主义的“第四个自信”。习近平总书记同样重视文化的促进与传播，他指出，“提高国家文化软实力，要努力展示中华文化独特魅力”，要“把跨越时空、超越国度、富有永恒魅力、具有当代价值的文化精神弘扬起来，把继承传统优秀文化又弘扬时代精神、立足本国又面向世界的当代中国文化创新成果传播出去”。

刘超美与李东东签署北京印刷学院与中国新闻文化促进会战略合作协议

北京印刷学院办学近 60 年来，始终坚持以传承印刷出版文明、服务社会主义文化发展与繁荣为己任，坚持面向新闻出版行业发展重大需求，坚持内涵发展与开放办学并重，为新闻出版产业和首都培养了大批高级专门人才。特别是“十三五”以来，学校党委深入研究和思考学校改革发展面临的内外部环境，从国家、行业和京津冀协同发展的大格局中谋划，承接阿斯塔纳世博会国际级重大任务，策划“上合丝路之旅”系列新媒体活动，主办丝路书香新闻出版高端研修班，筹建“一带一路”智能制造装备联盟，招收“一带一路”国家留学生总量取得历史性突破，“一带一路”国家孔子学院建设取得积极进展，以“数字出版复合工程”为平台的新闻出版和新媒体建设取得重要成果。党委带领全校上下，正努力践行一条北印特色文化传承创新发展之路。

刘超美与李东东共同为中国传媒文化研究中心揭牌

北京印刷学院出版大讲堂开办以来，以“荟萃学界业界精英，探究重大理论前沿问题，指点关键热点，促进学界业界融合”为宗旨，先后邀请柳斌杰、蒋建国、阎晓宏、宋明昌等领导、行业领军人物、知名专家学者做客北印，共开展了 15 场专题讲座。这些专家的讲座，思想深刻、内涵丰富，具有很强的理论性和指导性，受到了全校师生的一致好评，充分显示大讲堂已成为我校师生开启智慧、交流思想、传播知识的重要平台。今天，我们非常荣幸地邀请到中国新闻文化促进会理事长、北京印刷学院特聘教授李东东同志为大家作报告。下面，让我们以热烈的掌声欢迎！

……

刚才，李东东同志用一个多小时的时间为大家送上了一次学术盛宴。她的讲课，深入浅出、条理清晰、内涵丰富、意义深刻，相信大家和我一样一定感到受益匪浅。站在新的历史起点上，我们一定不辱使命、不负重托，为中华民族的文化理念走出国门，为建设新闻出版强国和文化强国而努力奋斗。让我们再一次以热烈的掌声，感谢李东东同志的精彩演讲。

感谢各位领导、嘉宾到场，感谢大家对“出版大讲堂”的支持，让我们共同期待下一次的精彩报告。

如何建设中国特色社会主义传媒类大学*

一、学深悟透习近平总书记重要讲话精神

习近平总书记系列重要讲话，尤其是在全国高校思想政治工作会议上的重要讲话，对于北京印刷学院进一步明确“建设什么样的北京印刷学院、培养什么样的合格建设者和可靠接班人”的办学治校方针提供了重要遵循。

一是必须深入领会高校思想政治工作的重大意义。习近平总书记关于我国高等教育定位的全新表述，具有鲜明的现实指向：高校不仅要立德树人，更要为治国理政、改革开放和现代化建设提供解决方案和智慧。习近平总书记在讲话中关于办好中国特色社会主义大学的重要论述，深刻阐明了思想政治工作对办学治校、育人育才的特殊重要性。我们必须坚持把立德树人作为中心环节，抓好政治领导和思想领导，坚持党管办学方向，坚持党管高校改革发展，坚持党管干部原则，切实把党的领导在学校落到实处，腰杆硬、底气足地把思想政治工作贯穿教育教学全过程。

二是必须深刻认识理解加强教师思想政治工作是落实立德树人中心环

* 这是 2017 年 5 月刘超美撰写的“习近平总书记在全国高校思想政治工作会议上的讲话精神”学习心得，发表于《北京教育（高教版）》2017 年第 9 期。

节的根本所在。在全国高校思想政治工作会议上，习近平总书记强调，“教师是人类灵魂的工程师，承担着神圣使命。传道者自己首先要明道、信道。高校教师要坚持教育者先受教育，努力成为先进思想文化的传播者、党执政的坚定支持者，更好担起学生健康成长指导者和引路人的责任”；要“加强师德师风建设，坚持教书和育人相统一，坚持言传和身教相统一，坚持潜心问道和关注社会相统一，坚持学术自由和学术规范相统一，努力成为先进思想文化的传播者、党执政的坚定支持者，学生健康成长的指导者和引路人”。我们要按照习总书记的要求，坚持育人为本，强化思想教育和价值引领，引导学生铸就理想信念、锤炼高尚品格，引导教师明道信道、传道授业。

三是必须深刻认识改革创新是提升大学生思想政治工作针对性、实效性的主要手段。思想政治工作改革创新的重点是要用好课堂教学这个主渠道、关键是构建中国特色哲学社会科学学科体系和教材体系。我们要按照习近平总书记要求，利用新媒体、新技术做好思想政治工作，“跳出高校看高校，推动思想政治工作传统优势和信息技术高度融合，形成新媒体矩阵”“既会面对面，又会键对键”的与“无人不网、无处不网、无时不网”的新青年交流交心，为学生解答人生应该在哪儿用力、对谁用情、如何用心等问题。

四是必须深刻认识学校作为首都高校所肩负的功能使命。2017 年 6 月 28 日，北京市委常委、教工委书记林克庆同志主持召开北京高校党委书记会议，强调“深化教育体制改革必须向首都目标聚焦，向教育现代化聚焦、向特色聚焦、向加快现代大学制度建设聚焦”。北京市教委近期出台了《关于进一步研究确定市属本科高校办学定位的通知》，要求各高校要面向 2030 年研究确定自身办学类型。面对首都未来发展和高等教育改革的新形势、新机遇，我们要深入思考并精准定位学校未来 15 年的发展，紧密围绕立德树人根本任务，努力提升教育质量和科研创新能力，立足定位，办出特色。

五是必须深刻认识学校作为行业高校所独有的政治文化属性。新闻出版业是建设和巩固社会主义思想文化的主阵地，具有鲜明的政治和意识形态属性。北京印刷学院溯源于文化部的文化学院、中央工艺美术学院的印刷工艺系，肩负着为新闻出版行业和首都输送传媒类人才的重要使命，有着鲜明的政治文化和意识形态属性。经过近 60 年的积淀，学校学科专业基本覆盖新闻出版全产业链、毕业生基本遍布行业全领域，我们必须深刻学习领会贯彻习近平总书记在全国宣传思想工作会议、哲学社会科学工作座谈会、中央新闻单位调研、新闻舆论工作座谈会、全国高校思想政治工作会议等重要场合围绕“宣传思想工作”提出的一系列新观点、新精神、新要求，在办学方向、发展定位、人才培养上保持足够的战略定力和发展自信，努力培养既有坚定理想信念又适应媒体融合核心能力的应用型传媒类人才。

二、努力提高办学治校的政治站位

作为一所意识形态和文化属性鲜明的首都高校，学校党委注重将思想政治建设作为一项战略性、基础性工程常抓不懈。全国高校思想政治工作会议召开以后，学校党委坚持边学习边贯彻，带领全校上下把思想和行动统一到会议精神上来。

一是以各种形式深入学习传达会议精神。全国高校思想政治工作会议召开以来，学校党委第一时间在党委理论中心组学习会和党委常委会上学习传达会议精神，随即召集全校教师代表学习会议讲话精神，邀请北京市委党校常务副校长王民忠作高校思想政治工作会议精神辅导报告；先后召开 4 次党委理论中心组扩大会议，10 位同志先后作专题学习报告，有的经过数月准备，将会议精神结合工作层层传递、入脑入心；2017 年年初，以“学习贯彻全国高校思想政治工作会议精神”为主题召开领导班子务虚会扩大会，邀请曾出席全国高校思想政治工作会议的北京外国语大学党委书记韩震教授作了辅导报告；5 月，以中层干部换届为契机，先后邀请教育部社科司司长刘贵芹等 6 位同志到校作《深入贯彻落实全国高校思政会精神，切实增强大学生对思政课的获得感》等辅导报告，深化了全校干部对会议精神的理解；通过新闻出版大讲堂等平台加强思想文化引领，邀请全国政协委员、原新闻出版总署副署长、中国新闻文化促进会理事长李东东来校作“继承优良传统、履行职责使命、提高修养学养——做党和人民信赖的优秀新闻工作者”报告。

二是层层发力将会议精神传递到“最后一公里”。全国高校思想政治工作会议召开以来，学校党委班子成员通过谈学习体会、讲党课、讲形势政策课等途径宣传思想政治工作会议精神，走遍所有二级学院，和全校教职员工“一对一”谈话。个别谈话754人，占在编教职员工的93.55%；与毕业生代表进行座谈，调研大学生思想政治工作，基本做到了全校性会议逢会必讲、谈心谈话逢人必谈；各级单位层层落实，深入学习贯彻全国高校思想政治工作会议精神，全校上下氛围浓厚。全国高校思想政治工作会结束后，师生报送发表学习会议精神感想160余篇，34名博士后通过座谈、微信发表学习感想；从2016年年底到2017年6月，全校各学院、学工系统、共青团系统以多种形式多次学习全国和北京市高校思想政治工作会议精神；7月初，组织各民主党派以及无党派人士深入学习北京市党代会及学校思想政治工作会议精神；7月4日至5日，20个基层党组织书记依次向学校党委汇报本单位思想政治工作。

三是开好学校思想政治工作会议。6月30日，学校以“立德树人，全面提升思想政治工作水平”为主题召开落实思想政治工作会议精神暨“七一”表彰大会。为开好这次会议，学校党委先后到中央党校、中央财经大学、北京林业大学、北京工业大学等单位深入学习调研。笔者代表学校党委在会上作了《立德树人　全面提升思想政治工作水平》的主题报告并全文印发至全校各党组织，要求全校上下自觉用习近平总书记重要讲话精神统一思想认识，提高政治站位，确保学校立德树人中心环节；7位来自各基层单位的同志分别代表基层党委、专业教师、辅导员、学生党员作了专题发言。6月29日，在北京高校庆祝中国共产党成立96周年表彰大会上，学校3名师生获得表彰，许诚同学还作为北京市15万大学生党员的唯一代表进行了发言，获得全场好评。

四是强化思想政治工作建章立制。按照中央 31 号、北京市委 10 号、市委教工委 32 号文件精神，党委组织形成了“3+X”制度体系设计，即《关于加强和改进新形势下思想政治工作的实施意见》等 3 个文件加上若干个落实细则，制定责任清单，分 3 年逐步推进落实，争取“十三五”末大部分落实到位；以贯彻全国高校思想政治工作会议精神为导向，修订完善《北京印刷学院校级党委理论中心组学习规则》《北京印刷学院二级党委理论中心组学习规则》《北京印刷学院 2017 年校级党委中心组学习计划》等文件。

三、坚持问题导向，推动思想政治工作落细、落小、落实、落地

当前，学校思想政治工作与中央和北京市委的要求相比，还存在不小差距。例如：思想政治工作领导体制和工作机制有待完善，全员全程全方位育人格局有待构建，教师思想政治工作体制机制建设有待加强，基层党组织在思想政治工作中发挥作用不明显，思想政治理论课教学水平亟待提高等。我们必须将深入学习贯彻思想政治工作会议精神作为学校当前和今后一个时期的首要政治任务，持之以恒地抓好思想政治工作。

一是抓党的领导，坚持和完善党委领导下的校长负责制。党委坚持每月定期由党委书记、校长、副书记、组织部长、宣传部长碰头议党建和思想政治工作，切实增强校级班子成员抓党建和思想政治工作责任意识；坚持党委常委每年至少两次专题研究思想政治工作，强化会前调研和议题论证、把关工作；严格执行各级党组织抓思想政治工作述职评议考核制度，要求校院两级班子成员每年至少与所联系师生谈心谈话两次，为师生和党员讲党课一次；建立党员校领导干部联系基层党组织制度，形成党委书记负总责，党员校领导分工负责，党委委员协调配合，党委职能部门具体落实的党建工作格局。下一步，我们将继续提高思想政治站位，提高校院两

级党委理论学习中心组学习质量，强化校院两级党委政治核心作用，凝聚各级党组织抓思想政治工作的合力。

二是抓党管人才，强化教师队伍的思想政治工作。从 2016 年开始，在职称评审和干部推荐选拔中增强师德师风和思想品德考察比重，2017 年 5 月的科级干部晋级考核和新教工引进聘任中，均把政治立场和思想政治表现作为遴选成员底线要求，目前正在研究在教师职称评审中严格落实师德一票否决制；实施 45 岁以下青年教师思想政治教育 5 年轮训，由党委书记亲自审定培训内容，校领导亲自带队并授课，目前已经举办 3 期暑期井冈山、古田培训班，培训 120 多人，举办 10 期的中青年骨干教师读书班，分批次参观苏区中央出版局、中央印刷局旧址，专题学习苏区出版史、印刷史；将师德教育与教师发展相结合，制订人才专项支持计划，每年投入上百万元支持“北印英才”“北印学者”等人才项目。将学术委员会委员纳入理想信念教育计划，开通职称评审直通车，增加了教学型教授（副教授）职称，鼓励教师既做好科研创新又做好教书育人。下一步，我们将进一步坚持教书育人、立德树人的根本导向，加强党管人才顶层设计，强化教师理想信念教育，健全完善教师考核评价体系，切实提升教师队伍思想政治工作水平。

三是抓思想政治价值引领，坚持思想育人和专业育人并重。成立马克思主义学院，加强思想政治课建设，安排专项资金进行思想政治理论课专题化改革，深化专题教学、案例教学，开展大班教学“课中课”。推进大班教学向中班教学和小班教学转变，秋季学期最小教学班人数 63 人。加强课堂管理，提高教学质量，思政课整体出勤率达到 92%。加强马克思主义理论研究。6 月，学校马克思主义学院 4 名教师获全国艺术院校思想政治理论课优秀论文。注重强化思想政治教育和专业教育的融合，发挥专业课程、专业教师在思想政治工作中的作用。例如：一些专业教学与思想政治教育同向同行的课程设计模式已列入学校的重点教改项目，在《市场营销学》商品层次教学中，围绕“商品的最高层次是满足人灵魂的需求”这一属性融入思想政治教育内容。在讲授“决策”课程时，教师以

《春天的故事》这首歌入题，带领学生一起回顾邓小平同志大胆决策、努力开创改革开放新局面的整个历程。在讲授“企业”课程时，列举华为、万达等优秀企业的案例，这样既讲授了知识点，又传递了正能量，课堂育人成效明显。下一步，我们要继续加强“一观三论”和思想政治理论课主渠道建设，深化思想政治理论课教学改革，提高思想政治课水平。

四是抓队伍保障，强化思想政治专门力量建设。按师生比不低于 1∶200 的比例设置专职辅导员岗位，按师生比不低于 1∶350 的比例设置专职思想政治课教师岗位；从制度上保障了辅导员作为专任教师和管理干部的双重身份、职称职级双线晋升的评聘政策；修订了校内辅导员、班主任规章制度 5 项，设立思想政治工作专项研究经费，支持和激励思想政治工作人员攻读专业学位，参加校外理论课程研修；通过专题培训、科研项目、深度辅导督察、职业能力大赛等途径，加强辅导员队伍专业化建设，提升辅导员的政治素养和专业能力，培养为开展大学生日常思想政治工作培养合格的教育者。下一步，我们要继续统筹设计，加强思想政治理论课教师和哲学社会科学课教师以及党政干部、共青团干部、辅导员班主任等队伍的建设发展。

五是抓基层党建，强化思想政治工作“最后一公里”建设。选优配强基层党组织书记，坚持“双向融合”+“一人一策”培养基层党组织书记。以优化班子结构、增强整体功能作为重要着力点，注重选拔既懂管理工作又懂学科专业的复合型领导人才。现二级单位党组织书记中有 74% 为高级职称，教工党支部书记中的高级职称比例为 61%；推进基层试点改革，在基层党委设立由系主任、支部书记、专业负责人组成的“三人核心组”，支部书记不仅参与系里的决策和管理工作，而且在评奖评优中拥有师德一票否决权以及奖励绩效、管理绩效分配权，基层书记积极性极大提升；持续开展“育才工程”“先锋工程”“青春榜样”等党建、德育创新品牌活动以及网络安全文化月、传媒文化节等红色正能量活动，与团市委联合举办“西沙英雄与首都青年面对面”，赢得人民网等主流媒体和社会关注好评；“青春榜样”等思政品牌获团中央表彰并在北京市推广，

2016 年获得超过百万的网络观看量和点赞量，思想政治育人活动成效明显。下一步，我们将全面从严治党引向基层党支部，推进基层党支部规范化、常态化建设，巩固和拓展党内教育成果，营造想干事、能干事、干成事的浓厚氛围，走好新形势下的群众路线。

六是抓特色凝练，结合行业属性强化思想政治工作。学校正在打造的“新闻出版先锋号”红色出版史学习教育活动，在“思想育人”中融入中华优秀传统文化和革命文化、社会主义先进文化教育以及党史、国史教育，以“红色出版史”为主线，以师生支部共建的形式，选取《新青年》《红色中华》《解放日报》等 100 种有代表性的红色报刊，每名学生负责一种报刊，挖掘、整理、编写、传播与代表性红色出版物有关的史料，使学生在参与的过程中受教育。此外，学校发起成立京南大学联盟以来，注重积极整合联盟高校人文学科优势，探索共建马克思主义学院。目前，联盟高校正在研究整合资源，联合申报北京高校思想政治教育教学改革示范点项目。

总之，我们将持续以改革创新和久久为功的精神，一届接一届地抓好落实，抓出成效，一张蓝图绘到底，扑下身子加油干，以拼搏为美，向行动致敬，以良好的精神面貌和优异的思想政治工作成绩，迎接党的十九大的胜利召开。

强化使命意识和担当精神 以更好的业绩回报行业和社会*

一、学校基本情况

北京印刷学院由北京市与原国家新闻出版总署签约共建，前身是1958年文化部所属的文化学院印刷工艺系，1961年并入中央工艺美院，1978年经国务院批准中央工艺美院印刷工艺系独立建校，成立北京印刷学院。2000年由国家新闻出版署划转北京市，2006年由北京市政府与国家新闻出版总署正式签约共建北京印刷学院，2018年即将迎来办学60周年。学校现有在校生近7000余人，与中国传媒大学、北京交通大学等联合培养博士研究生；在市属高校中率先建成博士后科研工作站，目前在站博士后34人。“十二五”以来，学校一本招生专业扩大到18个省份，拥有7个一级学科硕士学位授权点，19个二级学科授权点，5个硕士专业学位授权类型，在国家组织的学科评估中，设计学、新闻传播学、美术学并列全国第8、第9、第11名。学校制订“十三五”发展规划，明确提出“要实现由服务传统印刷包装出版产业向服务传媒文化创意、印刷包装及相关重大需求产业转变，由教学型向教学研究型转变”。学校在传媒和文

---

* 这是2017年6月2日刘超美率队拜访时任国家新闻出版广电总局副局长周慧琳的汇报。

化创意领域行业背景深厚、学科专业特色鲜明，被誉为“中国内地最具特色的五大热门院校”之一。

2017 年 6 月 2 日，刘超美（左三）率队拜会时任国家新闻出版广电总局副局长周慧琳

二、服务新闻出版广电行业情况

（一）构建支撑学校转型发展的传媒类学科体系，加强人才队伍建设

学校积极应对新闻出版业转型加速和媒体融合的时代需求，以建设“国际知名、有特色、高水平”传媒类大学为引领，初步搭建了传媒技术、传媒文化、传媒艺术、传媒管理四大特色学科群，围绕新闻出版全产业链凝练了凸显媒体融合的若干特色研究方向，学科结构和布局趋于合理。2016 年，成立新媒体学院，强化学科交叉融合，致力于培养“兼具

技术基础和人文、社会科学思维，具有较高艺术表现力”的复合型新媒体人才，并在今年 5 月吸引全国首批 Foundry 国际认证中心落地学校；创新人才引进模式，先后柔性引进了美国国家工程院院士、中国科学院和中国工程院院士 4 人，引进了 20 余位“千人计划”“长江学者”“海聚工程”等高端人才，先后聘请了原中国出版集团公司总裁聂震宁、中国新闻出版研究院院长郝振省等众多行业名家和领军人才到学校担任院长或教授，近期，学校引进“千人计划”周志颖从事 AR 出版研究工作。

（二）搭建媒体融合的科研平台，全面提升科学研究水平和服务行业能力

学校强化产学研结合，建立了覆盖新闻出版产业链的科研平台。2015 年，成功对接国家数字复合出版系统工程、数字版权保护技术研发工程，今年 5 月，国家数字复合出版系统工程实验室等重大工程落地我校。北京绿色印刷包装产业技术研究院获批“国家绿色印刷包装产业协同创新基地”，成为总局在印刷包装领域首个批复建设的协同创新基地；中国版权协会版权研究中心落户我校并挂牌成立；与中国科学技术发展战略研究院共建“印刷包装产业发展战略研究所”；与总署质检中心共建“绿色印刷检测实验室”；引入和组建了国家印机检测中心、首都科技条件平台、中关村开放实验室等高端服务平台，为行业及社会提供研发支持、检测认证、专家咨询等服务。此外，学校还发起成立了印刷电子、绿色印刷、数字化制造等产业技术创新联盟，促进产业链上下游之间的紧密结合，带动相关产业的转型升级。学校重视学术思想的宣传和传播，搭建了多个在行业有影响的高端学术交流平台，柳斌杰、蒋建国、阎晓宏、邬书林、李东东、聂震宁等 11 位领导和专家亲临“出版大讲堂”开展学术报告。

（三）全面提高教育教学质量，为行业培养输送优秀人才

学校坚持“以文化人以文育人，建设对学生最好大学”的办学理念，努力让每一位学生有尊严地在学校生活和学习。学校形成了“以书为媒、

以阅读为魂”的校园文化。面对新技术对传媒领域产生的巨大冲击，学校始终把提高人才培养质量作为教育教学改革的核心任务，构建以工、文、管、艺多学科交叉融合的课程培养体系，提出了“工科和文科结合、艺术与科技结合、理论与实践结合”的人才培养思路，学校的人才培养模式契合传媒行业“科技”与“文化”日益融合趋势。学校深入实施“教学质量与教学改革工程”，调整并优化专业布局，投入专项资金，重点加强 2 个国家级特色专业和 4 个数字化专业建设，建设了具有时代特征的数字印刷、数字出版、数字媒体艺术、数字媒体技术构成的新型数字媒体专业。《面向行业，构建“四位一体”的印刷出版创新人才培养模式》获得 2014 年国家级教学成果二等奖，实现了建校以来我校国家级教学成果奖零的突破。学校积极与行业对接，与北京雅昌彩色印刷有限公司、中国科技出版传媒股份有限公司共建北京市级校外人才培养基地，在数十家印刷、包装、出版单位建立了教学、科研、实习基地。学生参加各类学科竞赛，累计获奖达 2000 余人次。例如：学校师生共同创作完成的《千里江山图》水墨动画长卷，亮相北京 APEC 峰会雁栖湖国际会议中心；我校学生设计了夏季青年奥林匹克运动会吉祥物“砳砳”；学生作品《和·旅行餐具》问鼎“红点至尊大奖”，登上了设计类国际顶级大赛最高领奖台。学校积极为行业培养高层次、高技能、急需紧缺人才，联合北京交大招收和培养新闻出版软件工程研究生；积极开办少数民族高层次骨干人才研修班，面向新疆、西藏、内蒙古等地区开展了形式多样且广受欢迎的学历和非学历教育。

（四）积极开展国际合作与交流，主动服务文化“走出去”战略

紧密围绕学校“转型、跨越、发展”这一根本任务，主动服务国家出版“走出去”战略。以鲜明办学特色和学科优势融入“一带一路”，凭借新媒体学科专业优势接受上合馆组委会委任，服务 2017 年阿斯塔纳世博会，负责设计搭建上合馆新媒体空间样板间，并为上合馆开幕式和演展主题策划了“上合丝路之旅”系列新媒体活动；借“一带一路”国家战

略东风，举办“印刷包装设备沿‘一带一路’走出去战略和印刷孔子学院建设高端论坛”，向行业推介“生产线+人”的走出去策略；筹建智能制造装备联盟，为印刷包装高端装备输出发挥行业高校的引领、协调和组织作用；深入俄罗斯、印度、巴基斯坦、尼泊尔等国家和地区召开招生宣传推介会，在“一带一路”20 多个国家招收留学生，招生人数接近 200 名；与巴勒斯坦最大的大学 Allama Iqbal Open University 就共建孔子学院签署合作备忘录；与中华出版促进会联合主办丝路书香新闻出版业第三期来华培训高端研修班；连续多次主办或承办中欧数字出版论坛、中英出版论坛等高水平国际学术会议。目前学校已与 14 个国家和地区的 54 所院校建立合作关系，合作内容涵盖学生交流、联合培养和教师互访、合作科研以及高层次国际学术交流等多个方面。

三、期待支持事项

一是关于我校沿“一带一路”走出去及建设孔子学院。希望在总局的支持下，借助国家汉办的平台，支持我校与“一带一路”沿途国家高校联手共建孔子学院。在推广汉语的基础上，加大对中华出版传媒文化的传播，加大印刷包装设备走出去的力度。恳请总局给予相关政策和平台支持。

二是关于办好有行业特色的马克思主义学院。学校深入贯彻落实全国高校思想政治工作会议精神，立德树人，传文载道，建设有行业特色的马克思主义学院，特别是加强对红色印刷史、红色出版史、马克思主义出版观、社会主义核心价值观对接新闻出版职业素养等方面的研究。恳请总局支持学校申请马克思主义一级学科，以及在相关专业、课程、平台和师资建设方面给予支持。

三是关于版权人才培养和版权研究中心建设。作为一种战略资源，版权的价值不断提升。相对于行业的应用型研究和实践而言，版权的基础性研究和复合型人才培养相对薄弱。鉴于此，学校围绕版权研究中心建设，设置了与版权相关的学科研究方向和专业。恳请总局从国际人才培养、新闻出版走出去等角度出发，在政策、项目、课题等方面给予版权研究中心和版权相关专业建设更多支持。

四是关于支持中国出版博物馆筹建工作。由总局提出的中国出版博物馆的建设项目已经获得国家发展和改革委员会的立项批准，进入项目选址和筹建阶段，目前有两个方案，一是在学校东南角的中国印刷博物馆的基础上扩建中国出版博物馆，二是在学校选择更大面积整体建设。对于此项工作学校将积极配合。同时，希望总局以出版博物馆建设为契机，给予学校提供更多的资源和平台，促进学校新闻出版与传播领域的学科和专业建设、人才培养以及对外交流合作。

五是关于国际标准组织印刷专业委员会（ISO/TC130）建设。2013年，中国正式承担ISO/TC130秘书处国家，为我国积极参与印刷国际标准化活动，为ISO印刷技术国际标准作出更大贡献创造了更好的工作平台外部环境。我校蒲嘉陵教授受聘为国际标准组织印刷专业委员会（ISO/TC130）主席，我校其他专家教授也在委员会担任重要职务，为推动我国印刷行业实质性参与国际标准制修订、跟踪研究国际先进的印刷技术和标准、提高我国印刷产业国际竞争力作出了积极贡献。恳请总局更加重视国际标准组织印刷专业委员会的工作，为提高我国印刷行业国际竞争力提供政策支持。

最后，衷心感谢国家新闻出版广电总局领导一直以来对学校事业发展给予的重视和关心，也希望今后继续得到总局及各部门更多的指导和帮助。北京印刷学院将以更加广阔的视野、更加务实的作风、更加扎实的举措，不断强化使命意识和担当精神，力争使学校发展目标早日实现，以更好的业绩回报行业和社会。

参观红色印刷展　增强发展自信*

为深入学习贯彻落实习近平总书记“7·26”重要讲话精神，喜迎党的十九大胜利召开。今天，我们在这里以“迎接十九大参观红色印刷展　增强发展自信”为主题，举办北京印刷学院、中国印刷博物馆联合的党委理论学习中心组（扩大）联合学习会。

2017 年 10 月 13 日，刘超美（前台中）主持北京印刷学院、中国印刷博物馆联合党委中心组（扩大）学习会

* 这是 2017 年 10 月 13 日刘超美在北京印刷学院、中国印刷博物馆党委理论学习中心组（扩大）联合学习会上的主持词。

习近平总书记“7·26”重要讲话科学分析了当前国际国内形势，深刻阐述了5年来党和国家发生的历史性变革，深刻阐述了新的历史条件下坚持和发展中国特色社会主义的一系列重大理论和实践问题，深刻阐明了未来一个时期党和国家事业发展的大政方针和行动纲领，提出了一系列新的重要思想、重要观点、重大判断、重大举措，具有很强的思想性、战略性、前瞻性、指导性，为党的十九大召开奠定了思想和理论基础。

习近平总书记指出：“不忘历史才能开辟未来”。在中国共产党96年历史中，已经召开了18次全国代表大会。党代会是党的历史发展过程中的阶段性标志和重大节点，为那个时期的中国历史进程产生了重大影响。在党的十九大召开之际，通过参观红色印刷展，通过一张张、一册册凝聚着伟大革命精神、闪烁着中国共产党人远大理想和革命信念光荣的革命文物，更加深切感受到中国共产党人的革命情怀和革命精神。

刚才，孙宝林馆长在讲课中系统解读了习近平总书记“7·26”重要讲话，就文化自信问题做了深入解读，进一步阐述了优秀传统文化是民族的“根”与“魂”的关系、印刷文化的历史地位和作用，并从印刷文化意义下的校馆历史使命和责任，转变观念、超越自我，以特色校特色馆立于先进之列这三个方面系统阐述了传承传播印刷文化大有可为，对于北京印刷学院的发展也提出了宝贵建议。在此，我十分感谢，也借此机会，谈谈几点想法。

我们要充分认识到印刷文化是我国优秀传统文化的重要组成部分，是中华优秀传统文化的记录者和传承传播者。传承传播印刷文化，我们责无旁贷。

我们要从文化意义上而不是技术意义上来认识印刷概念，进一步转变观念、超越自我，这对于学校下一步思考、办学定位也有很切实的启示。

我们要追求小而精、精而美，通过“人人能当讲解员”“人人成为多面手”，把每一名员工培养成为“能文能武”的文化战士。

在喜迎党的十九大召开之际，今天我们在这里举行了一场生动的理论

刘超美（右五）与孙宝林（右六）等一同重温入党誓词

学习活动，可谓主题鲜明，形式新颖，十分受用和及时，个中意义不言而喻。最后，我想以《这五年》结束本次学习活动。

“这五年，有一盏灯，一直在前方闪耀。四个自信四个全面，五位一体五大理念。治大国如烹小鲜，中国龙从没有像今天这样豪情冲天。这五年，有一面旗，一直高高飘扬。信念如血，坚定如铁。锤头锻造钢铁的队伍，镰刀收获金色的五谷。五年很短，但足以史诗般灿烂。今天，全世界都在等待；等待，第十九响礼炮响起；等待，一个坚强政党奋进的新宣言；等待，中华民族复兴的新霞光。”

全面领会党的十九大报告 担当起该担当的历史重任*

今天上午九点，北京印刷学院 800 名教职工、6000 名学生十分激动地收听了习近平总书记 3 小时 15 分钟的报告。作为一名高校的基层党委书记，听完报告我非常振奋，更加有决心有信心把北印办得更好。总书记报告主题“不忘初心，牢记使命，高举中国特色社会主义伟大旗帜，决胜全面建成小康社会，夺取新时代中国特色社会主义伟大胜利，为实现中华民族伟大复兴的中国梦不懈奋斗！”令我感受深刻。

报告开始时，总书记提到了“以永不懈怠的精神状态和一往无前的奋斗姿态，继续朝着实现中华民族伟大复兴的宏伟目标奋勇前进”，正因为永不懈怠的精神状态和一往无前的奋斗姿态，中国共产党夺得了中国特色社会主义的伟大胜利，一往无前体现了新时代共产党人的奋斗历程，一往无前的精神状态，是中国共产党革命精神的传承。

总书记讲中国特色社会主义进入新时代，对于过去 5 年的工作和历史性变革，和党的十八大以前相比增加了历史性变革，突出了过去 5 年工作在改革开放中处于历史变革时期。总书记在回顾中说中华民族正以崭新的姿态屹立于世界的东方，中国特色社会主义进入了新时代来概括最本质特征。

---

* 这是 2017 年 10 月 18 日刘超美接受北京印刷学院校报记者采访时的谈话。

总书记对新时代的概述，为什么站在世界民族之林来概括新时代，中华民族迎来了从站起来到富起来再到强起来的时代特征，这意味着中国特色社会主义在世界上为发展中国家富起来贡献世界方案，为解决人类问题贡献了中国智慧和中国方案，为我国日益进入世界舞台中央，不断为人类作出更大贡献，是新时代的特征。

总书记总结了过去 5 年工作的历史性变革后，对新时代中国共产党的历史使命作了系统深刻的阐述，100 年前十月革命一声炮响为中国送来了马克思主义，从此中国人民在水深火热中有了自己的主心骨。中国共产党作为主心骨的地位，在中华民族从富起来到强起来的过程中仍然不能变。

接着总书记从实现我们的伟大梦想，推进伟大事业，建设伟大工程，进行伟大斗争，这“四个伟大”的辩证关系上进行了阐述。中国共产党坚决反对一切脱离人民利益的行为，坚决反对一切分裂祖国、破坏民族团结的行为，全党要发扬斗争精神。发扬斗争精神是这次总书记在新时代中国共产党历史使命当中一个突出的、让我感受很深的一点。为什么在新时代要特别提出中国共产党要发扬斗争精神？在战争年代，中国共产党靠着坚忍不拔的斗争精神取得了中国革命的胜利，中国特色社会主义进入了新时代，发扬斗争精神有着它特殊的国际国内的背景。这个是我们要深刻理解和体会的。

总书记在第三个方面阐述了新时代中国特色社会主义的基本方略，提出在我们党的建设中，党的政治建设应放在首位。他从 14 个方面阐述了新时代中国特色社会主义的基本思想和基本方略，这 14 个基本方略是党的十九大报告的灵魂，也是我们党在实现第一个百年梦和第二个百年梦当中，指导我们党夺取四个伟大胜利的根本。我们需要在下一步认真地学习党的十九大报告时，将这 14 个基本方略深入领会和学习并贯穿到我们的工作实践当中。总书记说，14 个基本方略构成了新时代坚持和发展中国特色社会主义的基本方略，我们党必须长期坚持这个方略，这是党的十九大报告我们要深入学习领会的，是重中之重。

总书记在第四个方面，谈到了决胜全面建成小康社会，开启社会主义

现代化建设的新征程。重点谈到了实现第一个百年之后的第二个百年梦要分两个阶段来落实：第一个是从2020年到2035年的十五年，第二阶段是到2049年新中国成立100周年，给我们描绘了第二个百年梦分两步走来实现的美好蓝图。总书记分别从贯彻新发展理念、建设现代化经济体系和健全人民当家作主的制度体系，发展社会主义民主政治，还有坚定文化自信等13个方面对下一步我们的各项任务进行了具体的阐述。在这13个任务当中，有和我们高等学校，和印刷学院关联密切的，比如说关于第七个方面，坚定文化自信，推动社会主义文化繁荣兴盛。关于文化自信，北京印刷学院是服务新闻出版领域有着鲜明的意识形态和文化属性的高校，下一步，我们要更加深入具体地学习总书记阐述的这部分，并贯彻到我们人才培养模式的改革和立德树人的各项工作当中。

总书记在“提高保证民生水平，加快社会主义现代化建设”的第八个方面，把优先发展教育事业放在了第一部分，落实立德树人的根本任务，培养德智体美全面发展的社会主义建设者和接班人。他特别提出了高等教育要实现内涵式发展，要加强师德师风建设，要培养高素质的教师队伍，要办好继续教育，大力提升国民素质。北京印刷学院同样也是进入了内涵发展的阶段，下一步，在贯彻结合学习国家教育体制改革的意见和党的十九大报告关于优先发展教育事业的精神，要从顶层设计和具体措施上对我们的人才培养模式进行改革，培养顶天立地地服务新闻出版行业的应用型人才。另外，我们还要大力加强师德师风建设，在培养高素质的教师队伍建设上要出台更加有力的政策和措施。

最后，总书记在第十三个方面讲道：坚定不移地从严治党、全面提高党的执政能力和领导水平，一共讲了8个方面，作为党委书记，在新形势下，要有新作为。总书记提出了毫不动摇把党的建设作为更加坚强有力的目标，要解决我们党内现在还存在的思想不纯、组织不纯和作风不纯的问题，就要克服精神懈怠、能力不足的问题，我认为这些都说到了我们的心坎上。

总书记对新时代党的建设的总要求提出，坚持党要管党，全面从严治党，以先进性、纯洁性作为主线，不断提高党的建设质量。提出了党的建设质量这个新要求，把党建设成经得起各种风浪考验、朝气蓬勃的马克思主义政党。而这次总书记在党的建设的总要求当中，用朝气蓬勃 4 个字，来形容下一步我们党的建设进入了新时代这种根本的要求。

对于这 8 个方面，我们还是一个初步的学习。下一步，我作为党委书记，一要全面地领会党的十九大报告，二要突出重点地进行学习，用党的十九大报告和北京市委第十二次党代会精神来推进北京印刷学院发展，担当起该担当的历史重任。要把总书记对新时期领导干部提出的要求作为自己作为党委书记奋斗的一个座右铭。他指出，我们要敢于担当、踏实做事、不谋私利。总书记在党的十八大以后提出来好干部标准之后，又对新形势新时代的干部提出了新要求——敢于担当、踏实做事、不谋私利，首先要自己做到，然后要把这种好干部的具体的新时代的标准贯彻到我们的干部工作当中。

总书记在这个报告的最后的结语有一个排比句。他说：中华民族是历经磨难、不屈不挠的伟大民族，中国人民是勤劳勇敢、自强不息的伟大人民，中国共产党是敢于斗争、敢于胜利的伟大政党，历史的车轮滚滚向前，时代的潮流浩浩荡荡，历史只会眷顾坚定者、奋进者、搏击者，而不会等待犹豫者、懈怠者、畏难者，全党一定要保持艰苦奋斗、戒骄戒躁的作风，以时不我待、只争朝夕的精神，奋力走好新时代的长征路。这些要求不仅是对全党的要求，也是对所有党员干部的一个要求。北京印刷学院不久将要召开第三次党代会，对此，一定要系统、认真、深入地学习党的十九大报告，通过党的十九大报告精神的学习，修改好我们的党代会报告，使北京印刷学院在党的十九大精神的指引下能够规划好今后 5 年的工作，并且发展得更好、更快、更强。

贯彻落实党的十九大精神 推进特色高水平大学建设*

2012 年 6 月学校第二次党代会以来，学校党委深入贯彻落实习近平新时代中国特色社会主义思想、党的十八大和十八届历次全会、党的十九大精神、全国高校思想政治工作会议、北京市第十二次党代会精神，切实履行管党治党、办学治校主体责任，团结带领全校师生，抢抓机遇、奋发有为，出色地完成了学校第二次党代会部署的各项任务，为学校长远发展奠定了坚实基础。

一、坚持从严治党，夯实主体责任，党建和思想政治工作全面加强

5 年来，学校党委不断强化政治担当，牢固树立“四个意识”，扎实开展党的群众路线教育实践活动、“三严三实”专题教育和“两学一做”学习教育，抓紧抓好党的领导、党的建设和全面从严治党各项工作，为学校改革发展提供坚强有力的政治保证。

* 这是 2017 年 11 月 4 日刘超美主持完成的中共北京印刷学院第二届委员会述职报告。

（一）抓思想，把方向，充分发挥党委核心领导作用

学校党委始终牢牢把握社会主义办学方向，认真贯彻党委领导下的校长负责制，凝聚党的建设和事业发展合力，努力提升班子把方向、管大局、作决策、保落实的能力和水平，在干部任免、人才使用、阵地建设、发展规划等重大事项方面坚持党委集体研究决定，形成了党委统一领导、党政分工合作、协调运行的工作机制。在圆满完成学校“十二五”规划的基础上，深入研究和思考学校改革发展面临的内外部环境，把学校发展放到国家、行业和首都“四个中心”战略定位、京津冀协同发展的大格局中谋划，科学制订“十三五”发展规划，办学思路和发展目标进一步明确。坚持抓思想、抓战略、抓队伍，深入开展领导班子务虚会集体研讨、学科专业专题研究、校内外广泛调研，定期召开学科、教学、科研、人才工作会议，严格执行党委理论中心组学习制度，全校绝大多数干部的视野开阔了、观念更新了、开放办学的意识增强了、干事业的精神状态提升了，干部队伍的这一可喜变化为学校改革发展稳定提供了思想保障和精神支撑。始终坚持党委领导下的校长负责制，健全党委常委会、校长办公会议事规则、“三重一大”决策制度，贯彻落实民主集中制。坚持一年两次的领导干部务虚会制度，增强领导班子履职能力。诚恳接受市委巡视组巡视，积极推进整改落实。加强制度建设，强化督查督办，确保党委决策部署有效贯彻落实。过去5年，学校发生了令人鼓舞的变化，出台一系列重要制度，推出一系列重要举措，推进一系列重要工作，解决了许多长期想解决而没有解决的难题，办成了许多过去想办而没有办成的大事，推动学校各项事业取得了重要成就。

（二）抓基层，打基础，扎实推进基层党组织建设

牢固树立大抓基层的鲜明导向，建立党员校领导联系基层党组织制度，校领导党组织关系落到基层党支部，强化校级班子成员抓党建责任意识。坚持每月至少一次基层书记例会，每次都聚焦党建工作主题，并围绕

会议主题和重点工作各二级党组织真材实料地进行交流分享，推动基层建设全面进步、整体提升。按照中央和北京市委部署，扎实推进“两学一做”学习教育，党委书记和校长给本科生上形势政策课，深入教学一线了解学生思想动态，坚持问题导向、学做结合，切实在学习教育中解决问题，推动工作。抓好教师党支部建设，每年举办基层党组织书记培训班，发挥基层党支部在干部聘任、职称评审、评先评优中的政治、师德把关功能。具有副高以上职称的教师党支部书记达到71.4%。深化党支部共建，开展校内外共建结对50多个。严格党的组织生活，开好“三会一课”。重视基层党建创新，引导基层党组织将凝练办学特色与增强党建工作实效深度融合，定期开展党支部特色活动大赛，大力推广“红帆”“五个一工程”“学生党建论坛”等品牌活动，涌现出与京津冀协同发展紧密结合的“聚力工程”“领航计划”“育才工程”“笃学工程”“好党员、好导员”等党建创新品牌10余项。为学生党支部配备理论导师，加大党员培训力度，累计培训党员、党务工作者和入党积极分子2万余人次。推出集移动阅读、组织管理、在线学习、在线测试、在线竞赛、在线交流于一体，具有“学、管、考、评”多种功能的“党员小书包”手机APP学习平台，大大提高了全校党员的学习兴趣和效率。坚持标准做好党员发展，累计发展党员1517名。11个基层党组织和8名共产党员获评市级以上荣誉，基层党建工作水平和党员质量不断提升。

（三）抓思政，求实效，持续深入加强思想政治工作

党委始终把思想政治工作摆在突出位置，深入贯彻落实全国和北京高校思想政治工作会议精神，制定实施意见并系统部署。落实意识形态工作责任制，加强学校意识形态阵地日常管理，严格审核审批检查校内各类讲座、论坛、媒介传播平台，建立健全舆情监控、分析和研判机制以及意识形态工作责任追究制度，积极稳妥、依法依规处置突发事件。加强思想政治理论课程和队伍建设，成立马克思主义学院。切实做好教师思想政治工作，成立党委教师工作部。组织院系级党组织书记和教师赴古田和井冈山

进行理想信念教育。面向全体师生定期举办思想政治理论学习讲座和报告会，增强广大教师党性修养和立德树人的责任感和使命感。注重运用新媒体加强思想引领和政治引导，利用微信、微博等多种新媒体平台通过课上课下、线上线下、校内校外多种途径，加强正面引导，积极营造网络正能量。开展网络安全文化月、传媒文化节、青春榜样宣讲等活动，举办“书香印苑”“读书圆梦”等多种主题鲜明的阅读推广活动，提升学术服务与文化引领功能；通过“互联网+安全微课堂”等多种途径开展新生安全常识教育。在坚持第一次党代会提出的“以人为本、以德为先、以实为要、民主办学”理念基础上，提出“以文化人，以德育人，建设对学生最好大学”的育人理念，培育良好师德学风。以“书”为载体，通过“读书、做书、印书、传书”，开展红色印刷史、红色出版史、红色艺术史教育和红色读书月、出版大讲堂系列活动，推进社会主义核心价值观落细落小落实。发挥朋辈引领作用，开展“青春榜样”评选和宣讲。许诚同学获评北京高校优秀共产党员，在北京高校纪念中国共产党成立 96 周年表彰大会上作为唯一学生代表发言，其优秀事迹视频在会上播放。

（四）抓班子，带队伍，全面加强干部队伍建设

深化干部人事制度改革，落实党管干部原则，强调坚持正确选人用人导向是严肃党内政治生活的组织保证。落实好干部标准，一批政治坚定、实绩突出、作风过硬、师生公认的年轻干部进入处级领导班子。干部队伍结构不断优化，素质不断提升，忠诚干净担当的意识和推动事业发展的能力明显增强。督促院系级党组织认真落实党政联席会制度和核心组会制度，坚持民主集中制，不断完善议事规则和决策程序，提升班子的整体合力、抓党建和思想政治工作水平以及领导干部履职水平。建立健全干部考核制度，科学运用考核结果。做好干部教育培训，面向中层干部、党支部书记、学术委员会成员和青年骨干举办分层次分类培训班、理想信念主题培训班，实现干部轮训全覆盖。选派 35 名优秀干部到国家部委及地方政府部门挂职，校内挂职 93 人次，丰富了干部、教师的工作阅历，开阔了

视野，提升了实践能力，密切了学校与上级主管部门、行业及区域的联系。从严管理干部，严格执行干部管理相关制度，完成90名处级干部档案专项审核，抽查核实中层干部个人事项报告177人次，采取谈话和书面形式提醒、函询、诫勉干部23人次。以“增强四个意识，提升能力素质”为主题，采取集中培训、专题培训、党性教育、挂职锻炼等方式，加强后备干部培养。坚持“党管人才”，人才规模不断扩大，结构质量优化提升；以绩效工资、职称评定为抓手深化人事制度改革，出台职称评聘新政策，增设教学型与科技成果转化型教授、副教授等岗位，开通职称评审“直通车”，改革收入分配体制，实行绩效工资与考核结果挂钩，激发师资活力。

（五）抓党风廉政建设，持之以恒改进工作作风

认真贯彻落实《中国共产党党内监督条例》《关于新形势下党内政治生活若干准则》，健全党风廉政建设责任体系，狠抓责任落实，持续深入推进“三个体系”建设。修订《党风廉政建设责任制实施办法》，党委常委会涉及党风廉政建设工作的议题合计41次。加强廉政风险防控管理，出台11大类39项权力清单，每年抽查5—6个单位专项检查，将测评情况纳入班子年度考核。对“四风”问题进行了全方位查摆，校处级办公用房面积全部调整到位，公务用车专项治理及公务用车改革顺利完成，违规兼职取酬、会员卡清退等专项治理顺利开展，推动中央八项规定精神落地生根。每年召开党风廉政建设工作专题部署会，党委书记、校长和纪委书记亲自总结和部署。推行党委主要负责人述责述廉制度，中层干部签订党风廉政建设责任书。党委成员以上率下，将管党治党落实落地。践行监督执纪“四种形态”，严格实施考核办法、个人重要事项报告，离任经济责任审计、述职述廉、出国审查备案等制度。看住重要节点，紧盯“四风”新动向，着手整治不作为、慢作为等不良现象，以实际行动回应师生关切，密切党群干群关系。坚持抓早抓小，对苗头性、倾向性问题早发现早提醒早批评，对违规违纪问题“零容忍”，发现一起，查处一起，绝

不姑息手软。5 年来，共受理信访 58 件（其中立案查处 5 件），给予行政警告处分 1 人，党内警告处分 1 人，党内严重警告处分 3 人（其中 1 人免职），通报批评 5 人，诫勉谈话 3 人，班子通报批评 2 个，营造起履职尽责的浓厚氛围。信访量保持低水平，党风廉政建设满意度在 95% 左右，学校呈现风清气正的政治生态。

（六）依法治校、民主办学，凝聚事业发展合力

依法治校。成立法治办公室，加快建设专兼职结合的法律服务队伍，加大法制宣传，提供法律援助，全校上下依法治校、依规办事的意识普遍提高。履行统战工作主体责任，成立统一战线工作领导小组，配置专职统战部副部长。发挥党外知识分子参政议政和智库作用，做好党外代表人士教育培训。发挥教代会、工代会作用，支持教职工民主管理、民主监督，5 年来，共征集提案 158 件，立案 64 项，答复率及处理满意率均为 100%。完善团代会、学代会制度，定期举办“校长有约”“和谐校园面对面”，开展师生思想状况调研，搜集学生网络舆情，搭建了学校领导与师生沟通的“直通车”，虚心听取师生意见，认真解决师生提出的问题，营造人人想干事、能干事、干成事的良好氛围。注重学生自我教育、自我管理，80 名学生获评市三好学生、市优秀学生干部称号。建立健全妇女组织，成立女教授（女干部）协会、女工委员会、亲子协会，维护女教工合法权益。积极推进校务公开，注重发挥群团组织在参与学校事务和民主管理中的作用。定期组织教师开展社会实践、师德演讲比赛，每年在毕业生中开展“我最尊敬的老师”评选活动，以榜样的力量感染人、带动人。多名教师被评为北京市师德先进个人。教师教书育人的责任意识和为人师表的道德素养明显提高，全员育人的合力明显增强。完善离退休工作体制机制，提高离退休干部福利，提供特困补助费和“空巢”家庭慰问金，提升服务质量，充分发挥老同志在学校改革发展和关心下一代工作中的独特优势作用。

二、坚持深化改革，强化办学特色，推动学校各项事业又好又快发展

5 年来，学校党委深化综合改革，坚持落实“教学质量与教学改革工程”“研究生教育创新工程”“人才强校工程”“创新驱动工程”等重点任务、弥补国际合作与交流短板、调整校区功能布局，出色完成“十二五”规划的任务，制定实施“十三五”规划，办学特色更加鲜明，办学质量显著提升。

（一）深化教育教学改革，人才培养质量不断提高

坚持立德树人，培育和践行社会主义核心价值观，增强学生社会责任感、创新精神和实践能力。坚持内涵发展，改革人才培养模式，加强优质教学资源共享力度，深入落实教风学风责任制，全面提升办学水平和质量。国家级教学成果奖、国家级大学生校外人才培养基地、国家级实验教学示范中心、国家级规划教材等取得重大突破，市级教学成果奖大幅增加。研究生招生规模稳步提升，培养层次与结构更为合理。实施“研究生教育创新工程”，修订完善了研究生培养方案，进一步健全了研究生培养质量监控体系，突出了“传媒类、应用型、行业性”的研究生培养定位，联合培养博士研究生取得突破。贯彻实施教学质量工程，转变教育教学思想观念，主动适应媒体融合发展的人才需求，完成国家和北京市级特色专业评估，促进专业内涵建设。印刷工程纳入北京市一流专业建设目录。确立分层分类分级人才培养体系，举办“韬奋班”“毕昇班”“雅昌班”和“中美实验班”。推进落实双培、外培计划，与中国人民大学等 5 所部属高校、英国伦敦艺术大学等 3 所高校联合培养本科生。构建招生、培养、就业联动机制，生源进一步优化，在 20 个省份实现一本招生。培养质量显著提升，毕业生就业率一直稳居 97%左右，用人单位满意度稳定在 90%以上，学生在国际国内赛事中屡获大奖。继续教育和职业教育主动对接行业及社会需求，作出了新贡献。

（二）优化调整学科布局，特色学科体系基本形成

确立了“学科统领学校各项工作”的办学理念，按照“小中见大”的发展策略、“小精尖”的发展定位和“规范与跨越”相结合的发展路径，全面完成了学科规划与布局，进一步明确了学科支撑体系、建设目标和资源配置，为学科发展奠定了坚实基础。以加强和规范基础学科组织建设为基础，进一步加强以“传媒技术、传媒文化、传媒艺术、传媒管理”为特色的学科群建设，通过凝练学科方向、优化学科结构、突出学科特色，打造学科品牌，学科门类、学位授权类型不断拓展，学科建设层次不断提升，学校的核心竞争力进一步增强。制定《关于北京印刷学院进一步提高学科建设水平的若干意见》，以引领性学科建设项目为抓手，优化学科资源配置，明确了学科建设的基本定位、发展方向和主要着力点，努力提升学校学位授权点建设的层次和水平。结合北京经济社会建设需要和媒体融合发展需要，注重工、文、艺、管多学科协调发展，突出发展特色优势学科建设和新型学科。在 4 个二级学科硕士学位授权点的基础上，建成 7 个一级学科和 19 个二级学科硕士学位授权点，新增新闻与传播、会计、电子与通信工程 3 个硕士专业学位授权点，专业学位授权点总数达到 5 个。形成研究生教育学术学位与专业学位并行发展的良好局面，建成北京市级联合研究生培养基地，获批博士后工作站。在教育部学科评估中，设计学、新闻传播学、美术学位列全国第 8、9、11 名。按照国务院学位委员会、教育部学位点评估的要求，完成了艺术硕士、出版硕士、科学技术史 3 个学位授权点专项评估。

（三）坚持创新驱动战略，科学研究水平持续提升

注重科研平台建设，提高科研创新水平。国家复合数字出版工程和版权保护工程、中国编辑学研究中心、版权研究中心等国家级科研平台落户学校。获批绿色印刷与出版技术北京市高校 2011 协同创新中心；引入国家印刷机械质量监督检验中心、国家新闻出版广电总局质检中心绿色印刷

检测实验室、中国进出口商品包装研究所包装实验室 3 个国家级公共技术服务平台；获批绿色印刷与出版技术国际科技合作基地，并被认定为国家级示范基地。北京绿色印刷包装产业技术研究院、北京文化产业安全研究院、数字出版与传媒研究院、青岛研究院等平台的作用不断加强。深化科研改革，努力提升服务首都、行业的能力和水平。加强科研项目和经费管理改革，激发科研活力。"印刷包装综合创新实践基地"入选北京市校内创新实践基地，"新闻出版领域关键技术应用研究与服务综合实验室"获首批新闻出版业科技与标准重点实验室，建立中国编辑学研究中心。《北京市大兴区第三产业发展现状及趋势预测》获第十三届北京市哲学社会科学优秀成果奖二等奖，数字化印刷过程控制技术等 4 项成果获得第二届全国印刷行业科技创新成果奖。《绿色印刷与平版胶印机原理结构》获得中国出版政府奖，我校成为国内唯一一所连续三届获得中国出版政府奖的高校。5 年来，获得国家支撑计划项目、自然科学基金、社会科学基金等国家级项目 46 项，市科委、市自然基金委等省部级和市级项目 407 项，各类横向科研项目 408 项，科研经费累计超过 3 亿元；四大检索论文 1080 篇；获得授权专利 505 件；科研获奖国家级 5 项，省部级 4 项。

（四）大力推进协同创新，服务社会能力稳步提升

学校坚持自觉服务首都，贴近行业，开放办学，展示学校特色优势和提高社会影响力。紧抓首都城市功能定位调整和推进京津冀协同发展的战略机遇，联合北京石油化工学院、北京建筑大学以"融合、创新、共享"为宗旨，发起成立"京南大学联盟"，实现首都南部区域的教育、科技、文化、人才资源的优势互补，融入北京新机场临空经济区和亦庄"设计瑰谷"发展，助力首都"高精尖"经济结构和北京全国科技创新中心建设。服务"9·3"大阅兵，助力中国设计节、世界月季洲际大会；服务文博会、科博会、数博会、图博会、国际印展；举办全国数字出版工作交流会。参与印刷行业国际标准制定；承接国家"十三五"数字出版重大项目，国家新闻出版广电总局确定我校为数字出版千人培养计划承接高

校；承担中宣部《我国出版企业社会责任报告研究》，研究成果已经在上海、河北、湖南、山东4个省份开始试点；承担国家新闻出版广电总局《新闻出版人才“十三五”规划》课题、人力资源和社会保障部《新闻出版专业技术人员职称改革》课题，发布《中国快递领域绿色包装发展现状及趋势报告》，受到《人民日报》等主流媒体的广泛关注。连续5年受国家新闻出版广电总局、环保部委托发布《实施绿色印刷成果报告》。参与制定国家软件正版化相关政策，为国家推进软件正版化提供智力支持。连续2年承接国家版权局推动国产软件应用试点项目，试点范围涉及宁夏、贵州等7个省（区）。蒲嘉陵教授正式接任国际标准化组织/印刷技术委员会主席，我校师生共同设计的《千里江山图》水墨动画长卷亮相北京APEC国际会议中心，受到国内外广泛关注。

（五）深化人才强校战略，队伍建设取得明显成效

实质引进“千人计划”王慰等高层次人才来校全职工作，柔性引进了“长江学者”王少萍、“海聚工程”籍海峰等一批在国内外学术界有一定影响力的学科带头人，为学校战略决策发挥了重要的“外脑”和“智库”作用。借助博士后科研工作站有利平台，引进了49位青年博士，其中16位为博士后。坚持引进和培养并重，开展了北京市政府特殊津贴、国家百千万人才工程、中组部青年拔尖人才等各类推荐选拔，1人入选“特聘教授”资助计划，2人入选“青年拔尖人才”资助计划，1人入围北京市科委科技新星评选。8名教师入选全国和北京市新闻出版行业领军人才。设立了博士启动金，鼓励教师参加培训研修或学位学历进修。积极稳妥地推进岗位聘任和人事制度改革，制定了人员编制核定及管理办法、聘期岗位设置、岗位聘任与管理实施方案，修订完善了专业技术职务晋升办法、教学科研积分计算办法、优秀教学科研成果奖励办法、绩效工资分配办法等配套政策。增设教学型与科技成果转化型教授、副教授等岗位，开通职称评审“直通车”，改革薪酬分配机制。新的方案和政策，更加注重统筹教学与科研，引导教师以立德树人、教书育人为根本任务多出高水

平教学科研成果，满足人才成长需求，畅通人才发展通道，提升各级各类人才待遇水平，得到广大教职员工的认可。

（六）积极拓展开放办学，国际化办学成效显著

围绕“国际知名”办学目标，坚持“请进来”与“走出去”并重，制订“十三五”国际教育发展规划，明确国际化发展目标与举措。与 14 个国家和地区的高校和教育机构建立交流合作关系，承办中欧数字出版论坛、中英国际出版论坛、数字出版与数字印刷新业态发展国际学术研讨会、第 49 届 IC 国际会议、国际柔性与印刷电子大会等国际学术论坛，扩大了学校的国际影响力，提升了师生的国际交流能力，拓展了学术视野与科研空间。联系国际知名印刷出版传媒集团，开展教师实践、学生实习、联合科研等多领域的合作，全方位提升国际交流合作水平。紧抓“一带一路”国家战略和新闻出版“走出去”重要机遇，举办印刷包装设备“一带一路”走出去国际论坛，开展丝路书香新闻出版业来华高端人才培训。留学生教育取得重要突破，来自 40 个国家的留学生近 300 名。成功入选北京市首批“一带一路”国家人才培养基地。组织参展第十届中国北京国际文化创意博览会等大型会议，获文博会最佳展示奖。承办或协办中国（上海）国际印刷周 2015“设计新思考”纸上创意设计主题论坛。

（七）加强校园基础建设，构建良好校园文化氛围

以服务提高层次，以标准提高质量，以责任提高素质，加强资源整合和功能优化，完善校区功能布局，调整办公和实验用房。建成学生食堂、留学生公寓、实验教学楼、体育场看台、绿色大厦，增加建筑面积约 10 万平方米，缓解了学校教学科研、行政用房紧张问题，改善了师生学习、工作和生活环境。加强食堂、物业等标准化建设，校园环境进一步美化，文化氛围日益浓厚。校园文化建设进一步加强，思想引领、文化浸润、科技活动、志愿服务等平台不断完善，艺术节、科技节、体育文化节、读书月等师生文化活动极大地丰富了文化建设内涵。校园安全稳定工作成效明

显，顺利通过了北京市教工委组织的“平安校园”创建工作入校检查验收。和谐校园建设取得积极进展，师生共享学校改革发展成果，教职员工收入翻番；实施“暖心工程”，关心工人、保安、物业等在校临时人员生活；实施助力工程，没有1名学生因贫失学。改善学生学习生活环境，宿舍安装空调基本到位。强化预算管理，完成“1+X”预算拨款机制试点改革。加大信息化建设投入与基础设施建设。加强部门统筹协调，推进校园精细化管理。统筹实验室布局与危险品管理，实验室资源进一步共享，加大了对学生开放的力度。公寓、物业、餐饮、交通等服务条件不断改善，数字型、节约型校园建设不断优化。

三、不足之处和今后努力方向

回顾过去5年的工作，我们清醒地认识到，学校发展中还面临许多困难和挑战，工作中也存在一些不足。最主要的是：行业发展自信不足，跨界培养、融合发展的理念有待进一步加强，顶层设计和人才培养的矛盾依然突出；围绕首都城市战略定位和行业深刻转型，学科专业结构亟待优化，把学科特色、专业优势转化为服务首都和行业的能力和素质需要进一步提升；大兵团、大团队作战，承接大项目的能力依然薄弱，学科优势、科学研究、人才队伍的整合还需下更大气力；学校自身造血功能不强，新发展动能亟待培育壮大；部门职能转变、党员干部能力素质还跟不上发展的新形势；基层党建责任制落实和基层党组织作用发挥不平衡，全面从严治党还有一些薄弱环节，“最后一公里”还有大量工作要做，党风廉政建设任重而道远。我们必须直面挑战，冷静思考，勇于担当，增强自信，切实解决好这些问题，奋力推进学校改革发展新局面。

（一）坚持管党治党，强化责任担当，加强党建工作统筹，强化基层党建工作责任制，提升党建工作质量

坚持立足首都、服务首都，聚精会神抓党建，深入研究基层党组织

“十三五”期间在服务首都经济社会发展，特别是针对首都功能定位调整以及京津冀协同发展等重大国家战略的服务内容和支撑。落实基层党建工作责任制，将抓党建的实效作为考核基层党组织负责人的首要目标，对基层党建工作进行述职评议并形成长效机制，建立完善党建工作问责机制。在加强基层党组织学习型、服务型、创新型功能建设的基础上，充分发挥基层党组织联系服务群众“最后一公里”的功能和作用，促进基层党建工作的整体提升。

（二）加强顶层设计，全面深化改革，促进内涵发展，不断提升学校服务首都“四个中心”建设的能力和水平

以提高人才培养质量为中心，深化教育教学综合改革，创新人才培养模式，加强教学和科研条件平台建设，加强内部综合治理能力和管理水平建设。以一流学科和一流专业建设为驱动，培育跨学科、跨领域的学术创新团队，进一步巩固并强化学校在印刷与包装、出版与传播、设计与艺术3个领域的特色和优势，优化学科和专业结构，建设学科和专业高原，打造学科和专业高峰，不断凝练和创新发展办学特色和优势。构建有利于开展创新活动的环境和条件，推动人才培养、科学研究、服务社会以及支撑保障条件建设和水平提升。坚持开放办学，积极利用首都、京津冀区域和行业资源，加强国际合作与交流，推动学校转型跨越发展。

5年来，学校的事业取得了长足的进步，成绩的取得，来之不易。新的起点，需要我们凝心聚力、主动谋划；新的业绩，需要我们振奋精神、再接再厉。学校党委将继续团结带领全校广大干部师生，众志成城，开拓创新，为实现学校健康、快速、可持续发展而不懈奋斗！

认真抓好全媒体时代出版教材建设*

今天，我们欢聚北京印刷学院图书馆报告厅，共同庆祝《出版概论》教材的出版，并举办全媒体时代新闻出版教材建设研讨会。

刚刚主持人已经介绍了，今天与会的嘉宾有国家新闻出版广电总局原副局长邬书林、韬奋基金会理事长聂震宁、高等教育出版社总编辑张增顺、中国人民大学著名学者倪宁教授。他们都是学界、业界著名的专家学者，对于《出版概论》的编写和学校教育教学事业发展作出了显著贡献。在这里，我谨代表北京印刷学院，对各位专家的到来表示热烈的欢迎和衷心的感谢！

习近平总书记在全国高校思想政治工作会议上强调："高校立身之本在于立德树人。"习近平指出，我国高等教育肩负着培养德智体美全面发展的社会主义事业建设者和接班人的重大任务，必须牢牢抓住全面提高人才培养能力这个核心点。要加快构建中国特色哲学社会科学学科体系和教材体系，推出更多高水平教材。2017 年 7 月 3 日，国务院办公厅发布关于成立国家教材委员会的通知，国务院副总理刘延东担任国家教材委员会主任，指导和统筹全国教材工作，贯彻党和国家关于教材工作的重大方针政策。刚刚召开的党的十九大又对我国高等教育教学工作和人才培养提出

* 这是 2017 年 11 月 27 日刘超美在《出版概论》发布会暨全媒体时代新闻出版教材建设研讨会上的讲话。

了新的要求。由此可见，教材建设工作已经上升到国家战略发展层面，成为新形势下国家强调的重点工作。

2017 年 11 月 27 日，刘超美（前排左四）同与会人员合影

北京印刷学院作为新闻出版行业人才培养的摇篮，一直十分强调学生的专业能力培养，多年来为我国众多的新闻出版单位输送了大批品学兼优的专门人才。反观我们的人才培养历史，应该说北京印刷学院非常重视学生的培养，并在行业高校形成了显著特色，但由于各种原因，教材建设尤其是高水平教材建设一直是我们的短板。而从教育教学规律来看，优良的教材建设是教学工作的基础和有效保障，是学校人才培养工作中的头等大事。

《出版概论》教材编写就是在国家和学校大力加强教材建设背景下产生的。学校党委高度重视本部教材建设，专门邀请了邬书林副署长和聂震宁院长两位大家领衔教材的编写工作，保证教材的高标准和高质量。在教材编写 3 年中，邬书林署长多次召集团队召开教材编写讨论会，帮助确定了本教材的整体编写思路与编写大纲，审读教材文稿多次，每次都提出了具体翔实的修改意见和建议。有时为了一个注释，他都会专门发来相关材料供写作者参考核对。时任北京印刷学院新闻出版学院院长的聂震宁编审不顾自身事务繁忙，利用两个月时间全面细致地审读了本书文稿，并撰写了长达十几页的书面修改意见和建议。邬局长和聂院长高屋建瓴而又深入细致的指导，极大提升了本部教材的学术水平和编写质量。我代表学校衷心感谢两位专家的倾情付出和无私奉献。

在《出版概论》出版过程中，高等教育出版社做了大量的工作。他们配备了最为精良的编辑队伍投入到这本教材的编校过程，还与出版概论教学团队多次沟通，为《出版概论》网络课程建设提供宝贵的平台。明年，《出版概论》课程将在高等教育出版社爱课程平台上线，这也是北京印刷学院在网络课程建设中的首次突破。衷心感谢高等教育出版社张增顺总编辑、杨祥总编辑及其团队的辛苦工作。

《出版概论》书影

各位领导、各位来宾、老师和同学们，中华书局创始人陆费逵曾说：“我们希望国家进步，不能不希望教育进步。我们希望教育进步，不能不希望书业进步。我们书业虽然是较小的行业，但是与国家社会的关系，却比任何行业为大。”11 月 5 日，在北京印刷学院刚刚开幕的“数字出版千人培养计划”试点培训启动会上，国家新闻出版广电总局副局长张宏森指出，在新时期新闻出版业数字化转型升级的大潮中，优秀的新型新闻出版人才必须既能准确把握党对意识形态和宣传文化战线的总要求，又具备较高的专业素养和管理运营能力；既要对出版事业的责任和价值有担当，还要对新兴产业的趋势和发展有判别，对新技术的创新和应用有敏感。

各位老师，在新技术的不断推动下，当前出版业发展可谓日新月异，出版人才的培养也进入到一个“机遇与挑战并存，继承与创新同在”的新时代。出版产业发展离不开出版人才培养，出版人才培养的质量与水平很大程度上取决于教材的质量与水平。因此，今天我们聚在这里，不仅仅是庆祝与感谢，更重要的是通过研讨继续思考和加强学习，深入思考慕课背景下新闻出版类教材的体例完善与形式创新，深入思考出版教育在未来出版业变革中的责任与使命，深入思考新形势下出版人才培养的特征与规律。今天把各位领导、各位专家、各位朋友、老师和同学们邀请到这里，就是希望通过学习和分享，开启思路、拓宽眼界、深化研究，把我校的教材建设工作引向深入，把对我国出版专业教育和产业发展关系的思考引向深入。

千里之行始于足下。让我们携手共进，一起努力，为促进我国出版行业发展、为促进学校教学工作取得更大进步作出应有的贡献！

工作掠影

2008年7月，刘超美（左二）拜访全国人大常委会原副主任李铁映（中）

2008年9月，刘超美（右）陪同时任北京印刷学院党委书记崔文志（左）拜会原新闻出版署署长宋木文（中）

2004 年 12 月，刘超美（前排右一）等北京印刷学院领导班子成员向时任国家新闻出版总署署长石宗源等汇报工作并合影

2008 年 10 月，刘超美（右三）陪同时任北京印刷学院院长曲德森（左二）拜会原新闻出版署副署长卢玉忆（左三）

2014 年 9 月，刘超美（右二）等北京印刷学院领导班子成员拜访时任新闻出版广电总局党组书记、副局长蒋建国（中）

2006 年 7 月 10 日，时任国家新闻出版总署署长、党组书记兼国家版权局局长龙新民到访北京印刷学院

2013 年 5 月 8 日，原国家新闻出版总署署长柳斌杰（前排中）来北京印刷学院指导工作

2014 年 4 月 24 日，十六届中央委员、国务院新闻办公室原主任赵启正（右二）到访北京印刷学院

2013 年底，时任国家新闻出版广电总局副局长邬书林（中）来北京印刷学院指导工作

2014 年 11 月 27 日，刘超美（右三）一行拜访时任国家新闻出版广电总局副局长吴尚之（中）

2008年**9**月，刘超美（右三）陪同时任北京印刷学院院长曲德森（左二）拜访原国家新闻出版总署副署长桂晓风（左三）

2017年**9**月**29**日，北京市委常委、宣传部长杜飞进（前排中）到访北京印刷学院

2006 年 8 月 1 日，时任北京市副市长赵凤桐（右一）到访北京印刷学院

2015 年 7 月 7 日，刘超美（前排中）会见来访的人民出版社社长兼党委书记黄书元（前排右二）一行

2008 年 10 月 25 日，刘超美（前排右五）出席数字出版与媒体艺术高层论坛

2010 年 4 月 23 日，刘超美主持北京印刷学院 2010 年“红色读书月”启动仪式

2010 年 6 月 18 日，刘超美（前排左三）出席 2010 年署校党组织“手拉手”主题党日活动，右三为时任国家新闻出版总署报刊司司长王国庆、右四为时任北京印刷学院党委书记郑吉春

2010 年 6 月 22 日，刘超美（中）出席工业设计展国内交流与合作工作会议

2010 年 9 月 26 日，刘超美（右四）出席全国数字出版专业建设论坛

2012 年 1 月 10 日，刘超美（右二）在北京印刷学院离退休同志团拜会上歌唱

2014 年 7 月 17 日，刘超美（前排右）出席北京印刷学院数字出版与传媒发展论坛

2017 年 5 月 3 日，刘超美（前排中）率团考察加拿大安大略艺术设计大学

2017 年 7 月 15 日，刘超美（右七）参加中国编辑学会工作会议

2017 年 9 月 8 日，刘超美（后排中）出席 2017 中国设计节开幕式时与北京印刷学院展区师生合影

第二篇

DI ER PIAN

人才培养

北京印刷学院公开选拔处级干部的实践与思考*

北京印刷学院党委在深入学习贯彻党的十五大精神的过程中，进一步解放思想，针对学院的实际情况，因地制宜，在干部制度的改革和干部队伍建设方面做了一些大胆而有益的尝试，取得了较好的效果。

一

我院是一所中小规模的新建理工科院校，地处京郊黄村，引进人才相对比较困难。因此各方面的基础都比较薄弱，特别是高层次的人才比较缺乏。根据这一实际情况，院党委调整了建院初期依靠外引人才为主的指导思想，明确地把干部队伍建设和人才的培养，主要立足于学院内部。

我院现有的中层干部，有相当一部分为学院初创时期从其他行政单位调入的，也有部分是从部队转业过来的。从总体上看，他们是一支积极向上的队伍，政治上比较强，多数干部有事业心和奉献精神，要求自己比较严格，富有工作经验。但他们的学历层次偏低，知识结构不合理。还有少数处级干部不注意加强学习和更新知识，对教育规律和经济规律认识不足，理论水平、思想作风和工作作风不能适应新时期学院发展的要求。

---

* 此文发表于《北京高等教育》1999 年第 4 期，作者为刘超美、胡学亮。

与此同时，学院有一批30多岁的中青年教师。他们富有朝气，思想活跃，有政治热忱，有很强的事业心、进取心，也愿意多做工作。但同老同志相比也有一些共同的弱点，主要是政治上不够成熟，缺乏实际工作的锻炼，总揽全局、解决矛盾的能力较弱。如果完全按过去任用干部的做法，这些年轻教师短期内很难有机会得到提拔。

针对以上问题，院党委通过认真学习党的十五大文件，特别是关于加快干部制度改革的重要论述，逐渐明确地认识到，高校教育事业改革与发展能否成功，关键是有没有一支能担当跨世纪重任的高素质的干部队伍。对新时期的干部队伍建设，一定要认真贯彻落实党的十五大精神，进一步解放思想、实事求是。

为了排除对选拔年轻干部认识上的思想障碍，院党委明确了以下具体思路：（1）把着眼点从重资历转到重德才、看发展上来，破除论资排辈的陈旧观念；（2）把着眼点从挑毛病转到看优点、看本质上来，破除求全责备的片面观念；（3）把着眼点从不用错人为前提，转到人尽其才、才尽其用，大胆发掘释放出干部的潜能上来，破除“宁可不用也不错用”的因循守旧观念；（4）把着眼点从摆平衡、顾情面，转到优胜劣汰上来，破除迁就照顾的“好人”观念。

在这一新思路的指导下，院党委经过反复酝酿，并深入各基层单位调查研究，在广泛征求教职工特别是部分老教授意见和取得上级领导部门支持指导的基础上，决定从扩大干部入口着手，全面启动我院的干部制度改革步伐。

二

我院党委在干部制度改革上采取的第一个措施就是：公开选拔电子系等12个岗位的处级干部（其中2名正处级，10名副处级）。为此，院党委专门成立了公开招聘选拔工作领导小组，具体负责这项工作的部署安排。

选拔工作小组制定了公开招聘选拔工作的具体方案，并向全院张榜公布。为了在更大范围内选拔人才，除少数职位外，对应聘者的学历、职称、职务、工作年限和经历的要求都较宽，有个别职位还对外招聘。报名采取基层组织推荐、群众举荐和个人自荐相结合的方式。院党委利用全院大会、基层支部书记会、系主任例会和院报、广播台反复就这次公开招聘选拔干部的意义进行了广泛深入的思想动员，积极鼓励广大中青年教师和干部解放思想、转变观念、抓住机遇、踊跃报名和积极推荐。由于宣传工作和思想工作做得深入扎实，全院出现了报名积极踊跃，应聘者强中更有强中手的良好局面。最后共收到推荐、自荐表 97 份，共有 42 人报名（含 11 名硕士、2 名博士）。经资格审查，批准 30 名应聘者参加考试。

为较全面地检验应聘者的思想理论水平和知识构成，我们采取了笔试与口试相结合的考核办法。笔试是闭卷，内容包括马克思主义基本理论、社会主义市场经济和法律知识、时事政治、高校管理等。还适当加进了考核应聘者分析、归纳、推理等逻辑思维能力的内容。试题形式和内容都参考了国家公务员考试，并照顾到文、理科教师的不同情况，比较符合实际。笔试前也未发任何复习资料和指定复习范围。考试结果基本反映了应试者的真实水平，笔试及格率为 75%，共有 21 人进入面试阶段。

面试也是公开进行，教职工可自由旁听。面试小组由院党政领导和党委委员组成，并特邀管理学、心理学、人力资源管理方面的专家和有关教授和干部参加。面试题参考了北京市公开招考副局级干部面试考题的有关内容。面试主要检测应聘者对所申报职位工作要求、工作思路、工作难点的了解和熟悉程度，特别是作为高校干部的综合素质、分析和解决问题的能力。

面试结束后，考评小组根据应聘者笔试、面试的综合成绩，确定了 18 名考察人选，并分别深入到应聘者原单位和招聘单位，通过个别谈话、召开座谈会和民意测验的形式，广泛征求群众意见。党委在认真听取考察汇报和各方面意见的基础上，并参考笔试、面试成绩，经过反复研究，比较筛选，按照民主集中制的原则，最后确定了 10 名同志予以首批聘任。

三

为把对被聘任的年轻干部的培养、任用、教育、监督结合起来，使他们早日成熟，学院党委还制定了几项配套措施：

1. 实行一年试用期制度。试用期满，经述职、考核合格后方可转正。党委还责成组织部门对他们的工作情况进行跟踪，具体做法是：3个月跟踪考察一次。学院党委组织部门和有关部门的党组织，为减轻受聘干部的思想压力和思想包袱，做到有问题及时提醒，有困难负责协调解决，尽量为他们创造良好的工作条件。

2. 岗前培训。其目的在于对新任干部在政治思想修养、业务管理知识等方面集中进行一次性强化培训。在理论培训中，重点是帮助他们深入学习马列主义、毛泽东思想和邓小平理论，树立正确的世界观、人生观和价值观，以提高自身思想政治素质。院党政领导还分别就"领导干部必备的基本素质""教学改革建设与管理""学生工作改革与发展""行政、财务管理与公文处理知识"等内容，进行了专题辅导；组织部还布置了阅读书目，定期检查他们的理论学习情况。

3. 参加社会实践。为加快对年轻干部的培养，去年7月底8月初，院党委还组织他们赴山西，在夏县（国家级贫困县）了解扶贫情况，在太原参观了印刷企业，了解社会对新闻出版业人才的需求情况，为以后学院的人才培养工作积累第一手的材料。为期一周的社会实践，使大家对中国的国情和党的改革开放政策有了更深刻的认识。

4. 挂职锻炼。为尽快提高新上岗干部的管理能力、政策水平和工作能力，院党委还作出决定，让部分新上岗的干部到国家机关和部分名牌大学的相关部门去挂职锻炼，为早日挑大梁创造条件。

通过以上一系列活动，新任干部们普遍感到受益匪浅，进一步增强了责任感、使命感。从他们上岗半年总的情况看，工作普遍有起色，得到了教职工的认同。

四

公开选拔干部的实践，在学院内外产生了积极的影响。中央教育电视台和《新闻出版报》都作了专题报道。由此我们得出以下几点启示：

1. 高校干部制度改革，一定要适应社会主义市场经济发展和时代的要求，大胆地解放思想、转变观念。但在具体操作时，一定要全盘考虑，既要积极又要稳妥，正确处理好改革与稳定的关系。要把对干部的培训、教育、任用和监督结合起来。

2. 由于种种原因，中小院校一般说来干部资源相对不足，其干部制度改革和干部队伍建设，一定要根据自己的具体情况，除引进人才外，应主要立足于内部培养。

3. 广大中青年骨干教师是学校办学的主体，也是高校干部队伍的主要来源。要满腔热情地帮助他们，充分肯定他们的优点和长处，调动他们的积极性。同时也要实事求是地指出他们的不足，通过多种形式抓好对他们的培养和使用。

4. 干部制度改革必须始终坚持突出政治，要充分发挥党委的政治核心作用，党支部的战斗堡垒作用和党员的先锋模范作用，要充分照顾和理解知识分子的特点与心理，在每个环节上都要做好深入细致的思想政治工作。

积极探索　大胆实践
不断推进干部考核工作改革*

近年来，随着高校干部人事制度改革的不断深入，北京印刷学院在干部考核工作中积极探索、大胆实践，在经验积累和理论研究两方面都取得了阶段性成果。

一、北京印刷学院干部考核工作主要做法

为提高我院干部队伍的整体素质，我们把解决干部“能上能下”问题作为深化干部制度改革的突破口，并在以下两个方面取得了明显进展：

一是以观念创新为基本前提，进一步解放思想，破除论资排辈、求全责备等陈旧观念，解决干部“能上”问题。1998 年以来，我们加快了干部选拔、任用制度的改革，相继进行了公开选拔部分处级干部、处级干部任期届满全员竞聘上岗等工作，使一批中青年骨干教师进入学院干部队伍，大大地改善了我院中层干部队伍的素质结构。

二是积极探索，大胆实践，加快干部考核制度改革，解决“能下”问题。为此，学院成立了考核工作研究小组，由组织部牵头，人事部门及系部有关专家参加，专门立项研究处级干部的考核工作。研究的重点是进

* 此文发表于《北京高等教育》2001 年第 2—3 期，作者为蒋振南、刘超美。

一步建立和完善以工作实绩为主要内容的考核指标体系，将干部考核工作的实践与研究结合起来，使考核工作逐步走上科学化轨道。我们的主要做法是：

1. 认真做好考核前的思想政治工作和舆论宣传工作，进一步提高广大干部群众对考核工作重要性的认识。首先，学院领导班子通过学习党的十五大精神，进一步解放思想，在用人问题上达成以下共识：重思想、重人品、重能力、重实绩、重民意；能者上、平者让。其次，充分发挥各级党组织的思想政治工作优势，围绕考核中的重点、难点问题，有针对性地做好深入细致的思想政治工作，教育干部正确对待个人的名誉和地位，改变过去的“官升则荣、官降则辱，在位则尊、去位则贱”的传统观念。通过深入细致的思想发动和加大新的考核方式宣传等措施，激发了广大群众参与考核工作的积极性。

2. 针对以往干部考核中存在的突出问题，加快研究制定一套适合我院实际的考核指标体系和评价标准，并在实践中不断完善。1998 年，我院按照上级要求，进行了干部届中考核，本着简单易行、便于操作的原则，我们首先把考核要素“德、能、勤、绩”做了进一步细化；其次，在民主测评时，对以前采取的群众画钩打分的定性、定量评价方式进行改革，制订了一套基本适合我院实际情况、便于具体操作的考核指标体系和评价标准，一改过去考核指标过于笼统、随意性局限性较大、以定性为主的弊端。

3. 探索高校干部考核进一步扩大民主的有效途径和实现形式。我院在 1998 年干部届中考核时，首次实行了群众、主管领导、组织部门依照相应的权重系数 4∶4∶2 折合相加、用计算机进行数据化处理的综合评分办法，改变了以往考核由群众、领导、被考核者三者“平均求和”的计分办法，使考核结果更趋于客观和全面，更体现民意基础，我们在届满考核前，根据群众意见，将原来的 4∶4∶2 比例改为 5∶3∶2，进一步增加了群众意见的权重，还把原来的主管领导为属下干部打分改为所有院领导为其打分，使评分更接近本人实际。

在改革民主测评方式方法的同时，我们还对民主评议的方法进行了改革。1998 年，我们开始采用重要行政部门干部和党委职能部门干部分别向教代会和党员大会述职和报告工作的做法，改变了过去那种只在本部门述职，考核层面较窄的情况。2000 年干部届满考核时，又进一步扩大了考核范围，拓宽了考核渠道，把上级考核、同级考核、下级考核、服务对象考核有机结合起来。实践证明：这种立体考核的结果更加符合实际，更准确地反映干部的品行、才能和工作实绩，既科学合理又便于操作。

4. 加大考核结果运用力度，切实把考核结果作为干部能上能下的主要依据。1998 年届中考核后，我院对考核优秀者进行了提拔，对政绩平平者进行了调整，做到了“能者上、平者让”；2000 年届满考核时，又进一步解决了“庸者下”的问题。大力调整不胜任、不称职干部，大胆起用有实绩、肯干事的干部，通过这一“上”一“下”，不仅激发了干部勤政创业的积极性，而且加大了群众对考核结果的认可程度，提高了群众参与考核的积极性。

5. 平时考核、年度考核与届中、届满考核相结合，提高考核信息的运用效率。通过实践我们认识到，将平时考核、年度考核与届中、届满考核进行有机结合，可最大限度地提高考核效率，克服考核中存在的“近期误差”效应。根据我院处级干部每届任期 3 年的情况，我们以实绩评估、民主测评、理论考试、考后测评为基础，对各类考核进行了合理的组合，不仅注重届中、届满时考核工作实绩，而且也注重平时政治理论水平和思想道德的考核。为此，我院制定了日常考核与定期考核组合的时间表及重点考核的内容（参见下表）。

考核项目 学期	实绩评估	民主测评		理论考试	素质测评	年度考核	届中考核	届满考核
		评议	测验					
1	√			√				
2	√	√				○		

续表

学期＼考核项目	实绩评估	民主测评		理论考试	素质测评	年度考核	届中考核	届满考核
		评议	测验					
3	√		√	√			△	
4	√	√				○		
5	√			√				
6	√	√	√		√		△	

注：1. 画“√”表示本学期末要进行的不同类型的基本考核。2. 画“○”表示本学年在基本考核基础上进行勤、绩考核。3. 画“△”表示要进行全面考核。

二、对高校干部考核工作的几点思考

1. 坚持党管干部、客观公正、群众公认和注重实绩的考核原则，把握正确的考核方向。为更好地坚持党管干部的原则，我们在党委领导下，由组织部牵头组织考核工作组，全面负责组织领导考核工作。在考核干部时不仅采用民主评议的方式，还注意与组织考察相结合。在综合评价干部时，组织部门的考核意见占有一定比重，干部考核结果的等级评定还要报学院党委研究审批。

为保证考核的客观公正性，我们在考核方法上努力做到领导与群众相结合、平时与定时相结合、定性与定量相结合，科学分析民主测评的结果，既坚持“群众公认”原则，又不简单“以票取人”，把握好对上和对下负责的一致性。

为贯彻群众公认的原则，我们采用相应的机制作保证，成立了有各类代表参加的考评委员会，努力做到实行多层面考核，进一步扩大民主评议、民意测验的范围，使本部门人员、原工作部门人员以及管理服务对象都能以适当的形式参加民主测评和评议，以便真实地、准确地评价干部。

为体现重实绩原则，我们建立了党政领导班子任期责任制，明确了党政领导班子职责规范，研究制定了以实绩为主要内容的考核指标体系，改进实绩考核方法，加大考核结果运用力度。

2. 科学合理地确定与分解考核内容要素，做好考核的基础性工作。考核的内容包括德、能、勤、绩 4 个方面，但由于这 4 个方面规定得比较笼统，在实际考核中不便于掌握，再加上考核对象与目的等方面的差异，所以在具体实施考核时，必须结合本单位的具体情况和工作特点，将 4 个方面的考核内容具体化，即进行必要的要素分解，研究合理的考核内容要素结构，为准确地体现考核目的，建立更为科学的考核指标体系奠定基础。为了从实际出发，认真做好考核要素分解这项工作，我们注意解决好 3 个方面的问题：

（1）要素分解必须适量且有代表性、可辨别性。要素过少、过粗会影响考核准确性，而过多、过细，则会使考核烦琐冗长，影响考核人员与群众的积极性，因此内容要素分解必须适量，要选择最有代表性、可辨别性明显的关键特征作为内容要素。比如“德”可以分解成思想政治表现、政策法制观念、组织纪律性、思想作风和职业道德 5 项要素。

（2）要素分解必须考虑考核对象不同的类型与层次。例如，学院系部干部与职能部门的干部由于岗位责任的不同，对其德才表现、工作实绩的要求也有所不同。只有充分考虑分类分层的原则，才能使考核内容更合理客观。

（3）要素分解必须从实际出发，充分注意结合单位的管理模式、范围、工作特点等实际情况。我院是所中小型高校，与重点大学的管理模式、范围、层面是不相同的，在要素分解中必须充分注意结合本单位特点。比如勤的考核，我们在干部的微观管理方面的表现注意更多一些，在干部的能力要求上也相对比重点大学要低一些。

3. 不断提高干部考核评价工作的科技含量，保证考核工作的高效与质量。当考评方案确定之后，考核技术就成了能否达到科学考评的决定因素。结合考核工作实际，我们重点从考评信息的采集、考评信息的综合与评判、考评结果的质量分析与开发应用等几个方面作了研究与试验，取得了一些可供今后考核借鉴的经验与认识。在考核信息的采集阶段，重点应当解决两个方面的问题。其一，科学合理地使用平时考核与评估、民主测评的方法，避免单纯依靠民主侧评方法采集信息，使平时考核与评估走过场、考核结果不起作用等情况的发生，使得考核信息更为全面准确。其二，采用科学的方法和技术做好考核指标的设计和量化工作。关于考核指标体系的设计，必须把结构模块法和岗位责任确定法结合起来，拟定指标考核的要素，形成便于测评的标志，制定考评标度。对于考核指标的量化，必须解决好要素加权、指标赋分、考核计分等几个方面的问题。通过对考核信息的加工实践，我们体会到在综合不同来源、不同内容的考核信息时，采用加权累加法是比较合适的。这种方法不但直观易懂，而且考虑了各个项目在总评中的重要性。实际应用这种方法时，权重的确定是关键，因此应采用问卷调查法、德尔斐法（是专家调查法的一种，是通过匿名函询的方法，用调查表征询专家意见，经过多次反复，取得尽可能一致的意见，对事物作出预测和判断的方法）等技术，较科学地确定各项权重。我们在考核评判时，实际采用的是比较简单的比例控制考评法。其优点是既拉开了考核对象的等级，又有效地控制了各等级人数分布，避免盲目考评与失控现象；缺点是容易产生表现相似的考评对象因比例限制被划分到不同等级中去的偏差。为此，我们认为最好将比例控制考评法与标准分评判法结合起来使用，以便作出更合理的评判。从信息收集到综合评判，获得了考核的结果，至此，考评过程并未完结，我们还需对考核及结果的有效性、可靠性等质量问题进行检验，以便确认与修正考核结果，放心地应用考核结果，为改进考核工作、提高考核质量提供信息。考核结果的质量评价主要包括效度（可靠性）及信度（准确性）、区分性、客观性几个方面，一般可以采用定性与定量相结合，以定量为主的检验技术和手段实施检验。实践表明，采用总分比重、相关分析等统计描述与推断方法在定性与定量相结合的分析基础上，评价考核工作、检验考核结果不仅可行而且有效。考核结果特别是定量考核的结果直接给我们提供干部考核的等级信息，但不仅仅限于此。当我们采用适当的方法，比如统计分析的方法，进一步开发定量考核的结果时，我们将获得许多有益的信息。这些信息一方面可以为我们改进考核工作提供支持，另一方面还可以为我们更深入地了解考核对象总体及局部状况，更有针对性地加强干部队伍建设提供支持。

4. 从实际出发逐步实现干部考核方式的转变。从传统考核方式向现代科学考核方式的转变是一个历史的、实践的、发展的过程，作为干部制度改革重要内容的考核评价，一定要从实际出发、从需要与可能出发，充分考虑这项改革的认识论基础、群众基础、原有的工作基础，以及改革的社会大环境的影响；从观念的转变开始，不断地恰如其分地通过考核改革的实践，逐步完成向现代科学考核方式过渡。

5. 重视考核实践的总结提高。不断完善考核方法，充实考核内容，借鉴并运用一些行之有效的先进考核技术，不断提高考核工作水平，防止考核失真、失实的现象发生。

三、加强高校干部考核工作的几点建议

1. 认真学习贯彻《干部人事制度改革纲要》。深化干部人事制度改革，解决干部“能下”问题需要从思想观念、用人机制到具体实施办法大胆进行创新。为此，我们必须加大宣传力度，使广大干部群众进一步转变思想观念，努力营造干部“能上能下”的氛围。

2. 加强基础性研究。干部考核内容的确定、考核指标的设计是干部考核的基础性工作。考核内容和指标体系的确定要有利于引导和鼓励干部干实事、求实效。为此，我们必须认真加强基础性研究工作，及时总结高校干部考核工作改革的经验，抓紧制定一套适合高校特点的干部考核工作体系和评价标准。

3. 拓宽考核渠道和改进考核方法，以保证群众公认原则的落实。要进一步拓宽考核渠道，扩大考核面，增强考核工作的透明度。搞好民主评议和民意测验，不仅要考核干部在本单位的表现，还要了解干部的生活圈、社交圈以及学术圈的情况；不仅要了解同级和上级的意见，还要了解

下级和群众的意见；不仅要了解多数人的意见，还要注意倾听少数人的意见，对干部不良行为的知情人往往是少数。

4. 加大考核结果的运用力度，为干部的使用、培训、激励奠定良好基础。在深入分析考核信息的基础上，全面了解干部的成绩与不足、长处与缺点，以便有计划地对干部进行整体培训，有针对性地对干部进行个别指导。此外，还应当将考核结果与奖惩、职务升降、职称评定等结合，使干部安排适当，达到激励的目的。

5. 抓紧研究建立和完善领导干部“能下”的各项配套措施。要研究制定相关政策，努力拓宽渠道，本着“人尽其才，才尽其用”的原则，推进干部校际交流。合理安置被调整下来的干部，区别不同情况，合理安排，继续发挥他们的作用。同时，在制定收入分配方案时，充分考虑到他们的心理承受能力，稳定过渡，逐步到位。

6. 加强考核工作的理论研究，不断推进干部制度改革。在社会主义市场经济条件下，干部的思想呈现出多元化，干部的社会交往呈现出复杂化。干部考核工作遇到许多新情况、新问题，加强理论研究，对做好新形势下干部考核工作具有重要的现实意义。

美国高校德育教育及启示*

一、美国高等教育概况

美国是世界上高等教育最发达的国家之一，现有高校 4000 多所。根据学校办学经费来源不同，美国高校分为公立大学和私立大学。美国大学从功能上可划分为三个公共体系，即州大学、州立大学和社区学院。州大学和州立大学为四年制大学，现有 2400 多所，社区学院为二年制大学，现有 1700 多所。美国高等教育体系层次分明，各有特点，互为补充，互相衔接，任务和作用各有不同，不同层次的学生进入不同的大学学习。以加州为例，每年有 12%—15%顶尖高中毕业生进入加州大学，30%的学生进入州立大学，其他进入社区学院。社区大学为四年制大学做准备，相当于本科的预科，其宗旨是将教育送到社区，服务对象不仅限于高中毕业生，也为居民提供继续教育服务。

第二次世界大战以后，随着全球科技革命和现代化生产高潮的到来，从维护美国资本主义社会制度出发，以强化青少年的全球意识和教育的社会价值取向为目的，美国政府开始重视对学生的德育工作。特别是 20 世

---

* 这是 2002 年 10 月刘超美作为北京高校组织管理与人力资源开发赴美考察团成员参观考察美国斯坦福大学等 6 所大学后的心得体会，发表于《北京教育（高教版）》2004 年第 4 期。

纪 80 年代以来，由经济全球化所引发的大量的伦理冲突和道德困惑，使美国政府更加重视学校德育的理论研究和改革实践。1988 年 4 月，美国联邦教育部长贝内特在向美国总统递交的《5 年来教育改革总结报告》中强调，为了使学生增强成功的民族精神、富有爱国主义精神，必须在“道德课”“纪律秩序”和“勤奋学习”3 个方面取得显著改进。当时的美国总统布什在其重视教育一文中也明确指出，学校不仅仅发展学生智力，智力加品质才是教育的目的。

刘超美（左）在美国高校考察

由此可见，德育（即思想、政治和品德教育）不是社会主义国家的专利，在资本主义国家同样受到极大重视，这是因为在任何社会，无论它的意识形态如何，良好统一的道德规范是决定该社会能否稳定发展的基石。不可否认，由于社会制度和意识形态的差异，由于所处的历史发展阶段不同，在不同的国家和民族还具有一定的特殊性，由此引发的各类伦理冲突和矛盾也会呈现出不同的表现形式。

二、美国高校德育教育的主要做法

1. 设置正式的德育课程，对学生进行社会道德教育

美国高校德育的正式课程，即学校教师讲授的通识教育课程，也叫普通教育，它与西方历史上的博雅教育有着密切的联系。美国高校中 95% 的大学开设了通识教育，其内容因校情和地区不同而有所差异，但总体上大同小异。通识教育的具体内容有美国宪法、美国历史、西方文明史、美国政府、现代社会、民主问题、时事等。通识教育既注重培养学生树立美国的政治观、价值观和文化观，又注重以人类历史尤其西方文明史的优秀人文传统影响学生，其目标是帮助学生超越个人利益，承担社会责任，保存和扩大美国社会所必需的伦理和社会价值。

为了使学生接触和认识国内外不同的意识形态和价值观念，开阔学生的眼界，美国开设了中国领导人的经济思想、中国的民主与法制等选修课。以哈佛大学为例，1995 年外国文化有 26 门选修课，其中有关中国的课程就有 5 门。

2. 在专业教育中渗透德育，对学生进行职业道德教育

美国大学很注重在专业教育中渗透德育，其主要做法是必修一些职业道德课程和专业伦理课程。学生在学习专业课程时，都必须对三个基本问题弄清楚，即：这个领域的历史和传统是什么？它所涉及的社会和经济的问题是什么？要面对哪些伦理和道德问题？例如，学习工程技术必须学会如何适应和改造社会环境和自然环境；学习物理学要讨论物理学与伦理学的关系等，这种把非专业学科和专业学科联系在一起的学习，使学生在学习专业课的同时，对非专业的学习也产生了兴趣，其效果必然比单纯灌输专业知识或强制学生学习纯粹的伦理道德知识要好得多。这一做法被英国教育家称赞为“美国人在这方面领悟到了新思路”。

3. 通过多种途径和方式，对学生进行学术道德教育

美国高校学术道德教育的核心是培养学生的诚信品质。哈佛大学荣誉校长 Rudenstine 说：“学生是处于实习阶段的学者和研究者，在这一阶段，

不仅要向学生传授各种知识和理论，而且首先要教会他们做到学术诚实。”在哈佛大学发给学生的《学习生活指南》上面，用加大加粗的字体这样写道：“独立思想是美国学界的最高价值，美国高等教育体系以最严肃的态度反对把他人的著作或观点化为已有，即剽窃。”

美国大学的学术诚信教育的主要形式有：入学时发放新生手册，签署学术诚信保证书。

美国大学制订的《学术诚信条例》，对考试作弊、论文抄袭等学术不诚实行为，从定义、表现形式到处罚规则和申辩程序都做了详尽规定，在新生报到之际发到人手一份。有些大学甚至将此作为最终的入学条件，在新生报到时会发给每位新生一封信，告知如署名则注册，否则将不得注册。

对学生进行引导，对教师进行培训。许多学校明文规定了教师引导学生学术诚信的三项职责：持续地讲述什么是学术诚信；为学生提供学术诚信的环境；经常地检查学生学术诚信的效果。一些大学对新教工培训时，其中一个重要内容就是指导教师如何应对学生的舞弊。

充分利用互联网和图书馆，反复地进行学术诚信的宣传教育。针对许多学生不了解，甚至从未阅读过学术诚信条例的情况，很多大学都会在每年秋季开学之际，举行“学术诚信周”活动。他们说，“虽然制订了很多规则，但学生并不能很好地理解，因此，有必要反复宣传教育。”在美国，很多大学都把学术诚信条例放到学校主页上，以便教师和学生随时查阅。不少大学图书馆的主页上都提供了大量的文献和相关链接，利用图书馆资源为教师提供鉴别学生是否抄袭的帮助。一些学校还开辟了专门鉴定论文是否剽窃的网站（turnitin.com）和 Google 搜索。

将学生纳入学术共同体中，在参与中达到自我教育的目的。美国大学的学生是学校学术活动的重要参与者，和教师一样参加科学研究和论文写作。这样做的好处是学生与学校、老师之间形成互动，在参与中更能理解学术道德的内涵，而不仅仅停留在考试不作弊、论文不照抄的说教式教育上。

4. 开展丰富多彩的课外活动，对学生进行价值道德教育

美国高校十分重视德育与社会实践活动的有机结合，积极引导学生参加社会政治活动和社会服务活动，让学生从中受教育。在社会政治活动方面，主要让学生参加反对战争、维护和平、环境保护、反对种族歧视等活动。在社会服务活动方面，主要是开展社区服务和志愿者活动。美国高校的课外活动十分丰富，既包括校园活动，也包括社会服务和社会实践活动。美国高校的校园活动包括社团活动、文体活动、学术活动等。社团活动的内容非常广泛，涉及政治、宗教、文化、艺术、科技等各方面。学生文体社团和俱乐部的负责人由大家轮流担任，旨在培养公平竞争和自信乐观的人生态度。美国各大学一年中有三次重大的全校性集会活动，即入学、毕业和校庆。这三次集会活动一般都有政府要人、社会名流和有成就的校友、校长、家长、学生参加，对学生的影响是深远持久的。

5. 通过心理咨询，对学生进行思想品德教育

美国各高校都有心理咨询指导机构，且有固定编制和正规制度。主要职能是对学生进行生活、学习、心理、就业等方面指导，其中，心理辅导的德育教育功能较为显著。这些机构主要开展日常的心理咨询、心理教育和团体心理训练活动，如，交朋友小组、敏感训练小组等，通过潜移默化的个性指导和教育，帮助学生排除心理和思想障碍。据统计，约有一半以上的美国大学生接受过心理咨询服务。

三、美国高校德育教育的主要特点

1. 政治性：美国高校利用法律手段使高校受到制约，从而不偏离基本的政治原则和方向。在任何学校都不容许传播与美国宪法和独立宣言相违背的政治主张。

2. 多样性：美国高校德育教育的多样性，一方面表现在内容上，另一方面又表现在方式上。在美国各大学，校长可以按照自己的某种教育思

想来推行学校的德育教育，教师则根据自己对学科的理解，采用个人喜欢的方法开展德育工作。

3. 广泛性：无论是学校还是家庭，无论是政党还是宗教团体，所有的人员，所有的场所，所有的时机都会被利用，学校所有的课程都可以成为德育的载体。更有许多的博物馆、纪念馆等都能使学生的思想感情得到熏陶，美国高校的德育不仅重视“认知”和“情感”，而且十分注意“行为养成”，通过严密的法规和各种实践活动与之配套。总之，美国高校的德育在时间上、人员上和场合上是广泛的，在方式上和覆盖的领域上也是广泛的，几乎到了“无时不有、无处不在、无孔不入”的地步。

4. 专业性：美国高校德育队伍主要由一批训练有素的人员组成，在这支队伍中，活跃着许多具有硕士、博士学位的专业人员，其中不乏心理学博士、法学博士、医学博士和理科、工科博士，几乎每个州都有一所大学设有学生事物硕士研究生的专业，为高校学生工作培养专门人才，同时将学生事务作为一门科学加以研究。

四、对我们高校德育工作改革的启示

从德育过程（教育者、受教育者、德育内容、德育方法）这一角度看，相比较美国而言，我国现阶段德育内容和方法显得狭窄单一，在校园里似乎德育工作只是德育教师的事，与其他课程内容无关。反观美国高校的德育实践，可以得出 4 点启示。

1. 坚持德育的方向性原则，发挥高校德育的政治功能

我国高校的德育目标是：“培养大学生成为有理想、有道德、有文化、有纪律的献身中国特色社会主义事业的建设者和接班人；掌握马克思主义的基本观点和方法，拥护党的基本路线和方针政策；具备良好的思想素质、道德素质、心理素质和修养水平以及与时俱进、争创一流的精神品质；培养和造就一批优秀的、坚定的青年马克思主义者。”这一目标决定了我国高校德育工作的政治功能是维护社会主义的价值观。发挥德育的政

治功能是德育工作者必须坚持的基本原则。从以上对美国德育工作的分析中不难看出，虽然美国高校德育表面上淡化其政治色彩，但从其德育内容和手段上看，向学生灌输美国价值观的宗旨一直没有改变，他们的做法可谓是“春雨润物细无声”，结果是“此处无声胜有声”。

2. 转变旧的德育理念，提升学生自主教育能力

所谓旧的德育理念是指忽视学生的自主教育能力。比如，目前我国许多高校德育课程开设效果不理想。据调查，在北京等地区，四成半学生认为教材内容滞后，近七成学生感到教材脱离学生思想实际，没有涉及现实中存在的一些主要问题。而我们一般只片面强调教育者的主动性，而很少注意讲台下学生的想法和感受。我们应确立“以学生为本”的德育新理念，把学生的积极性挖掘出来，提升学生自主教育的能力。当前，在高校扩招后学生总数急剧增加的情况下，我们要把加强和改进高校公共理论课教学摆在一个十分重要的位置上。应当看到高校公共理论课教学单纯靠保证和增加学时是不能解决根本问题的，必须更新和完善课程体系、教学内容和方法。同时还要切实加强各级各类学生组织的建设，本着“贴近实际、贴近生活、贴近学生”的原则，创造条件让学生参加各种社会实践活动。由于学生组织来源于学生，服务于学生，更能贴近学生，所以我们应加强对学生会、学生社团组织的指导，扶植有益于学生思想进步和身心健康的学生社团，切实发挥好学生会和学生社团在学生成长进步中的作用。要大力开展促进学生受教育、长才干的志愿者活动，以培养学生的社会责任感和参与意识。

美国高校德育实践告诉我们，德育欲取得实效，德育必须无处不在。新近颁布的《北京普通高校德育大纲》指出：“德育工作必须尊重学生的主体地位，通过制度约束、机制保证、经费支持等多种形式，加强对学生会、兴趣社团等学生组织的领导与管理，完善学生自我教育系统，充分发挥学生组织在德育工作中的积极作用。”这说明，我们已经找到了新形势下我国德育教育的主要矛盾，并开始着手从矛盾的主要方面解决德育的实效性问题。

3. 拓宽传统的德育途径，搭建综合育人新平台

首先，“两课”作为德育理论教育的主渠道，目前，以课堂灌输为主的方式使“教”和“学”两张皮的现象非常严重。我们在强调“两课”自身改革的同时，是否可以借鉴美国德育渗透的教育方式，在专业教育中拓展德育空间，即在专业教学中渗透与该专业有关的伦理知识，充分发挥专业课教师特别是知名专家和教授的作用，如此，必然会事半功倍。其次，学校各项管理和服务应主动发挥德育功能，学校党团组织和思想政治工作部门要重点做好大学生的思想教育工作，教务、科研、学生管理、后勤管理等部门也要在各个方面发挥作用，切实做到全员育人。第三，应注意环境育人系统的建设。就软环境而言，我们要从战略和全局的高度重视学校文化建设，特别是多校区办学的情况下，更要注意加强新校区的文化建设。要立足于本校的文化和传统、学科特点和培养目标，充分利用行业、地区等外部德育资源，主动探索和实践具有本校特点的德育工作模式，培育具有本校特色的校风和教风。

4. 改善德育工作队伍结构，适应我国社会政治经济生活变化的要求

长期以来，我们一直把德育等同于思想政治工作，这使得我国高校的德育工作者主要由思想政治专业的人员组成。但目前高校的德育内容已增加了心理学、性健康、生活方式和就业指导等新内容，而我们的德育队伍中明显缺乏上述方面的专业人才。我们虽然在一些大学设立了思想政治教育专业，并且有了培养硕士研究生的学科点，但已经开设的思想政治教育专业在培养目标和内容上与现实学生事务所涉及的领域口径不对接。在美国，从事学生事务的岗位被视为有竞争力的职业，专职人员几乎都受过高等教育学生事务专业的专门培养，并且对个人的品德要求也比较高。如，哈佛大学学生咨询处有 7 名专职人员，其中 4 名有心理咨询的博士学位，田纳西州州立大学几乎每个系都有 1—3 名具有硕士学位的学生指导员。美国高校正是因为有一支高素质的德育专家队伍，才使得学校的德育工作非常贴近学生生活，因而也就具有实效性。当前，我国高校的大学生进入了“独生子女时代”，独生子女比过去非独生子女的心理问题增加了很

多，单纯依靠思想政治教育是远远不够的。与美国德育队伍的专业化水平相比，我国高校的学生德育工作队伍建设没有进入良性循环的轨道，无论是数量上还是在知识结构上都亟待提高。

综上所述，美国作为当今世界的头号经济强国，虽然与我国在意识形态、社会制度等方面有着本质的不同，但美国高校德育的许多做法可以为我所用。

参考文献：

［1］郑友训：《简论西方德育教育理论及启示》，《教育探索》2002 年第 6 期。

［2］戴艳军、查国伟：《美国高校德育实践对中国高校德育工作的启示》，《教育探索》2002 年第 6 期。

［3］李文凯：《美国高校学术诚信教育及启示》，《中国教育报》2003 年 12 月 20 日。

培育学生学术研究和科学研究的兴趣*

今天，我们在这里为我校第二届科技文化节举行简短而隆重的颁奖仪式。科研产业处会同教务处、学生处联合举办“北京印刷学院科技文化活动月”活动历时一个多月时间，现在就要告一段落，这次活动相比于去年，无论是在活动的组织上，还是在项目的质量上，总体上有了较大的进步。通过科技活动、学科竞赛活动、文化活动的有机结合，达到了培育学生学术研究、科学研究的兴趣，促进校园文化建设，培育学校浓厚学术氛围的目的。同时，对于提高学生的创新能力和创业能力，培养团体合作精神，促进我校学生全面发展也有着重要的推动作用。

本次活动以校园文化、科技竞赛和学科竞赛 3 个类别，在科研产业处、教务处、学生处组织安排下，各二级学院根据自己的学科特点、学生情况自行安排，包括具体文化活动方案的制定、活动主题、学术讲座、竞赛结果初评，以及优秀项目、成果、作品、设计、创作、节目活动等的组织推荐。其中校园文化竞赛项目已进行了单项发奖，今天颁奖的主要是科技类和学科竞赛类奖项。11 月，我校科技文化节正式拉开帷幕，相继举办了科技周活动、文化节活动和学科竞赛活动。

在本次科技周活动中，同学们表现出很大的兴趣和参与热情，指导教

---

* 这是 2003 年 11 月 28 日刘超美在北京印刷学院第二届大学生科技文化节颁奖仪式上的讲话。

师也给予较高的重视程度，项目作品质量明显提高，初评上报参展项目248项，经过评审小组认真评议，共评出一等奖5项，二等奖15项，三等奖30项，并增加特别奖1项。在此也向各位评委认真细致的工作表示感谢！

教务处与信息机电工程学院、基础部共同组织了“大学物理竞赛”“计算机文化基础知识竞赛”“高等数学竞赛”。报名参赛的学生有信息与机电工程学院、印刷与包装工程学院、出版传播与管理学院、职业技术学院、继续教育学院，共361人次。有60多名同学荣获一、二、三等奖。

校园文化节是本次科技文化节持续时间最长、开展活动最多的项目，举办了开幕式及晚会、消防演习、服装表演、航模表演，学习党的十六大知识竞赛、心理健康周、英语班级秀、篮球联赛等丰富多彩的文体活动，文化节各类奖项随着活动的开展将陆续颁发。作为科技周系列活动内容之一，我们还邀请校内专家、学者、企业家为学生举办20场精彩的学术讲座，在此向他们表示感谢。

2003年11月28日，刘超美（中排左二）出席北京印刷学院第二届大学生科技文化节颁奖仪式

切实贯彻“三个代表”重要思想加强和改进高校毕业生就业工作*

——关于高校毕业生就业工作的几点思考

近几年来，我国高等教育规模迅速扩大，随着高等教育“大众化”的来临，“精英教育”时代的结束，高校毕业生就业工作将发生与之相适应的本质性变化。今后几年，高校毕业生数量将继续增加，就业压力将持续上升。如何按照“三个代表”重要思想的要求，有效解决毕业生就业问题，帮助学生顺利就业，已成为社会、学校、学生及家庭共同关心的热点。从某种角度讲，毕业生就业工作已成为摆在高校面前的一项重大而繁重的任务。

一、全国高校毕业生就业状况及形势分析

2003 年是高校扩招后本科学生毕业的第一年，高校毕业生就业工作遇到了前所未有的压力。全国共有各个层次的毕业生 212.2 万人，比去年净增 67 万人，增幅达 46.2%。加上整个社会新增劳动力等各种因素，客观上造成了高校毕业生就业工作的外部环境很不宽松。特别是今年上半年突发的“非典”疫情，更使得就业工作雪上加霜。能否实现去年同期的

* 这是刘超美 2004 年撰写的关于大学生就业工作的思考成果。

就业率，对各类高校都是非常严峻的任务。

面对高校毕业生就业的严峻形势，党中央、国务院高度重视，去年以来，先后下发了《关于切实做好普通高等学校毕业生就业工作通知》（教学［2002］16 号）、《关于进一步加强普通高等学校毕业生就业指导服务机构及队伍建设的几点意见》（教学［2002］18 号）和《关于进一步深化普通高等学校毕业生就业制度改革有关问题的意见》（国办发［2002］19 号）等一系列重要文件。胡锦涛总书记在去年年底的中央经济工作会议上进一步指出，高等院校首次扩招的本科生将于明年毕业，大学生的就业需求将大幅度上升，对此要高度重视，合理引导，积极促进他们就业和创业，并要求各级党委、政府以及教育、人事、劳动等有关部门把促进毕业生的就业和创业作为一项十分重要的工作，全力以赴抓好。今年 5 月，国务院召开常务会议专题研究毕业生就业工作，温家宝总理强调指出，毕业生就业工作是一个涉及全局的重大问题，解决好了既有利于社会稳定，也有利于促进经济发展，必须全力以赴地做好。为切实做好这项工作，今年 6 月，国务院召开了新中国成立以来第一次全国高校毕业生就业工作电视电话会议，对做好 2003 年高校毕业生就业工作提出了明确要求。

2004 年 6 月 30 日，刘超美（左一）主持北京印刷学院 2004 届毕业生毕业典礼

在党中央、国务院和各地政府的领导下，在有关部门和社会各界的通力合作下，经过各个高校的艰苦努力，今年的高校毕业生就业工作经受住了总量剧增和“非典”疫情严重影响的双重考验，实现了毕业生就业率不低于去年同期水平的预定目标。今年7月初，全国高校毕业生全员就业率达到67%；9月初，达到70%，其中，本科生约为83%，高职生约为55%。

今年的高校毕业生就业工作取得了比预想要好的成绩，概括起来主要有以下几个因素：一是共青团中央、教育部、人事部、财政部联合实施“大学生志愿服务西部计划”，引导毕业生到西部，到艰苦的地方建功立业，收到了较好的效果；二是初步形成了“党委统一领导、政府统筹协调、部门全力支持、社会共同努力”的高校毕业生就业工作体制；三是扫除了毕业生就业的政策性和体制性障碍，确立了毕业生就业工作的政策框架；四是进一步完善了毕业生就业服务体系；五是高校毕业生就业方式的深刻变革，促进了高等教育观念模式的改革。

同时，我们要清醒地看到，今后一个较长时期内，高校毕业生就业工作总体上比较严峻的形势仍将持续存在。在此大背景下，高校毕业生数量逐年增长，需要就业的毕业生规模继续扩大。2004年有高校本专科毕业生250万人，2005年达到275万人，2006年为320万人，2007年达到335万人。可见，在招生人数连续增长的情况下，就业形势非常严峻，就业压力在短期内得不到缓解。

当前，高校毕业生普遍存在的“有业不就”和“无业可就”的并存现象暴露出高校毕业生就业工作还存在着许多深层次的问题。笔者认为，大学生就业难的根本原因不是扩招带来的，而主要是政策性、体制性、观念性和结构性等障碍造成的，本质上是由于我国沉重的人口负担、经济结构的调整以及较高经济增长率与较低就业增长之间的矛盾引发的。所谓的毕业生就业难主要表现在4个方面：一是从结构和层次上看，即从总量上看，并不是毕业生人数多了，而是适合人才市场适销对路的毕业生少；二是从观念上看，据今年上半年有关高校的调查数据：

在2003届毕业生中，有近70%的人希望留京或到沿海城市工作，40%的人赞成没有户口也在大城市打工；65%以上的人期望工资为2000元，31%的人期望在3000元以上；自己认识到应该调整就业观念和期望的只有28%。可见，众多的毕业生将目光锁定在大城市和沿海开放城市，锁定在高收入行业而不愿意从基层做起、从创业开始，过高的期望值必然增大就业的难度；三是从体制上看，如何打通人才市场上供需双方的沟通渠道；四是从政策上看，户籍、档案等问题几乎扼杀了毕业生流动的可能性。

二、我校毕业生的就业状况及分析

2003年我校共有本专科毕业生1257人，毕业生总数比去年增长了68%，比教育部公布的平均水平高22个百分点。面对毕业生总量剧增和突如其来的“非典”疫情的双重压力，学校党委坚持“两手抓”的原则，即一手抓好防控“非典”工作，一手抓好就业工作，力争把“非典”对就业工作的影响控制在最小范围内。为此，党委一方面加强了对就业工作的领导，多次召开专题会议，传达上级有关精神，调整就业政策，及时研究和解决就业工作中出现的问题；另一方面迅速调整工作方式，因地因时制宜，充分利用网络资源，广泛调动各方力量，改变就业指导方式，加强就业服务工作。基本上完成了今年的就业工作。截止到9月初，全员就业率为68%，其中，本科就业率78%，高职就业率49%，与教育部公布的同期平均水平相比，全员就业率低于2个百分点、本科就业率低于5个百分点、高职就业率低于6个百分点；与我校前两年同期就业率相比，“特色专业”的一次就业率保持平稳态势，而“大众化专业”，如计算机等专业没有就业的比较优势。

2003年，我校10个本科专业中有5个就业率低于教育部平均水平；6个高职专业中有5个就业率低于教育部平均水平。

表 1：2001—2003 年特色专业就业率　　（单位:%）

专　业	2001 年	2002 年	2003 年	平均值
包装工程	90. 74	79. 03	92. 19	87. 32
印刷工程	89. 29	87. 88	92. 25	89. 8
机械工程及自动化	94. 55	78. 95	85. 71	86. 4
编辑出版	—	—	79. 17	79. 17
编辑学	65. 52	64. 29	—	64. 9
图书出版发行学	81. 25	76. 67	—	78. 96
艺术设计	93. 02	81. 16	58. 72	77. 63

注：2003 年统计数据含隐性就业。

表 2：2003 年本科专业就业率（含隐性）前五位

专　业	就业率	男	女
印刷工程	92. 25	94. 05	88. 89
包装工程	92. 19	100	81. 48
信息管理与信息系统	92. 11	86. 96	100
市场营销	91. 43	84. 21	100
机械工程及自动化	85. 71	88. 24	79. 17

表 3：2003 年本科专业就业率（含隐性）后五位

专　业	就业率	男	女
艺术设计	58. 72	55. 77	61. 4
计算机科学与技术	60. 23	55. 36	68. 75
电子信息工程	64. 84	66. 18	62. 5
英语	73. 47	100	63. 89
编辑出版学	79. 17	80	79. 21

表 4：2002—2003 年高职（大专）专业就业率

专 业	2002 年	2003 年	平均值
电子商务	—	47.4	47.4
电脑图文处理与制版	11.03	53.93	32.48
印机操作与维护	—	74.29	74.29
出版校对	—	53.16	53.16
平面设计	—	21.05	21.05
多媒体设计	—	0	0
彩色印刷设备及工艺（大专）	52.94	—	52.94
彩色电子制版（大专）	48.57	—	48.57
涉外文秘	0	—	0

注：2003 年统计数据含隐性就业。

表 5：2001—2003 年本专科就业情况

年 份	2001 年	2002 年	2003 年
总人数	658	748	1257
定向+保送	11	11	13
考研率%	1.68	2.63	5.11
派遣率	75.08	63.24	51.79
就业率	—	—	67.92

由以上情况可以看出，我校毕业生的就业状况不容乐观，2004 年的就业形势将更加严峻。截止到 9 月初，本科就业率超过教育部公布的本科平均水平（83%）有印刷工程（92.3%）、包装工程（92.2%）、信息管理与信息系统（92.1%）、市场营销（91.4%）、机械工程及自动化（85.7%）5 个专业，还有编辑出版学（79.2%）、英语（73.5%）、艺术设计（58.7%）、计算机科学与技术（60.2%）、电子信息工程（64.8%）5 个专业低于教育部公布的平均水平；6 个高职专业中，只有印机操作与维护（74.3%）超过教育部公布的平均水平。

通过以上对我校毕业生就业状况的分析，可以得出如下结论：我校毕

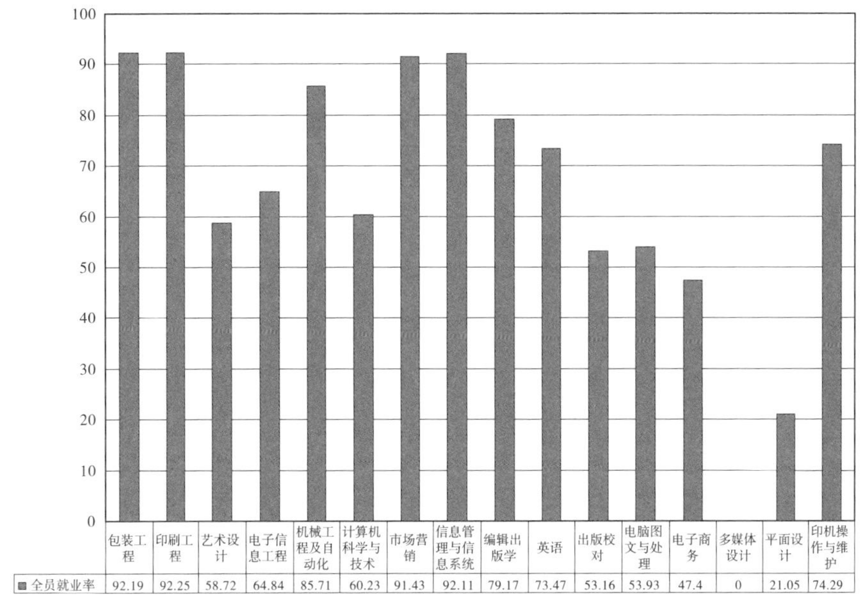

图 1：2003 年各专业就业率统计（含隐性）

业生就业率总体偏低，呈逐年下滑趋势；专业之间就业需求不平衡，特色不明显的专业没有就业的比较优势。其主要原因有以下几个方面。

一是就业专职工作人员严重不足，工作条件较差。我校招生就业办公室为副处级机构，与学生处合署办公。现编制为 4 人，其中有 1 名人员专门负责就业工作。在组织大型就业活动中，比如招聘会、毕业生派遣等，学生处及招生工作人员都会予以大力的协作及支持，从而使得我校的就业工作能够在毕业生大幅增加的情况下基本上顺利完成。但是，随着就业制度的改革和近几年招生规模的扩大，我们没有及时补充就业专职工作人员，整体上就业工作还停留在一种应付状态，由于人员少，使有针对性的就业指导工作以及开拓新的就业市场等工作没有开展起来。

在学校办公用房相当紧缺的情况下，现在招生和就业两项工作仅有一间办公室，在就业工作繁忙期及大型活动中，互相影响很大。在经费方面，每年大致在 10 万元左右。无论从实际需要还是上级要求看，就业经费严重不足。

二是专业结构与社会需求、特别是与行业和首都的需求有较大的距离。在相当多的用人单位眼里我校仍仅专长于印刷和机械专业，近年来的新增专业没有相对稳定的用人单位，多科性还没有广为人知。

三是研究生、本科生、高职生的专业层次衔接中存在着某些内外脱节的问题，使考取研究生的比例很低，我校毕业生考研率与一些重点大学相比低一个数量级。

四是毕业率、获得学位率对一次就业率的影响不可忽视。2003 届本科毕业生毕业典礼前拿不到毕业证的有 13 人，占 2003 届本科毕业生的 1.54%；由于四级英语等原因毕业前拿不到学位证书的有 299 人，占 2003 届本科毕业生的 35.51%，对此用人单位和学校有不同的理解。可见，成品率也是一个影响就业的重要因素。

五是学校就业工作体制不适应新的形势需要。毕业生就业工作没有形成校、院两级层层负责，以二级学院为主的工作机制。为数不少的人认为就业工作是一项临时性、阶段性和局部性的工作，那种“不管就业情况，闭门办学、有什么专业、有什么教师就招什么学生”的做法还普遍存在着。从制度层面上看，既缺乏调动二级学院积极性的鼓励政策，也没有将招生与就业适度挂钩有效措施。

三、切实贯彻“三个代表”重要思想，加强和改进就业工作

我们必须看到，当前高校毕业生就业难，除了宏观就业形势方面的原因外，与我们高校工作自身存在的一些需要改革方面也直接相关；我们必须清醒地认识到，在社会主义市场经济条件下，高等教育的核心是人才培养的结构问题，龙头是就业，关键是进行制度创新。从培养质量和培养模式上看，过去我们主要强调的是学科标准、教师主导、静态评估，对实际能力重视不够；从学科结构上看，专业划分、招生结构和教学组织长期沿用计划经济的办法，缺乏适应性和弹性；从培养过程上看，重培养轻就业，重管理轻服务，重内部轻外部，学校管理机构行政化，难以适应市场

经济的变化。因此，只有通过深化高校自身的改革，才能从根本上解决毕业生就业问题。具体到我校来说，应从以下几个方面加强和改进工作：

第一，强化人才培养的市场意识，树立新的发展观。教育部周济部长在日前召开的2004年全国高校毕业生就业工作会议上指出：“对于一个学校来说，最重要的是什么？是学生。学校的荣誉归根结底要靠毕业生就业、创业的实力及就业、创业后作出的成绩。”必须看到，今后推动高校发展的根本力量，不是政府，也不是主观愿望，而是社会需求。我校作为一所行业特色很强的划转院校，必须要树立新的发展观，要以就业为导向，转变办学指导思想，进一步明确定位，只有推进学科专业结构和人才培养模式的根本性变革，才能适应市场经济的需求，才能适应行业和首都发展的需要，才能适应高等教育大众化的要求。

第二，适应加强就业工作的需要，配齐配强就业专职工作人员。建立一支以专职为主、专兼结合的就业工作队伍。按照1∶500的要求，在今年年底前配齐配强专职人员；选拔在行业中有一定影响并在专业上有较强优势的教师担任兼职就业导师，明确他们的工作职责和主要任务，协助专职人员和二级学院共同做好就业工作。

第三，进一步提高各级领导对就业工作的认识。在调研的基础上，今年年底以党委名义召开就业工作会议，通过学习上级有关文件和精神，进一步提高各级领导和广大教师对就业工作重要性的认识，达成共识，提出今后一段时间进一步加强和改进我校就业工作的意见。

第四，要以就业为导向，加快调整学科专业结构和招生结构。深化教学改革，更新教学内容，提高教学质量；强化基础教学，提高考研率；切实加强学生综合素质教育，提高毕业生就业竞争的实力；将招生与就业率适度挂钩，减少高职招生数，集中精力办好本科和就业率高的高职专业。

第五，主动拓展就业市场，加强就业指导，走出去与请进来相结合，构建起相对稳定的、受学生欢迎的用户群；采取切实措施，前移就业教育，从大一开始，教育和引导学生树立切合实际的就业观念；改善服务条件，提高服务水平；加强就业人员岗位培训，加大投入、改善条件，不断完善就业指导工作和服务水平，提高政策水平和职业化、个性化服务能力。

第六，重心下移，建立以培养单位为主的就业工作新体制。下移就业工作重心，把就业工作纳入整个培养过程，建立以培养单位为主的就业工作新体制；建立就业率与招生计划适度挂钩的自我约束机制。

综上所述，高校毕业生就业直接关系到广大毕业生的根本利益，“扩大就业、促进就业、实现就业”是国家长期的战略和政策。能否最大限度地使毕业生充分就业，直接关系到广大人民群众对政府的信任和对高等教育的评价。高校实践“三个代表”重要思想的重要体现，就是要做到把人民群众的利益实现好，因此要千方百计地做好毕业生就业工作，不断推动高等教育的可持续发展。我们应以满腔的热情，把这项工作作为一项长期性的重要工作抓紧、抓实、抓好。

上好大学第一堂课 确保军训工作高质量完成*

经过了短短几天的入学教育后，今天，我校 2004 级新生军训正式开始了，这标志着同学们大学生活的正式开始。此次承担 2004 级新生军训工作的是中国人民武装警察部队北京武警一支队，在此向武警一支队对我校军训工作的支持表示诚挚的谢意，也向各位教官表示热烈的欢迎。

2004 年 9 月 4 日，刘超美（前排右三）出席北京印刷学院 2004 级新生军训动员大会

* 这是 2004 年 9 月 4 日刘超美在北京印刷学院 2004 级新生军训动员大会上的讲话。

大学生军训是学校教育的一种特殊教育形式，在全面推进素质教育、促进大学生健康成长方面，它具有其他教育不可替代的作用。多年的实践表明：通过军训，广大同学不仅可以学习到基本的军事知识和技能，还可以学习到人民解放军艰苦奋斗、吃苦耐劳、爱国奉献、勇于牺牲、勇敢顽强、坚忍不拔的优良作风。大学生参加军训，有利于广大同学树立正确的人生观、世界观、价值观，发扬爱国主义、集体主义和革命英雄主义精神；有利于广大同学培养无私奉献、积极进取、奋发向上的高尚情操；有利于广大同学增强国防观念；有利于广大同学开阔视野、活跃思维方式；有利于磨炼广大同学的意志品质，培养艰苦奋斗、吃苦耐劳的作风，增强战胜困难的信心和勇气；有利于广大同学组织性、纪律性的提高和身体素质的增强，为将来报效国家，超越自己打下坚实的基础。可以说，一次军训终身受益。

刘超美在北京印刷学院 **2004** 级新生军训动员会上讲话

此次2004级新生军训编制如下：一营校本部、二营武警一支队，本校有1848名同学参训，其中包括印刷与包装工程学院、信息与机电工程学院、设计艺术学院和职业技术学院；一支队有443名出版传播与管理学院同学参训。为了增强军事理论课的专业性和理论性，同时能够让学生在认清当前国际政治关系的基础上进行国防教育，学校专程请到了多位国防大学战役部的知名教授来为同学们授课。为使本次军训达到预期的目标，我希望武装部、学生处、教务处要密切配合、精心组织、周密安排，狠抓各项工作计划的落实。希望新生辅导员要全程参与军训、全力配合教官的工作，做好同学的教育、管理及服务保障工作。希望军训教官要高标准、严要求、精心指导、认真施训。希望参训同学要提高认识、端正态度，以饱满的热情全身心地投入到军训中；在军训过程中，始终摆正自身位置，以一个普通士兵身份，严格要求自己、自觉磨炼自己，不怕苦、不怕累、不怕脏，勇于挑战自我、挑战困难；要尊重教官、服从教官的命令、听从教官指挥；要热爱集体、团结互助、关心他人、携手共进。总之，我们要上下齐心，全力以赴，上好大学第一堂课，确保军训工作高质量完成，切实实现我们预期的目标。

最后，祝大家军训生活充实、快乐！祝大家在军训中收获丰硕的果实！

树立学生工作新理念 进一步推进学风建设*

根据学校党委的安排，学生处和团委策划组织了这次学生工作干部工作总结和研讨会。每学年召开一次学生工作研讨会，这已成为北京印刷学院学生工作的传统之一传承下来。通过这样的方式，定期地总结和研讨工作，对于提升我校学生工作的整体水平和提高大家的理论素养、战略眼光有着很好的促进作用。

今天上午，学校党委书记崔文志同志为大家作了《认真贯彻党代会精神，全面推进学院发展》主题报告；教学评价专家组组长胡杰教授为大家作了《认真抓好学风建设，促进教学水平评估工作》报告；学生处处长张可献同志对上一学年的学生工作进行了总结。以上报告和总结都从不同角度充分肯定了我校一年来学风建设所取得的进步。这些成绩和进步是在校院两级领导班子高度重视学生工作的基础上取得的，是在教学、行政、教辅、后勤等各部门的大力支持下取得的。正是由于我校广大教职工的育人意识不断增强，使得我校学生工作得以全面推进。

一年来，战斗在一线的二级学院学生工作干部付出了许多。刚才，刘尊忠等同志针对当前学生工作所遇到的许多新情况、新问题所做的交流发

---

* 这是2005年7月31日刘超美在北京印刷学院2005年暑期学生工作干部研讨会上的总结讲话。

言，充分表明：过去的一年，我校二级学院的学生工作取得了明显的进步。研讨会上，大家还围绕“如何树立学生工作的新理念，做好新形势下的学生教育管理与服务”这一主题，进行了激烈的讨论。这次讨论，不仅起到交流沟通的作用，而且也进一步提高了对新形势下学生工作规律和形势的认识。大家一致感到，目前，首都高等教育已率先进入大众化阶段。我校学生在规模、构成、层次等方面都出现了新的特点。在新的形势下，如何对学生进行有效的教育管理；如何帮助学生顺利健康成长；如何保证人才培养质量已成为当前的首要任务，面对新的环境、新的问题和新的目标，高校学生工作的职能已发生很大变化，正处于重要的转型期。

在新学年里，就如何使学生工作在人才培养方面发挥更好的作用，如何通过抓学风建设，促进教学评价工作，讲下面两点意见：

一、树立学生工作的新理念，不断提高管理服务水平

1. 学生工作要与学校改革和发展紧密结合，为学生全面发展提供精神动力和思想保证

学生是学校的主体，在学校改革与发展过程中，是一个最不能忽视的重要因素。为了实现学校的办学目标，就必须使学生深刻理解学校的发展理念和定位，并使这种理念深化到每一名学生的内心世界，从而激发他们勤奋学习、立志成才的自觉性和积极性。学生工作应发挥自身的特点和优势，紧密结合学校改革和发展的中心工作，针对各年级、各层次、各类型学生的特点，以第二课堂建设为抓手，通过多种途径和方式，大力开展以爱国主义、集体主义和社会主义为核心的价值观的教育，使学生按照学校的培养目标，明确发展方向，科学地进行自我定位，自觉地为实现学校的发展目标而努力。

2. 学生工作需要与教学工作紧密结合，积极培育优良的校风和学风

学习是学生的第一要务。促进学生的学习是学生工作和教学工作的共

同目标，是学生工作中最重要的工作任务。学生工作和教学工作是学校育人系统中两个最重要的子系统。前者的主要优势在课外，后者的主要优势在课内，二者相辅相成、有机互动、互为补充，共同促进学生完成学习任务。我认为，这方面是我校学生工作今后应给予重点加强和改进的地方。当前，无论是在学校职能部门的政策制定上，还是在二级学院执行过程中，特别是到二级学院的综办和学工组这一落实层面上，我校学生工作与教学工作都不同程度地存在着协调沟通配合不够和互相推诿指责等问题，严重者还出现了“各吹各的号”的“两张皮”现象。事实表明，学生工作和教学工作如果不能很好地配合，将直接影响学生工作的效果。

如何有效地解决上述问题？就学生工作系统而言，每一名学生工作干部都应把研究学生学习规律和特点，对学生的学习活动进行有效的评估和指导作为本职工作的一项重要任务。具体而言，一是要有意识地树立全院“一盘棋”的观念（一方面要了解教学安排的全局，另一方面又要了解和掌握学生学习的情况）；二是要注意发挥好自身特点和优势，通过加强班集体建设，学生发展案例教育等，实施有效的辅导和激励措施，激发学生的学习兴趣和主动性，通过加强协调沟通、营造人人关心学生工作的外部环境。以此长期地坚持下去，并不断地加以总结改进，我校学风就会有所改善。

3. 学生工作要与人才培养目标紧密结合，努力提高学生的综合素质

我校大多数专业的行业特征十分明显，实际工作技能要求相当清楚的专业，作为学生工作系统，应采取多种途径和办法，争取让学生一进校就全面了解这四年要上哪些课、总体的培养目标是什么、基本素质要求有哪些、在专业技能方面有哪些具体要求。这样我们就能为学生立好标杆。

如何做到学生工作与人才培养目标紧密结合？作为学生系统，应想方设法为广大学生提供条件和创造机会，引导和促使他们将所学知识应用于实践。如，通过社团活动、科研活动和社会活动等可以有效地培养学生的团队精神，提高学生的人际沟通交往能力和创新创业意识。又如，利用社会和行业资源，开辟社会实践实习基地，拓展社会实践空间。只有努力营

造课内外相结合的人才培养氛围，学生工作才能够做到求真务实。

4. 学生工作要与学生个人发展紧密结合，切实帮助学生健康成长

在大学期间，学生除了要完成繁重的学业外，还将面临恋爱、择业等一系列重要的个人发展问题，甚至还会产生种种心理问题和心理障碍。因此建立必要的工作体系，帮助大学生解除心理困扰和解决个人发展过程中遇到的问题，从而促进他们全面健康地发展。这是学生工作的重要任务。

5. 学生工作要与学生工作队伍建设紧密结合，努力建设学习型团队

新学年伊始，我校专职学生工作干部按照上级的有关规定已基本上配齐。这标志着我校学生工作已由原来的被动应付状态开始向主动适应状态转移。当前，这支队伍的一个显著特点是年轻化，大家朝气蓬勃，有闯劲，有干劲，特别能吃苦，特别能战斗，特别能忍耐，但在政治理论修养、人生阅历以及引导力等方面还显得稚嫩。为此，我们只有努力加强学生工作队伍的自身建设，不断学习和积累工作经验，才能不断适应新形势的需要。怎样建设一支学习型组织队伍呢？

第一，全面提高学生工作干部的学历层次和改善学生工作干部的知识结构，目前我校已与北京师范大学研究生院达成协议，开设学生工作事物方向、心理学方向等研究生学位课程班，我校还鼓励部分学工干部在不影响主岗工作的前提下，进课堂、上讲台，使大家体验到要做一名称职的学生工作干部，首先要成为一名合格的教师。

第二，加强对学生工作基本理论和基本规律的研究，进一步总结和提升对学生工作规律的认识，建立符合我校实际的比较科学规范的学生工作模式。当前，高校学生工作出现的许多新情况、新问题要求我们必须要正视现实，研究新问题，探索新方法。今年，我校从德育经费中专门拨出2万元用于学生工作研究之用，希望大家认真对待，通过课题研究推动难点工作。这种“实践—>研究—>再实践—>再研究”的过程，能够帮助我们迅速提高认识水平和工作能力。如果坚持下来，发扬下去，我们干工作就会多快好省起来。

第三，学生工作者必须努力学习信息网络知识、心理学知识和外语知识，同时还要提高自己的人文素养。现在各二级学院学生数基本上都在千人以上，而我们对学生信息的收集处理基本上还停留在手工阶段，在使用上也仅仅是简单的备份和查询。

第四，树立团队精神，强化合作意识。学生工作的性质决定了学生工作者必须具有较强的团队精神和合作意识。首先，从学生工作的外部讲，如果没有全院上下一盘棋，就没有学生工作良好的外部环境，我们的工作效果就会大打折扣；其次，从学生工作队伍内部讲，几乎任何一项工作都必须分工合作，才能在学生身上发挥作用；再次，从学生工作对象讲，如果没有学生的积极配合和支持，那也只是纸上谈兵。因此，每一名学工干部都应努力培养团队精神和合作意识，否则，你就会觉得工作难以展开。

二、关于新学年的主要工作任务

1. 德育工作

第一，认真学习贯彻教育部和北京市德育工作会议精神，落实新修订的《北京印刷学院德育工作实施纲要》。以教学评估工作为契机，建立健全班主任工作制度、两课教师联系学生班制度、专职教师德育工作制度、党政管理部门德育工作制度。制订德育工作考核办法，分解德育工作目标和任务，切实推进全员育人工作。

第二，加强对“两课”教学工作的研究和投入。增强心理健康、职业生涯规划、就业指导等教学案例内容，增强德育课的针对性和实效性。加强“两课”教学工作与二级学院德育工作的沟通和联系，改进德育课理论考试的方式，增加德育实践内容。年底召开“两课”教学改革工作研讨会。

第三，在广大学生中开展“我爱我师”征文活动和评选“十佳教师”活动，努力促进教风建设。

2. 学生管理与服务工作

第一，以加强班级活动管理为抓手，狠抓课堂出勤与纪律、早晚自习、宿舍纪律与卫生等基础性工作。建立和完善适合各个二级学院教学特点的班级活动制度，努力适应分专业授课和分层教学的新形势。依据学生选课和住宿情况合理设立班级活动的时间和地点，确保班级定期开展活动。根据我校京内学生人数已过半数的情况，建立班级周日晚点名制度。

第二，改进宿舍管理和服务工作，认真抓好“三进”“三建”工作。实行宿管中心、二级学院学工组与学生自我管理三结合的公寓管理模式。将“文明宿舍”与“优良学风班”评选挂钩，使创建文明宿舍成为班级工作的一项重要内容。在每栋宿舍楼设置活动室，配备必要设备，改善宿舍文化氛围。落实班主任进宿舍、学生自我管理组织进宿舍、校园文化进宿舍的“三进”工作，建立公寓咨询服务机构、公寓学生表现档案、公寓学生表现测评的“三建”新机制。根据教育部新下达的有关规定，全面调查清理校外租房居住学生的情况，制订有关管理办法。

第三，试行新的《学生综合测评标准》和新的《奖助学金评审标准》，增加奖学金评定的刚性指标，改革奖学金评奖办法，努力促进学风的转变。

第四，加强特困生的管理与服务工作。详细摸底，掌握特困生第一手资料，根据其脱贫情况和学习工作表现每学年调整一次。年底前召开“贫困生自强自立报告会”，树立优秀贫困生的楷模形象。充分利用助学贷款、勤工助学等手段缓解特困生求学压力。积极拓展帮困途径，适当依靠企业力量，探索用人单位资助特困生完成学业的新途径。

第五，加大欠费生的教育管理工作。会同有关部门全面清理学生欠交学费情况。根据各类情况分别进行处理。对经济确有困难，又一时没有得到国家助学贷款的优秀贫困生由学校推荐社会资助单位，给予企业捐赠助学金，对无正当理由又不按时缴纳学费的学生给予学籍处理。

3. 学生课外科技文化活动

第一，加强学生课外活动场所建设。在学校住房条件得到基本改善后，尽快设置和安排好本校区学生必要的课外活动场所。加强对康庄校区学生课外活动的投入，积极改善康庄校区的学生活动条件。

第二，积极开展学生科技文化活动，努力促进第二课堂建设。以办好第二届大学生科技节为载体，通过加大经费投入、增加指导教师数量、配备活动场所等有效措施，调动广大学生积极性，扩大参与学生的范围。同时，充分重视教师的指导性，努力营造“以学生为主体、以教师为主导”的学术氛围。

4. 新生入学教育和军训工作

第一，以二级学院为单位，周密安排，认真组织，加强协调，统筹兼顾，做好 2004 级新生入学教育和军训工作。进一步完善贫困新生“绿色通道”入学做法。

第二，修订《学生手册》，增强《学生手册》的系统性和可操作性，加大《学生手册》的宣传力度，增强大学生的权益意识。

5. 毕业生就业工作

第一，继续加强毕业生就业工作，进一步健全毕业生就业工作以二级学院为主体的工作机制，积极拓展就业领域。加强与长期用人单位的合作，建立定期回访用人单位制度，年底召开毕业生就业工作总结会。

第二，以第二届社会助学活动周为载体，办好毕业生“双选会”。

6. 学生工作干部队伍自身建设

第一，与重点大学合办学生工作干部硕士学位进修班。

第二，重视班主任的选拔和培训考核工作，开展评选“十佳班主任”活动。

第三，加强学生工作的信息化建设，努力提高学生工作的效率。

第四，对现有学生干部进行一次普遍的考核和调整。建立校级学生干部必须由二级学院推荐的竞争上岗制度。以二级学院为单位对所有学生干部进行一次系统培训。

新的学年，希望全体学生工作干部进一步实干加巧干，努力做到“三多三少”：多一点沟通，少一点抱怨；多一点计划，少一点忙乱；多一点内容，少一点形式。正如：日日行，不怕千万里；天天做，不怕千万事。只要我们大家齐心协力，把我校教与学两个方面的工作都推上去，建设好应用型大学就不会只是一句口号，我校党代会提出的目标也就一定能够实现。

军地双方密切合作 圆满完成学生军训工作*

2005 级新生军训于 9 月 10 日在中国人民解放军炮兵指挥学院廊坊校区圆满结束了。在军训期间，有学工老师们的辛勤劳动，也有同学们的挥汗如雨，更有承训单位炮兵指挥学院领导的高度重视和教官们的认真施训，正是由于军地双方的密切合作、共同努力，才圆满地完成了此次军训工作。

回顾 14 天的军训生活，同学们学习完成了训练计划规定内容，参观了军营内务，学习了国防知识，其间还开展了评优评比活动，组织了“纪念抗战胜利 60 周年”歌咏比赛。所有这些训练任务和活动构成了完整的军训生活，也正是在这些训练和活动中，同学们磨炼了意志，培养了作风，强健了体魄，陶冶了情操，增强了组织纪律观念和集体意识，增强了国防观念和国家安全意识，综合素质得到了全面提高。总结本次军训主要有 6 个特点：

一、领导高度重视，组织有力，周密部署

北京印刷学院领导和炮兵指挥学院廊坊校区各级首长对本次军训工作

* 这是 2005 年 9 月 10 日刘超美撰写的北京印刷学院 2005 级新生军训工作总结要点。

2005 年 9 月 10 日，刘超美（左二）向解放军炮兵指挥学院廊坊校区反坦克营赠送锦旗

都给予了高度重视。军训前，学校领导前往驻训地进行了两次实地考察，与炮兵指挥学院积极磋商，解决问题；多次与承担运输任务车队进行协商，专门召开准备会进行协调，组织安排各二级学院的车辆问题以及其他相关事宜。驻训期间，学校各级领导多次亲临现场，慰问驻地师生，高度重视军训结束事宜，多次和炮兵指挥学院领导协商。

正是军地双方领导的高度重视和周密部署，为我们顺利完成军训任务奠定了良好的基础，确保了整个军训过程紧张有序，形成了齐抓共管的良好氛围。

二、方式方法创新，严格科学，寓教于乐

向管理要效果，管理严格效果好。训练前，炮兵指挥学院的领导和教官们针对学生特点研究制订了军训管理规定和训练内容。训练中，一方面，教官们以身作则，严格标准，教养一致，注重训练与生活两手都要抓，两手要有机结合，紧抓纪律作风，强调集体意识，反复落实规定。另

一方面，从作息时间到操课制度，从着装要求到礼节礼貌，方方面面都作了详细的规定，经过系统的强化训练与循循善诱的思想教育，同学们的纪律观念、集体意识得到明显增强。

思想通，样样通。为达到良好的训练效果，教官在严格管理的同时，非常注重训练方式方法的创新，根据以往的训练经验，结合学生特点，把思想工作作为训练突破口，将军训的重要意义灌输到学生思想意识中，端正了同学们的训练态度；通过落实讲评制度，及时表扬先进，鼓舞士气，极大地调动了同学们的训练积极性。

寓教于乐，团结一致，升华思想。通过组织拉歌、评比先进等活动，尤其是在“纪念抗战胜利60周年”歌咏比赛中，同学们的演唱水平、编排创意和舞台效果异常精彩，大大超乎师生领导们的想象。经过此次比赛，不仅提高了大家的能力水平，而且增强了同学们的团结意识和集体荣誉感，更重要的是每个人的思想都得到升华。同时，师生之间、教官与学生之间加强了思想交流、增进了感情。

三、宣传教育到位，学习国防知识，增强国防意识

军训“三报”，相互传看，赢得喜爱。为使同学们将自己对军训的感受和体会有一个畅通的发表渠道，军训团及时组织刊发军训工作简报、军训快报、军训板报，为大家提供一个共享橄榄绿随想的平台，每天一期分发每个宿舍，同学们非常关注并相互传看，收到了非常好的效果，增强了团队之间的比、赶、超的竞争意识，更加增强了同学们训练的积极性和集体荣誉感。

认真学习国防知识，增强国家忧患意识。同学们的军事理论课在炮兵指挥学院教授们承担基础上，同时，继续由我校聘任国防大学教授为同学们穿插授课，大大加强了授课水平，拓宽了同学们的视野和思考空间，课后普遍反映非常好。同学们在课下积极讨论国防时事，交流思想，同时也在军训快报发表自己的学习体会和看法见解。

四、磨意志强体魄，遵规守纪，团队作战

训练中，有的同学克服了身体的不适，从未向教官请过假，始终坚持与自己的团队共进退，在笔挺齐整的军姿队伍中和步伐一致的队列中都能看到他们坚强的身影，极大地鼓舞了周围同学，达到了磨炼吃苦耐劳的意志和增强体魄的目的。军训后期，没有被编入方队的同学，在见习之余，自发组织起来，为训练的同学打水服务，积极参加医疗急救队，做好后勤保障工作。严于律己、自觉遵守军训规定，发扬团队作战精神，在“纪念抗战胜利 60 周年”歌咏比赛中和汇报军训成果表演中，同学们强烈的集体荣誉感和团队作战的精神和思想得到了淋漓尽致的升华，集体凝聚力骤然形成强势。

这些表现充分说明，通过这次军训同学们克服了娇生娇气、怕苦怕累、自由散漫等不良习气，达到了军训目的。

五、锻炼学工队伍，融入学生，打成一片

积极配合，战在一线。在训练期间，无论天气多么炎热，学工老师们始终坚持在军训第一线，为教官做好后勤保障的同时，还主动与教官密切配合，及时解决训练中出现的各种问题，形成了齐抓共管的良好氛围。

思想工作，做细做实。学工老师们积极切实、主动出击、配合训练做好学生的思想工作，及时发现各种思想苗头，把工作做到宿舍里、做到训练场上。

后勤保障，事无巨细。学生之事无小事，在军训期间，学工老师从饮食、住宿、看护病号等方面想实想细，提前做好预防工作，把问题解决在发生之前。

融入学生，打成一片。此次军训为学工老师们了解新生、与新生打成一片提供了良好的时间和空间，在这样特殊环境下磨炼和培养的师生感情为今后工作的开展打下了坚实的基础。

锻炼队伍，加深内功。加强了学工老师们的互相协调、互相机动合作的能力；加强了队伍对突发事件的应变处理能力；加强了队伍的吃苦耐劳，善打硬仗、持久战的能力和耐力。

培养骨干，发挥作用。在比较艰苦的条件下，培养训练出的学生骨干能够很好地发挥其带头引领作用。他们通常是能力强、上手快、群众基础好的先进突出学生，他们的作用一旦得到充分的发挥，在集体中产生化学反应带来的效果往往是明显的，也是具有带动性、鼓动性的，所以因形因势、适时地对学生骨干进行培养对未来的班级建设、党团组织建设起到推动作用。

六、规范合理科学，家长肯定，形象良好

2005 级新生入学注册、入学教育和新生军训等一系列工作的规范、合理、科学的安排部署和实施，说明我校学生工作已经步入正轨，成熟发展并创有自己新的理念和做法，这些表现赢得了学生和家长对我校整体形象分，无疑对我校今后的发展起到了宣传推动作用。

2005 级新生军训取得超乎预期的效果，返校后新生的精神面貌赢得了老生、教师和各级领导的认可和赞扬。总结此次军训有以下 5 个问题：

1. 做好家长工作，培养学生独立

在入学教育中，各二级学院做好家长的思想工作，为学生们在军训中锻炼独立学习、独立生活的能力做好后方精神支援，消除学生依赖心理，学生应从心理上独立，作为一个真正的巾帼、须眉融入军营这个绿色熔炉中。

2. 后勤保障有力，解决问题迅速

此次军训的医疗、住宿、伙食等后勤问题的解决，在训前相关部门都做了充分的预判和准备，但是，计划赶不上变化，在医疗人员不足、住宿条件相对差、食堂伙食不好等问题出现后，学工老师们快速应变、及时解决。兵马未动，粮草先行，后勤保障是关键，也是门学问，值得我们在今后工作中研究。

3. 时间紧任务重，讲效率求效果

新生入学教育与军训时间衔接过于紧张，极大考验了各部门的工作效率和效果。尤其是1700余人拉出去军训，路程远，投入大，方方面面都需要缜密考虑、谨慎实施，在这个过程中极大地锻炼了学工队伍的整体作战能力。

4. 制定突发预案，防忧患于未然

此次军训在不同方面、不同程度上出现了一些突发性的事件，学工老师们在军训团领导下，快速反应，方法得当，各种突发问题得到及时妥善处理。及时发现苗头，把问题解决在发生前，在高校学生工作的各方面都需要以人为本，以法规制度为依托，完善制度、落到实处、执行到底，很有必要。

5. 建立长效机制，巩固军训成果

学工队伍总结经验，反思工作方法，改进教育理念和管理方式，从第一、第二、第三课堂出发，发动学生骨干引领大多数学生保持发扬军训成果，以此为契机，改进我校学风。

发挥好班主任作用当好学生引路人*

根据《中共中央　国务院关于进一步加强和改进大学生思想政治教育的意见》精神，2005 年上半年，教育部颁发《关于加强高等学校辅导员、班主任队伍建设的意见》和新版《普通高等学校学生管理规定》。为贯彻落实以上文件精神，切实加强我校班主任工作、全面推进学风建设、促进教学评价工作，今天，我们举行 2005 年班主任工作培训会。通过专题报告和交流研讨，大家比较系统地学习了有关新政策，进一步明确了班主任工作的主要任务和内容，提高了对班主任工作重要性的认识，增强了做好新形势下班主任工作的使命感和责任感，达到了预期效果。下面，就我校加强和改进班主任队伍建设、促进学风建设谈几点意见。

一、充分认识班主任工作对于大学生健康成长的重要作用

大学生离开中学进入到全新的大学生活后，面临着人生的许多转变，他们正处在从未成熟的少年期向成熟的成人期转变的过渡时期，在行为上还不够成熟，但自我意识却逐渐增强。与他们接触最为密切的班主任在大

* 这是 2005 年 11 月 18 日刘超美在北京印刷学院班主任培训会上的讲话。

学生的“过渡时期”起着举足轻重的作用。班主任身处学生工作第一线，作为大学生从学校到社会过渡的直接启蒙者、导航人，一言一行、一举一动都影响着学生。因此，高校班主任工作，是一件不容忽视的大事，它直接关系到大学生的整体素质和未来发展方向，关系到国家的切身利益。在大学生成长过程中，发挥好班主任的引领作用具有非常重要的意义。

目前，我校现有全日制本、专科生 6500 人。其中本科生 5445 人，高职生 1055 人，分别编入 186 个班级中。近几年来，学校党委采取多种措施加强班主任队伍建设，积累了一定经验，取得了一定成效。专职学工干部总体上按 1∶200 的比例已基本配齐，保证了每个二级学院每个年级都有一名专职学工干部。同时，每个班级还都配备了一名兼职班主任。本学年我院共配备了 96 名专兼职班主任，其中，专业教师 45 名，占班主任总数的 56%；专职学工 28 名，其他 23 名（行政 8 名，研究生 5 名，外聘 9 名）。从结构上看，我校班主任是一支以青年教师为主体的队伍，具有年轻、高学历等明显优势。但是，从总体上看，班主任队伍建设还不能适应新形势下我校加强和改进学生思想政治教育的需要，必须采取切实措施进一步加强队伍建设，充分调动班主任在学风建设中的积极性和创造性。

当前，我校学风总体上有一定的好转。之所以这样估计，是基于以下几个变化：一是我校学生的整体学习氛围有所提高，这表现在晨读、晚自习的学生大幅度增加；二是学生科研活动呈不断上升的态势，去年以来我校学生各类科研活动在北京市获奖的层次和幅度有了较大幅度的增加；三是学生科技类理论类社团先后成立，并在短期内取得了较明显的工作成效；四是学生组织的各类讲座的学术含量明显增加，层次得到提升。但是由于多方面的原因，我校学风建设仍有很大的挑战，通过听课等调查了解到我校学生存在上课迟到、逃课、抄袭作业、课堂纪律松散、平时不努力，考前靠突击等明显的问题。去年以来考试作弊的人数继续攀升。相当一部分学生没有学习的动力和目标，还有一部分学生沉迷于网络，放弃了学业等。相当一部分学生学习的自律性和主动性很差，本学年试读的学生达到 97 人，给予学业警告的人达到 110 人。以上问题都有赖于班主任通

过认真扎实的工作才能使我校学风总体得到改变。

二、班主任工作的主要任务和内容

高校班主任的工作任务和内容主要包括：思想政治教育、大学生行为管理、学生班级建设以及大学生成长需要的各种指导服务等，而思想政治教育则是班主任工作的首要任务，其具体体现如下。

首先，班主任是大学生政治方向的引导者。高校的办学目标是帮助学生树立科学的正确的世界观、人生观、价值观。要完成这一历史重任，当然要靠各方面的力量，形成育人的“合力”，而班主任的主导作用是首要的。大学生虽然心态还未成熟，但行为有着明显的独立性和自主性，不可能完全服从老师的安排，而作为班主任，首要的任务是通过做学生的良师益友，引导学生身心健康发展。作为一名班主任，加强自身政治修养，坚持用马列主义、毛泽东思想、邓小平理论武装自己，正确运用马克思主义的立场、观点和方法研究新情况、解决新问题。大胆探索，努力创新，不断提高自身的理论水平和政治修养，以自觉增强工作中的原则性、系统性、预见性和创造性。特别是在当今社会主义市场经济的新时期，对于利益驱动和道德激励二者的关系，应当有一个正确的认识，保持清醒的头脑，自觉抵制各种错误思想观念的侵蚀。也就是说，班主任只有在自身具备了良好的政治思想素质和道德风范的基础上，才能成为学生的表率和楷模，才能对青年学生的政治思想产生积极正确的影响。

其次，班主任是学生成长成材的奠基石。班主任在对大学生行为管理、班级建设、指导学生社会实践的具体过程中，将对学生的世界观、价值观、人生观产生重大的影响。因此，对学生大学四个阶段的把握上要做到心中有数。也就是说，学生从大一到大四，每一年的班主任的工作重点是什么，要做到心中有数。例如，对于一年级的新生来说，初次离开父母，大多缺乏独立生活的能力，对周围的一切感到既新鲜又胆怯，很难立刻融入到大学生活中，也因上了大学而失去目标。因此这一时期的班主任工作是帮助学生尽快适应大学的生活环境和学习方式，为新生重新制定学习计划和学习目标，同时关注心理上有问题的学生情况。大学生在进入二年级以后，对环境、专业都有了比较充分的了解，不再像刚进校那样人云亦云，缺乏主见。这是大学生世界观、人生观形成的重要阶段，也是他们接触社会问题、政治问题、个人前途问题以及恋爱问题等较多的敏感时期。当他们面对一些困惑和问题时，思想往往容易转变，而有的班主任认为这时班级工作已基本步入正轨，开始撒手不管，其后果往往不堪设想。因此这一时期的班主任工作应侧重对学生进行人生观教育，树立学生自强自信、顽强拼搏、刻苦学习的精神和意志。同时，由于对专业认识上的模糊，以及对将来就业形势的不可预见性，使得有些学生开始对专业失去信心，从而学习上失去动力。针对这种情况，要引导学生进一步巩固专业思想，加强与专业有关的实践环节，培养专业兴趣，请本专业一些有成就的毕业生来校讲座，增强学习信心，同时鼓励学生一专多能，全面发展。另外在这一时期有的学生思想上出现松懈情绪，缺少进取精神，很想尝试谈恋爱。针对这些思想苗头，班主任要循循善诱，帮助大学生了解异性间的友情与爱情，使学生真正从思想上树立正确的恋爱观，引导他们在上学期间将更多的精力放在学习和成才上。大学最后一年，很快将面临就业问题，这时学生的思想负担较重，学生对个人的前途产生担忧，同学之间也可能出现相互封闭和猜测。因此，班主任要及时准确地把握他们的心理变化，帮助他们树立全新的择业观念，将国家的需要和个人的成才有机结合起来，本着服务社会的精神，实现自身人生价值。

第三，班主任是大学生思想行为的引路人。班主任在学风培养班级建设中不仅起着引导、指导和辅导的作用，而且，对学生走向社会后的人生定位也会产生潜移默化的影响。大学生是当代青年中知识较丰富的群体，也是党组织发展党员的主要对象之一。党要保持先进性，就必须把每一代人中的优秀分子吸收到党内来。高校学生党员从总体上看，是一群奋发向上、积极进取、刻苦学习的优秀青年群体，整体素质令人满意，但也存在许多不容忽视的问题。一些学生党员政治素质不足。随着市场经济的发展，社会对物质欲望的追求日益强烈，功利主义、实用主义、个人主义思潮相当普遍，这对高校学生党员产生了极大的影响。一些同学入党不是出于信仰和理想的追求，而是为就业和前途准备政治资本。针对当前在学生党员中存在的上述问题，班主任要帮助学生党员树立先进性标准，提醒学生党员要不断提高自身修养和自身素质。对于学生党员而言，先进性体现在具有社会责任感。现在很多青年人，包括一些年轻党员对社会、对身边的人和事情态度漠然，事不关己，高高挂起。党员对于普通群众，其特殊的地方就是能够在群众需要的时候挺身而出，保护群众的利益，协调群众关系。因此，作为班主任，应帮助学生党员努力关注时事，带动周围的同学团结合作，在工作、学习和社会生活中起到先锋模范作用。

三、坚持育人为本，不断创新班主任工作思路和方法

在新时期随着学生思想因素越来越复杂，了解学生真实的思想动向也变得越来越困难，除了通过调查、访谈、座谈等方式外，关注社会思潮，如互联网上的动态、阅读物的思想倾向等也非常重要。班主任在实际工作中，要坚持育人为本，不断创新思路和方法。一要与学生开展交心、谈心活动，建立良好融洽的师生关系。班主任在与学生交往时要以尊重学生为前提，以平等的姿态出现，让学生与教师产生情感上的共鸣，这样，学生会把教师当成敬爱的长者，教师的教诲才会被学生乐于接受，师生间的交往才能进一步深入。二要加强学生干部队伍建设。高素质的学生干部队伍是学校各项导向性措施的具体体现者，具有重要的引导和示范作用。由于学生干部队伍直接根植于学生之中，能够及时了解学生中的思想动态及学习生活中的具体问题和困难，既可以及时与学生沟通，又可以直接带动和影响周围的同学，因此，班主任对学生干部要重点扶持和支持，充分发挥他们的主观能动性，为他们的健康成长创造良好条件。三要树立健康向上的良好班风，为学生全面发展创造良好的外部条件。班集体对每个学生都

要有巨大的驱动力和制约力，由群体到形成一个班集体要有一个过程。首先，要确定能够被学生接纳的目标，使学生产生实现目标的精神要求。其次，在建立班级奋斗大目标时，帮助学生确立与之同轨的个人小目标，这样学生在大目标的实现过程中既能积极参加，又有责任感。第三，班集体必须有正确的舆论氛围，对集体成员的言行能起到制约和调节作用。第四，要充分调动和依靠社会力量，形成学校教育、家庭教育、社会教育相结合的综合教育体系。

四、加强业务学习，不断提高班主任工作质量和水平

1. 学习理解新《规定》。新《规定》作为高等学校管理学生的一种规范，体现依法管理的要义有三个方面：一是高校管理的全部价值应该体现的是服务；二是从立法的角度确立了学生的主体地位；三是强化了高等学校在管理中的责任。我们只有在领会了新《规定》精神内涵的基础上，才能够加以落实。

2. 从新生入学抓起，开创工作新局面。新生思想政治教育与管理是学生工作的重要组成部分。刚入学的新生，还不适应大学生活，又缺乏自我管理和自我控制能力，进入大学后想轻松一下，“混”的思想很容易滋生。根据这些情况，班主任和教师要深入到新生班级中去，加强思想政治教育和管理工作，着重帮助新生适应新的环境和大学生活，端正学习目的，确立新的目标。一是利用“新生军训”，进行严格的队伍训练和宿舍内务管理训练，使他们在从中学到大学的第一个过渡中养成良好的行为规范。二是结合入学教育，教育同学们继承和发扬先辈学者的治学精神，以主人翁的态度积极参与学校建设，珍惜和维护学校荣誉。三是加强新生专业思想教育，让学生了解所学专业的发展前景和目前状况，使学生增强社会责任感和事业心，热爱本专业，激发学习动力，从而树立新的学习目的和目标。四是注重心理健康教育。五是开展学生学籍管理教育，调动学生

的学习积极性，使学生懂得什么是对的，什么是错的，什么应该提倡，什么必须反对，做到有章可循，违章必究。六是围绕学生宿舍管理，大力倡导文明、规范行为，培养学生良好的生活和作息习惯，为以后的大学生活和形成良好的学风打下坚实的基础。

3. 抓好班级建设，促进学风转变。班级是大学的最基层单位。班风体现了一个班集体成员的共同精神风貌，在不断指导和调节每个成员的行动方向。良好的班风是形成良好学风的基础。作为班主任，首先，要建设一个团结向上的班委会和团支部，形成坚强的班级核心；其次，要指导班委会和团支部制定班级建设计划，并督查其实施情况；第三，要结合创优争先活动，坚持不懈地抓好班风建设，积极开展创建“优秀班集体”和“明星宿舍”活动。以共同的目标为班级成员明确努力方向，形成团结向上的风气。

4. 重视校园文化建设，营造良好学习环境。校园文化的内容、方式以及校园所形成的文化环境和文化氛围，对青年学生有着直接和潜移默化的作用，影响着学生的思想、品格、行为规范和生活方式的选择。因此，校园文化建设是开展学生思想道德素质与文化素质教育的重要载体和有效途径。一方面，校园文化拓展了学校思想道德教育的内容和方式，通过特定环境的熏陶与渗透，补充和强化了德育课堂教学所要达到的效果，另一方面，校园文化极大地丰富了学生的课余生活，从政治经济、科技艺术、道德心理等方面提高了学生的综合素质。所以，班主任要积极引导和组织学生开展健康向上的校园文化活动，努力营造良好的学习环境。

5. 发扬爱岗敬业精神，提高整体工作质量。班主任工作在维持学校正常教育教学秩序及学校的稳定和发展中具有重要作用。班主任要发扬爱岗敬业精神，树立高度的责任感、使命感和荣誉感，在工作实践中逐渐培养对学生的爱心和情感，全身心地投入到班主任工作当中，发挥个人的积极性、主动性和创造性，想方设法改进工作，抓出成效，抓出特色。只有热爱班主任工作，才能真正做到树师表、做表率，才能爱班级、爱学生，建立和谐的师生关系，在学生中树立威信，才能有效地促进人才培养，提高班级工作和班主任工作的整体质量和水平。

给学生工作干部的一封信*

全体学生工作系统的同仁：

2005—2006 学年飞逝而过。由于各位的敬业和辛劳，本学年的学生工作将画上一个圆满的句号。本想在放假前分别找大家谈谈心，交流你们今后的职业发展问题，但实在抽不出时间了，只能以信的形式进行书面交流。

作为你们的分管领导，同时也是老大姐，我感到，我们所有的学生工作干部都是非常可爱的，你们和学生的活力感染着我，使我的心也年轻起来。说句心里话，看到你们每个人的进步，我感到由衷的高兴，就像是看到自己的弟弟妹妹取得了成绩一样。

最近，我们学校刚刚开通了“大学生思想政治教育”这个职称系列，它的开通标志着我校学工队伍建设有了实质性的飞跃。昨天下午我们有 3 位学工参加了教育管理系列的职称答辩，今天上午又有 7 位学工参加了思想政治教育职称系列的首次答辩会。崔文志书记对你们的出色答辩给予了高度的评价，我心里别提多高兴了！

但是，我们仍有部分同志由于任职资格等原因，这次没有申报。有的同志找我谈到，思想政治系列职称的开通，大家一是高兴，二是压力不小，还有的同志已经开始对自己的发展定位着急了。我认为，这是可以理

* 这是 2006 年 7 月 19 日刘超美写给北京印刷学院学工干部的一封信。

解的，也是一种积极的态度。

如何定位自己今后的发展方向？下面我想就这个问题跟大家做一个交流。

第一，什么是个人发展方向？这是个首要的问题，我认为，个人的发展方向就是在我们的心目中，从儿时就追求，不断地朝着这个方向努力的一个目标。以我多年工作经验，个人的发展方向一定要和所在单位的发展乃至国家的发展紧密相连，具体而言，我们学工中有专门思想教育及相关专业毕业的研究生，也有本校毕业的本科生，还有“双肩挑”的教师。我们在学工岗位工作了2—3年之后，就必须要思考如何根据自己所学专业、现在的主岗和学院的专业特色，寻找职业发展的切入点和结合点，在做好本职工作的同时，进一步确立自己的职业方向，而不能盲目地这山望着那山高。俗话说得好，是金子到哪里都是闪光的。

第二，学生工作岗位是高校中最锻炼人的岗位。如果你今后想当一名出色的教师，那么你做几年学生工作后，会取得事半功倍的效果；如果你想当一名出色的管理干部，那你现在就把自己当成一个“小领导”，因为你在管理和引导着一群学生。从这次非教师系列职称答辩会可以看出，我们学工干部普遍语言表达能力和理论素养比较高，这就是学工岗位锻炼的结果。

第三，学生工作岗位是高校中的基层岗位。年轻人在基层从事最具体的工作，对今后是个很好的铺垫，这一点你们只有到了我这个年龄才能体会到。

第四，围绕抓好落实进行研究探索。有的同志总是强调工作太忙，没时间搞研究，一旦评职称的时候拿不出自己的科研成果，还有的人认为自己职位低，用不着研究探索。于是在工作中不动脑子想办法，工作水平得不到提高。实际上，由于每个人所处的岗位不同，担负的职责不同，研究探索对每个人应有不同的要求。作为从事具体工作的同志，则应注意从局部与全局的结合上去探索研究，弄清主要矛盾，把握工作规律，否则，就像盲人摸象，各执一端，不得要领，自然也就失去了工作的主动性。

前不久，我在校报上发表了一篇《我亲历的“雪域天路”》的文章，那是我年轻时候的一个小小片段，明天这篇文章就要发在《北京青年报》上，希望你们百忙当中一读，从中得出一些启迪：即吃苦是人生的一笔财富。希望你们在暑假当中，很好的调整自己，新的学年以饱满的精神状态和健康的身体迎接繁重的新生入学和教学评价工作。

欢迎大家在暑期与我在网上书信交流。祝您暑期快乐！

研究创新：当代大学生的崇高使命与现实追求*

信息时代、知识社会，创新的作用更加凸显，地位更加重要。在2005年的国家科学技术奖励大会上，温家宝总理指出："解决我国经济社会发展中的突出问题，根本要靠科技进步和创新。"2006年，国家召开全国科学技术大会，胡锦涛总书记强调：要坚持走中国特色自主创新道路，努力建设创新型国家。

对当代大学生来说，在人才云集、知识汇集、思想密集的高校中学习，作为未来国家建设的主导力量和社会进步的重要推动力，需要通过创新能力的培养和发挥来适应社会竞争，实现自我发展，因此，必然要以研究创新为崇高使命和现实追求。

之所以将研究和创新并提，是想强调：其一，大学生作为具有较高知识水平的群体，其创新活动以大量的信息占有和相对深入的知识研究为要件，是一种建立在研究学习基础上的创新，而非灵光一闪的小聪明或者现实生活的机巧智慧；其二，随着时代的发展，创新的难度日益增大，由于自身的主客观条件，大学生进行创新活动必须进行深入全面的研究，通过以严密的科学实验和缜密的逻辑推演为基本特征的研究方式实现。

无疑，进行这样的研究创新活动需要大学生有较强的思维能力，耗费

* 这是2006年7月20日刘超美为北京印刷学院大学生科技作品集撰写的序言。

大量的时间和精力。更为重要的是，大学生要发挥作为实践主体的主观能动性，立足自身，充分展示自己的聪明才智。注意结合自己的专业知识，结合自己的兴趣特长，结合社会发展的实际需要，将个人能量发挥到最大限度，能力得到最充分的锻炼。

但大学生立足自身搞创新并不意味着闭门造车。一方面，需要开阔眼界，博览群书，利用现代的信息技术手段获取大量的相关信息，在广泛占有材料的基础上，分析、归纳、演绎，通过各种方式进行创新，例如原始创新、集成创新、消化吸收再创新等；另一方面，受知识眼界阅历的局限，大学生必须、必然要求教于师长专家，不仅向自己任课教师，更应该向其他不熟悉的甚至是校外的专家、学者请教。这样才能博采众长、为我所用，才能使自己的创新成果更具创新性、更有价值。

大学生的研究创新活动主要在高校内进行。而鼓励、扶持大学生研究创新，是高校日常教育教学活动的重要内容，履行育人使命的基本体现，也是发挥自身信息、科研优势的应有之义。因此，高校应该从软硬件等各方面为大学生的研究创新提供相应的支持扶助，努力在大学校园内营造研究创新的环境和气氛。同时，也应该呼吁社会各界，与社会力量联合，推动大学生研究创新活动向更高层次、更深程度、更广领域发展。

北京印刷学院一贯重视学生研究创新活动，但成体系、有计划、大规模的活动规划起步较晚。2002 年 11 月，学校筹划启动了“大学生科技活动周”，将当年学生的科研作品汇集展览，此后每年一次。至 2005 年 4 月，学校又启动了“大学生科研计划”，由学校科研产业处设立资助基金，通过评审学生自主申报的科研课题，确定 53 项学生课题资助项目。这些课题均有专业教师指导，学生进行了科学的规划、论证，科研产业处的同志从评审到运作，全程督导。在 2006 年 11 月的大学生科技活动周上，80%的展示作品为学生科研计划课题的研究成果，师生反响强烈，效果良好。2005 年底，学科科研课题顺利结题。以此为基础，2006 年学校进一步设立了“大学生研究计划基金”，当年审批、资助学生科研课题 108 项，有力、有效地引导、扶持、推进了我校学生研究创新活动。

如今，科研产业处的同志将 2005 年大学生科研计划的部分课题成果汇编成册，是一种历史的回顾，也是一种自勉。我希望，也相信，这些科研作品与我校学生的诸多科研作品相比，是微不足道的，与未来学生的研究创新成果相比，更是沧海一粟！

完善“二课堂”教育体系 搭建素质教育平台*

“二课堂”是高校教育的重要组成部分，是落实素质教育的重要阵地。要真正发挥“二课堂”在学生综合素质培养中的作用，笔者认为必须在健全“二课堂”教育体制的基础上，完善“二课堂”教育体系，搭建素质教育的平台。

一、健全教育体制，确保有效运行

“二课堂”教育的有效开展，必须有切合实际的管理体制和完善的制度作保障。

（一）管理体制是“二课堂”教育有效运行的组织保障

学校要改变传统的由教务处或团委负责“二课堂”的教育模式，成立由主管教学、学生工作的校领导、各有关部门领导组成的“二课堂”领导小组，领导小组下设办公室作为其常设机构来统筹规划，并指导有关部门开展“二课堂”教育教学活动。二级学院也要改变传统的由分团委负责“二课堂”的教育模式，成立由主管教学和学生工作的领导、学生

* 此文发表于《北京教育（高教版）》2006 年第 11 期，作者为刘超美、高杨文。

工作负责人组成的管理机构，负责“二课堂”教育在本单位的具体实施。经过多年的探索，我校成立了“北京印刷学院二课堂教育教学工作指导委员会”，委员会下设“办公室”（挂靠在团委），全面负责“二课堂”的规划和教育教学的管理。二级学院党总支根据学校“二课堂”规划负责制定本学院“二课堂”规划，并指导学工组、分团委开展“二课堂”教育工作。

（二）管理制度是“二课堂”教育有效开展的制度保障

第一，必须将“二课堂”教育纳入培养方案，并给予一定的学时和学分，只有这样才能为“二课堂”教育的有效开展提供源动力。第二，必须按照“教学模式”管理“二课堂”。“二课堂”教育的每一个模块应当有教学大纲，每学期要按照培养方案的要求下达教学任务书，按照教学大纲的要求开展教育活动。第三，必须有一套完善的“二课堂”教育教学管理制度及档案体系。第四，要建立完善的“二课堂”教师管理制度，对涉及教师利益的“工作职责、教学工作量、职称评定”等要有明确的规定。我校在2005级本科生培养方案中把“二课堂”纳入其中，给予7个学分，并制定出台了《北京印刷学院“二课堂”教育实施细则》《北京印刷学院“二课堂”学分管理办法》等文件。

二、加强体系建设，搭建教育平台

“二课堂”教育必须围绕学生“思想素质、身心素质、业务素质、文化素质”的培养来开展，形成以“学生素质”培养为核心的“二课堂”教育体系。

（一）科学规划，构建体系

“二课堂”不可能取代“一课堂”的主渠道作用，因此，必须明确其在人才培养中的定位：“二课堂”只能是对学生综合素质（尤其是业务素质）的拓展。基于这种认识，在“二课堂”规划及体系建设上必须注意与“一课堂”衔接。

学生的思想素质：“一课堂”主要通过“思想政治理论课”“军事理论课”等培养，“二课堂”要通过组织开展“思想政治理论实践课”“军事训练”“形势政策教育”“主题教育活动”“社会实践”“理论类社团活动”等来培养。

学生的身心素质：“一课堂”主要通过“体育课”“心理健康课”等来培养，“二课堂”要通过组织开展“课外体育锻炼”“体育专项活动”“体育社团活动”“心理咨询服务”“心理普查”“心理社团活动”等来培养。

学生的业务素质：“一课堂”主要通过“专业课”“实验课”“实训课”等来培养，“二课堂”要通过组织开展“课外学术讲座”“学科竞赛”“课外科技活动教学建设与改革”“专业实习”等来培养。

学生的文化素质：“一课堂”主要通过“人文社会科学课”来培养，“二课堂”要通过组织开展“人文社科讲座”“文化类社团活动”“文化类竞赛”等来培养。

我校根据学生综合素质培养的需要，在整合传统“二课堂”资源的基础上，对“二课堂”模块作了以下界定：

（二）搭建平台，确保实效

“二课堂”教育目标的实现除了有科学的教育体系之外，还必须要有相应的教育平台，笔者认为以下五大平台在学生综合素质培养中有着重要的作用。

思想政治教育平台。当前，要做好大学生思想政治教育工作，一要在充分调研的基础上，科学规划，加强宏观指导；二要形成全员、全过程、全方位的工作格局；三要有一支高素质的学生工作队伍；四要不断创新教育形式，丰富教育内容。按照这一指导思想，我校形成了“以‘德育大纲’和‘德育十一五规划’为指导、以‘学生工作干部队伍建设’为保障、以‘学生党、团建设’为支撑、以‘主题教育活动’为载体、以‘校园文化活动’为补充”的学生思想政治教育格局。

心理健康教育平台。当前，大学生心理健康问题日渐成为社会关注的焦点，各高校纷纷加大了该平台建设的力度。我校从 2003 年开始启动心理健康教育工作，现已基本构建了“心理咨询”“心理普查”“心理课外教育活动”“心理课堂教育”为主体的心理健康教育平台。我院创办了《心语·阳光》报、开通了“心灵有约”网站、编辑出版了《校园心理健康随身行》《心语·阳光》特刊等宣传材料；“学生心理协会”定期开展“成长训练营”“心灵剧场”“心理知识小课堂”“大学生心理文化节”等课外教育活动。通过开展这些工作，有效避免了因心理问题而发生的恶性事件。

创新教育平台。课外科技活动是培养学生创新意识、提高学生创新能力、拓展学生业务素质的重要途径。经过多年的探索，我校形成了“以‘课外学术讲座’为基础、以‘大学生科技活动周’为载体、以‘大学生研究计划’为龙头、以‘学生科技小组’为依托”的学生课外科技活动平台。至今，我校已成功举办了 4 届“大学生科技活动周”，参与科技活动周各项活动的学生超过了 9.5 万人次；从 2005 年开始启动“大学生研究计划”以来，共支持学生科研项目 198 项，平均每年举办学术讲座 30 余场。

文化素质教育平台。课外文艺活动是校园文化的一种重要表现形式，对于营造良好的校园氛围、培养学生的文化素养有积极的促进作用。我校形成了“以‘校园文化艺术节’为载体，以‘印院大讲坛’为品牌、以‘学生社团活动’为阵地”的课外文艺活动平台。

“校园文化艺术节”已成为我校一个品牌活动；“印院大讲坛”成为课外人文社科知识教育的一条主要渠道；丰富多彩的社团活动成为学生锻炼和提高自身文化艺术素质的重要阵地。

社会实践教育平台。社会实践既是学生接触社会、提高社会认知水平的重要渠道，又是培养学生实践能力的重要途径，对于学生综合素质的培养由“认知”向“践行”转变有重要的促进作用。经过3年多的积极探索，我校逐步建立了“实践管理项目化、实践组织基地化、实践经费社会化、实践特色行业化”的社会实践运作机制。

2004年以来，共建立社会实践基地19个，社会筹资25万元，除传统的“三下乡”“四进社区”等活动形式外，重点放在了与行业结合上。

2004年开展了“走向企业，与行业同行”主题实践活动，2005年开展了“寻访校友足迹，寻找人生坐标”主题实践活动，架起了学生与行业沟通的桥梁。

祝贺波兰招贴画展成功举行*

克日什托夫·舒姆斯基大使、各位老师、各位同学：

大家中午好！

波兰招贴画展新闻发布会现在开始。首先让我们以热烈的掌声对波兰驻华大使克日什托夫·舒姆斯基先生再次莅临我校表示欢迎！对为波兰招贴画展成功举办付出心血的同志们表示感谢！

* 这是2006年12月20日刘超美在北京印刷学院波兰招贴画展新闻发布会上的致辞。

2006 年 12 月 20 日，刘超美出席北京印刷学院波兰招贴画展新闻发布会

舒姆斯基先生曾经于今年 10 月 18 日带领波兰大使馆相关工作人员到我校访问，曲德森校长率图书馆、团委等部门的老师们热情地接待了大使先生。其间，双方积极地探讨了彼此的文化交流合作问题，达成了合作意向。这次招贴画展就是波兰驻华大使馆与我校进行文化交流合作的重要内容。

这次招贴画展是由我校外籍教师曹南希女士、苏世军老师牵头联系的，波兰驻华大使馆的朋友们给予了热情的支持和大力的协助。现在整个展览的现场布置工作已经全部完成，新闻发布会结束后，波兰招贴画展将正式开始。此次展览的时间是从本周三到下周三，每天从早 8 点到晚 10 点，均为展示时间，地点在图书馆一层，欢迎各位老师、同学前往参观。

承前启后　继往开来
提高大学生科技创新水平*

经过一个多月的精心筹备和认真组织，经过学校相关职能部门的努力工作，在社会各界的鼎力支持和学校师生的积极参与下，北京印刷学院第五届大学生科技节取得了圆满成功，今天胜利闭幕！在此，我代表学校向为科技节的顺利举办付出辛勤劳动的各位老师和踊跃参加各项科技活动的各位同学表示诚挚的谢意！向在科技节中表现优异、获得各类科技奖项的同学和老师表示衷心的祝贺！

这次科技节的举办，承接我校顺利进行国家本科教学水平评估的发展态势，紧抓学院筹划、实施“十一五”发展规划的重要契机，吸纳校园内外的力量，整合学校各种资源，精心策划，周密布置，在内容、主题、形式等方面开拓探索，进一步培养了学生求真务实、践行真知的精神，提升了学生科技创造、研究创新的能力，扩大了活动范围，宣传了学校形象，成绩显著，效果良好，是一次创新的、盛大的、成功的科技节。

从总体上看，第五届大学生科技节呈现出 4 个特点。

第一，结合学校专业特色，把握时代发展主题，体现实践应用需要。此次科技节以“崇尚科学、追求创新、服务创业、贡献社会”为主题，

---

* 这是 2006 年 12 月 27 日刘超美在北京印刷学院第五届大学生科技节闭幕式暨“第二课堂”指导委员会委员聘任仪式上的讲话。

各项科技活动和学生的科技作品，多立足于学校特色专业，植根于学校日常教育教学活动，紧扣国家“坚持走中国特色自主创新道路，努力建设创新型国家”的发展战略，契合为2008年北京奥运会的开展贡献聪明才智的主旨，贴近首都当前社会发展的实际需求，具有较强的时代感和现实性。比如竞赛类活动围绕奥运的举办和学校的建设、学术讲座结合学院特色报告前沿学术问题、学生科技作品以专业学习和现实应用为重心等。

第二，内容丰富多彩，形式灵活多样，数量与质量同步提升。本次科技节在内容上涵盖了科技、自然、人文、艺术等多个方面，既发挥了学校学科特色优势，举办了精彩的专业学术报告，还进行了人文社科和科技自然等方面的知识普及讲座，增强了学术品位，提高了文化底蕴；在形式上，不仅有传统的学术讲座、科技竞赛、科技作品展示，还增加了艺术展览、科技电影，以更加灵活多样的形式满足了同学们创新、学习的需求。据统计，2016年科技作品展示参展作品共计396项，各类讲座10余场，科技竞赛3项，艺术展览2场，电影巡展9场，各类活动共有约8000人次参与，校园内的师生和前来我校参观的领导、嘉宾都对此次科技节的活动予以肯定和赞赏，首都的部分媒体还对我校科技节盛况进行了报道。

第三，与外界合作交流，拓展了活动范围，扩大了学校影响。这次科技节，学校一方面积极联络大兴区政府、印刷出版行业企业、兄弟院校、新闻媒体等各界嘉宾友人，邀请他们参加学生科技活动，参观品评我校学生的科技作品，并探讨合作事宜；另一方面，还与埃及驻华大使馆、波兰驻华大使馆等国外机构洽谈、协商，相继举行了埃及艺术展和波兰招贴画展，取得了良好的社会反响，好评如潮。科技节期间，除了埃及驻华大使、波兰驻华大使、大兴区政府和相关职能部门的领导纷纷光临我校，还有清华大学、中央工艺美术学院等高校的同学前来参观、学习，大大增强了学校影响力，宣传了学校形象。

第四，完善活动制度，探索制度创新，注重学生科技活动长效机制的建设。从2002年大学生科技节举办以来，学校以启动大学生研究计划、

成立大学生科技活动评审委员会、设立大学生科技活动专项资金等为抓手，不断进行大学生科技活动的制度建设与完善。今年科技节期间，学校组织博士巡讲团，作为开展学术讲座的骨干力量，推进学校学术氛围营造，使其制度化、规范化、长期化，同时成立学生“第二课堂”指导委员会，强化学生科技活动的指导力量。这有力推进了我校学生科技活动长效机制的建设，体现了我校以重大活动为契机，努力构建长效工作机制的优良作风。

老师们、同学们，第五届大学生科技节就要结束了，我们取得了圆满成功，实现了多方面的收获。通过这次科技节，学生的科研创新能力和文化素养得到加强，“第二课堂”教育教学活动机制得到完善，校园科技文化氛围得到丰富，学校的办学范围、整体形象等也得到了拓展和提升。

承前启后，继往开来。我们也应该看到，摆在学校师生面前的任务还很重：学生的科技创新水平和学校整体科研能力亟须进一步提高，“教评”之后各项整改措施需要大家深入细致地去完成，实现学校“十一五”发展规划的重担需要师生协力挑起，我国建设创新型国家的战略任务还很艰巨。因此，我们应认真总结成功经验，勇敢担负发展重任，在科研创新方面不断实现新的突破和新的发展。

在此，我代表学校向大家提出几点希望。

第一，树立研究创新的观念，深入持续地开展科技创新活动。高校研究资源丰富优良，社会对创新的需求日益增强，但创新的客观难度日益增大，创新的风气与氛围还存在一些不利因素。因此，必须踏踏实实，戒骄戒躁，以认真、严谨、沉稳、果敢的精神，从长远出发、从科学出发，深入持续地开展科技创新活动。

第二，与常规的教育教学活动结合，夯实科技创新的基础，增强科技创新的动力。创造性成果的获得不是朝夕之功，需要长期的积累和钻研。科技创新能力的提高，也非一日一时的培养可以实现。所以，广大师生应该共同努力，以常规的学习活动为基础和平台，实现我校科研水平提升和科研成果丰硕的良好局面。

第三，师生合作互动，团队协作共进，依靠集体的力量推进我校科研工作。优秀科研活动成果的取得，优良科研工作局面的形成，归根结底都是集体智慧和劳动的结晶。我们应大力支持师生协作进行科研活动，促进优秀教师带学生、骨干学生带群体的培养机制的实现，在营造全员科研创新氛围的基础上，使学校重点科研团队、骨干科研力量、优秀科研人才层出不穷。

第四，加强体制机制建设，努力为科研创新活动的开展提供有力的制度保障。没有完善的制度保障，科研创新活动就难以长期、有效地开展。我们要发挥制度的作用，整合资源，建立机制，激发师生的科研热情与潜力。希望大家一方面发挥主观能动性，在现有条件的基础上积极参与科技创新活动；另一方面踊跃建言献策，为相关制度的完善贡献力量。

老师们，同学们，创新是一个民族进步的灵魂，是一个国家兴旺发达的不竭动力，也是我们每个人成就自我、贡献社会的根本途径。希望我校学生科技创新活动在本次科技节之后，持续推进，不断完善；希望我校学子在科技创新方面再接再厉，取得新的更多的成绩！

最后，在新年到来之际，恭祝大家新年愉快、身体健康、阖家幸福！

积极磨炼　奋发有为
为构建和谐社会竭尽所能*

仲夏七月，在欢庆香港回归十周年、喜迎党的十七大召开的气氛中，我们依依不舍地欢送2007届的印院学子！

大学时代是人生之中的关键时期，既让人永远铭记，也让我们终身受益。值得自豪和怀念的是，你们选择了印刷学院，选择了印院8500名师生和你们共度这弥足珍贵的4年。而这4年，无论是在印院的历史上还是在你的人生道路上，都将深深铭刻。

今年，广大毕业生在老师的指导下，响应国家深入基层、走向农村、转变观念、服务社会的号召，克服困难，积极就业，为美好的大学生活画上了圆满的句号！这是你们超越自我、求实开拓的明证，也是学校培养优秀人才的骄傲。

作为即将告别母校的青年才俊，相信大家会发扬学校传统，投身时代发展，诚信为人，积极磨炼，奋发有为，使自己成长、成才、成功，为和谐社会的构建竭尽所能！

纸短情长，衷心祝愿同学们一路顺风、万事如意！

又是一年别离时！

离别的旋律在青葱的印苑萦回，分别的眼泪滴湿栀子花蕊，送行宴让

---

* 这是2007年7月1日刘超美在北京印刷学院2007届毕业生毕业典礼上的致辞。

人一次次恋恋心醉……

七月灿烂的阳光，照耀着你的行囊，湿润着我的心房。在你匆匆的忙碌中，我们精心串起你在印院走过的白、橙、黄、绿、红、蓝、金的七色人生驿站，铭刻彼此共度的大学时光。透过那些熟悉的文字与图像，我们的爱与关怀、情与期待，已然盈盈其间——希望你能感知。

此刻，前方已在招手，你将继续行走人生之旅。智者无惧，行者无疆。心怀梦想，身负重任，行进成为你不朽的称谓。我们衷心祝福，祝福从印院走出的青年才俊诚信为人，直面现实，积极磨炼，奋发有为；我们诚挚期盼，企盼你们心中常念印院，暇机回家看看……

朋友们，一路走好！

增强学生国防观念和国家安全意识*

2007 年举国上下喜迎党的十七大，全面备战奥运。我校在顺利通过教育部专家教学评估之后，专心致志抓整改，即将接受北京市党建思想政治评估工作检查。8 月 31 日至 9 月 14 日，我校 2007 级新生军训全面开展，并圆满完成。

2007 年 8 月 31 日，刘超美（左二）在北京印刷学院 2007 级新生开学典礼暨军训动员大会上讲话

* 这是 2007 年 9 月 9 日刘超美所作的北京印刷学院 2007 级新生军训工作总结。

总结 14 天的军训工作，学生们很好地完成了训练计划和学习科目，强化了纪律观念、集体荣誉感，增强了国防观念和国家安全意识，综合素质得到了较大提高，训练效果好，汇报表演受到学校领导的好评。

现就 2007 年学生军训工作，从以下几个方面进行总结：

一、领导重视

军训领导小组会同各二级学院、后勤服务中心、保卫处等部门召开军训工作协调会，做好对学生和部队官兵的管理与服务工作，尽全力安排好部队官兵的食宿问题，用“宾馆式”服务为广大官兵提供满意的服务，为训练做好物质保障。在训练期间，学校领导非常关心学生和教官食宿问题，多次协调解决康庄、本校区学生的伙食问题，并且就训练中出现的问题及时与部队协商解决，保障了训练效果。重视总结交流，军训工作结束后与部队领导进行军校两地座谈会，交换工作经验和意见，为双方今后工作起到了借鉴与促进作用。

二、部队方面

今年入驻我校进行施训的是北京市武警总队一支队，部队领导非常重视此次任务，从施训开始部队多次开会进行总结，积极结合训练中出现的问题和校方提出的意见，对官兵讲方法、讲要求、讲纪律，不断调整官兵的训练状态。承训部队进行高标准、严要求的管理，并且不断研究调整训练计划和方法，同时对学生训练纪律、内务整理等关键环节进行过程管理。由于广大官兵积极组织训练，方法得当，训练效果不断提高，保障了训练计划的完成，取得了汇演的成功，达到了军训的目的。

三、学生方面

学生训练热情高涨，有很多学生带病训练，直到坚持不住为止，有的同学为了上方队还隐瞒病情。连队之间在训练中比赶超，在休息期间积极投稿，积极为大家唱歌，集体之间进行拉歌表演，表现出强烈的集体荣誉感，尤其是职业技术学院和出版传播与管理学院整体表现突出，其他二级学院也不乏表现突出的个人。在拔河比赛、合唱比赛以及演讲比赛等活动中，学生和教官之间形成了融洽的官与兵、师与生的关系，无形当中为顺利完成训练、取得硕果，起到了助推作用。

四、学生工作干部方面

各个二级学院的学生工作干部积极组织值班、后勤服务等工作，安排班主任、学工老师、学生辅导员进行现场值班，在医疗、饮水、配合部队训练等方面起到了积极作用。此外，学工老师晚上还坚持值班，及时解决问题。

五、宣传教育

做好宣传教育工作是促进训练效果的有效手段，也是宣传军事国防、激发学生爱国热情、增强国防意识的有效途径。在军训期间，我们展开多种形式的宣传工作，如军训工作简报、军训时讯以及各二级学院的海报宣传等等，都起到了宣传教育与引导作用。

六、积极协调

康庄校区与本校军训工作达到步调一致。由于训练分为两个场地，所以两个校区及时沟通，以求在训练进度、训练方法等方面达到步调一致。

七、存在问题

1. 整体协调工作需要进一步科学合理分布。迎新工作、入学教育、军训等工作时间安排过于紧密，工作负荷大，在一定程度上影响时效性。

2. 由于临时改变训练地点，时间紧、任务重，一些细节工作到位情况欠缺。

3. 康庄校区独立在外训练，场地有限，与其他二级学院交流不够，不能形成比赶超态势，但成绩显著。

4. 由于客观条件所限，高职学生来往训练场与校区间比较辛苦，但学生们的意志品质得到锻炼。

地方（行业）高校科学发展与领导干部政绩观*

党的十七大报告指出：在新的发展阶段继续全面建设小康社会、发展中国特色社会主义，必须坚持以邓小平理论和“三个代表”重要思想为指导，深入贯彻落实科学发展观。科学发展观是我国经济社会发展的重要指导方针，是发展中国特色社会主义必须坚持和贯彻的重大战略思想。笔者认为：当前地方（行业）高校深入落实科学发展观，主要任务是科学定位、提高质量、办出特色，培养地方（行业）所需要的应用型人才；关键是高校领导干部要树立正确的政绩观，增强主动服务地方（行业）的责任感。

一、深入贯彻落实科学发展观，树立正确的政绩观是关键

发展观是关于发展的本质、目的、内涵、要求的总体看法和根本观点。科学发展观是关于科学发展的认识论，是新的历史条件下党对发展规律在认识上的升华，它回答了发展什么和怎样发展的问题，决定着发

* 这是刘超美撰写的“2007 年领导干部学习党的十七大报告”学习心得，获评中共北京市委宣传部 2007 年度北京市局级干部优秀理论文章二等奖。

展目标、思路、战略和结果。政绩观则是领导干部从政业绩的认识论，是发展观在领导业绩上的具体体现，决定着执政理念、执政能力和水平。

（一）正确把握发展观与政绩观的辩证关系

从哲学意义上讲，发展观是政绩观的前提和基础。科学发展观决定正确政绩观，真正坚持科学发展观，必定会坚持正确政绩观。一方面，政绩是相对于发展而言的，是在促进发展的过程中创造的，谈论政绩就意味着实现了经济社会的某种发展；离开了发展，谈论政绩就毫无意义。另一方面，在实践中，有什么样的政绩观就会逐步导致什么样的发展观，政绩观的变化会对发展观带来重大影响。

（二）科学的发展观引导着正确的政绩观

党的十七大报告指出："科学发展观，第一要义是发展，核心是以人为本，基本要求是全面协调可持续，根本方法是统筹兼顾。"科学发展观把发展作为党执政兴国的第一要务，这就决定了领导干部创政绩要牢牢扭住经济建设这个中心，既要坚持聚精会神搞建设、一心一意谋发展，不断解放和发展生产力，又要坚持科教兴国、人才强国、可持续发展战略，着力把握发展规律、创新发展理念、转变发展方式、破解发展难题，提高发展质量和效益，实现又好又快发展；科学发展观的核心是以人为本，这就决定了领导干部必须始终把实现好、维护好、发展好最广大人民的根本利益作为正确政绩观的根本价值标准；科学发展观强调全面协调可持续发展，这就决定了领导干部在创政绩的过程中必须正确处理速度与效益、效率与公平、局部与全局、人与自然、经济发展与人口资源环境等之间的关系，保证发展的连续性、长远性和稳定性；科学发展观强调必须坚持统筹兼顾，这就决定了创政绩必须避免顾此失彼，既要总揽全局、统筹规划，又要着力解决影响和制约科学发展的突出问题，全面推进经济建设、政治建设、文化建设、社会建设，努力构建和谐社会。

（三）正确的政绩观实践着科学的发展观

科学发展观与正确政绩观是紧密联系的。科学发展观是正确政绩观的思想基础，树立正确政绩观是落实科学发展观的重要保障和具体体现。科学发展观强调的是用科学的思想和方法研究解决发展问题，努力实现经济社会又快又好的发展；正确政绩观强调的是用正确的方法和途径创造政绩。有什么样的发展观，就会有什么样的政绩观。领导干部有无正确的政绩观，取决于他有没有科学的发展观。政绩观保证发展观的落实，没有正确的政绩观，科学发展观也难以得到有效贯彻。

（四）办好人民满意的教育是高校领导追求政绩的根本目的

党的十七大报告指出："教育是民族振兴的基石，教育公平是社会公平的基础。要全面贯彻党的教育方针，坚持育人为本、德育为先，全面实施素质教育，提高教育现代化水平，培养德智体美全面发展的社会主义建设者和接班人，办好人民满意的教育。"从社会建设和关注民生的视野来考察教育，充分说明了新一届党中央在推进中国特色社会主义事业的全过程中，对教育的地位、作用和功能的全面深刻认识，即上升到党的根本宗旨——为人民服务的高度。由此要求高校领导干部必须要站在民族振兴的高度，以教育为人民服务为根本宗旨，把办好人民满意的教育作为追求政绩的根本目的。

二、影响地方（行业）高校科学发展的突出问题及原因

进入 21 世纪以来，我国高等教育实现了跨越式大发展，为现代化建设培养了大批人才。在此过程中，一批行业性高校划转以地方管理为主，在发展的内外部环境方面都发生了相应的变化。

（一）制约地方（行业）高校科学发展的内外部因素

"十五"期间，各级地方政府对划转的高校在办学经费上普遍给予了

较大的财政投入，特别是北京等发达地区的高校更加明显，使这些学校的校园环境和教学设施得到了极大的改善，特别是经过教育部本科教学评估后，多数高校不仅在办学条件等方面获得了很大的改观，而且也在教学质量等方面得到了明显提高。由此，不少高校在本科教学评估中获得了优良的成绩。但是，由于这类高校过去长期处于行业性办学，划转以地方管理为主以后，在科学发展方面，面临着一些内外部的制约因素。外部的制约因素主要包括：生源质量、发展空间和发展经费等；内部制约因素主要有发展定位、办学质量、办学特色等。对于上述制约地方（行业）高校的外部因素，党的十七大报告从改善民生的高度提出了加强基础教育、提高高等教育质量和加大财政对教育投入等一系列政策措施来逐渐加以解决。从地方（行业）高校自身角度讲，更为关键的是练好培养应用型人才的“内功”，针对制约学校发展的内部因素，开展现代大学理念的深入讨论，着力转变不适应不符合科学发展观的思想观念，着力解决影响和制约科学发展的突出问题。

（二）影响地方（行业）高校科学发展的突出问题

当前影响和制约地方（行业）高校科学发展的突出问题主要有以下几方面：

1. 科学制定发展规划不够。深化发展战略研究，科学制定发展规划是高校科学发展的首要问题，也是实现科学发展的必由之路。高校发展规划的核心是办学定位问题。科学准确的办学定位是一所高校快速、稳定、健康发展的重要保证，是一所学校办出特色的关键。从目前部分地方（行业）高校所制定的《“十一五”发展规划》来看，之所以还存在与地方和行业的实际要求不相符合的问题，其主要原因在于一些学校在制定发展规划时没有对地区（行业）社会经济发展趋势进行深入的战略研究和科学的分析，根据需要与可能作出整体上的把握，而是一味追求定位上的高和名声上的大，致使有些高校贪大求全，模式趋同，盲目攀比。关于学校的定位，《国家教学工作水平评估方案说明》中所作的解释是：根据经

济和社会发展需要，自身条件和发展潜力，找准学校在人才培养中的位置，确定学校在一定时间的总体目标，培养人才的层次、类型和人才的主要服务方向。因此，地方（行业）高校要对自己定位的区域和行业经济范围内的现有经济社会状态，包括主要产业结构、发展规划和方向、发展动态、现有人才的状况及各类人才需求的情况等进行分析，结合自身发展的历史积累和现实条件，科学确定自己的发展方向，并确立学校服务社会特有的区域和行业空间、人才培养目标和规格。地方（行业）高校需要从区域经济和行业社会发展两个维度对教育所提出的要求来考虑定位，同时也要从教育自身的发展角度来思考。

2. 办学质量与地方（行业）的要求差距较大。随着我国高等教育进入大众化普及阶段，高校之间的竞争更加激烈，竞争的核心是教育质量问题。大多数地方（行业）高校由于办学时间短，教学科研水平普遍不高，缺少对地方（行业）有影响力的“大师”级学术人物和科研成果，加之学生人数增长速度很快，而师资成长需要较长周期，整体师资水平较低，师资队伍的稳定与发展面临较大压力，办学质量难以在短时间内提升；专业设置紧贴地方（行业）发展需求不够，随着市场对人才竞争的日益激烈，人才培养质量还不能较好满足地方（行业）的需求。

3. 办学特色缺乏进一步凝练和深化。地方（行业）高校大部分是在20世纪50年代初或70年代末成立的，在专业设置、培养目标等方面有着深刻的时代背景，拥有鲜明的行业特色和时代特征。相当一部分地方（行业）高校自2000年划转以来，至今仍没有很好地解决顶行业之“天”和立地方之“地”这一问题。一是与行业的“紧密度”正在朝着渐行渐远的方向行进，地方（行业）高校究竟是以拓宽基础为导向，还是以强化专业教育为导向？目前的情况是部分学校脱离实际，盲目追求拓宽基础，大量开设流于形式的“新”课程，造成课程多，精品少，学生实践能力差，办学特色没有得到充分体现和深化。二是为地方服务的定位没有找准，如何提升学校在地方的办学活力和市场竞争力，奠定自己的社会地位。办学特色有利于地方（行业）高校形成教育品牌，通过局部品牌战略，带动学校整体全面、协调、可持续发展。从这个意义上讲，办学特色也是一种发展战略，是地方高校可持续发展的战略选择。“教育是一种服务”的观念在国际上早已流行，并成为一种发展趋势。学生是高校的教育产品。地方（行业）高校必须为他们提供优质的教育服务，这是学校吸引生源的持久力。

（二）影响地方（行业）高校科学发展的主要原因

就地方（高校）内部而言，当前影响地方（行业）高校科学发展的主要原因：一是少数高校领导干部不能全面把握科学发展观的科学内涵和精神实质，由于这类高校普遍办学历史短、文化积淀浅，领导干部长期处于一地，视野受到一定影响，导致缺乏宏观战略眼光和深厚的理论底蕴，不能深刻地认识和把握“市情、行情、校情”，从而合理确定办学定位和科学制定发展规划；二是部分高校领导干部受社会不良风气影响，没有树立和坚持正确的政绩观，订规划“重近轻远、重物轻人”，想问题“重表轻里、重局部轻全局、重投入轻收益”，做事情“重虚轻实、重显轻潜、重硬轻软”，说到底是政绩观出现了偏离。实践证明：地方（行业）高校领导的政绩观正确与否不仅对其学校能否科学发展关系重大，而且对所在地区的经济文化能否协调发展具有间接的影响。

三、树立正确的政绩观，推进地方（行业）高校科学发展

科学发展观解决要不要发展、如何发展的问题，而正确的政绩观解决的是发展为什么，为谁发展的问题。作为地方（行业）高校的领导干部，必须从地方（行业）和本校的实际出发，在思想作风上坚持以科学发展观为指导，在领导作风上坚持以正确的政绩观为价值取向，追求经得起群众、实践和历史检验的政绩。

（一）进一步增强为地方（行业）服务的自觉性和责任感

党的十七大报告把“提高自主创新能力，建设创新型国家”作为国家发展战略的核心和提高综合国力的关键。地方高校领导干部必须树立为地方（行业）建立技术创新体系主动服务的自觉性，增强为地方（行业）培养创新人才的责任感。坚持“以服务求生存，以贡献求发展”的发展方针，坚持把培养地方（行业）所需要的应用型人才作为目标定位，以创新促进人才培养质量提高。一是地方（行业）高校要真正树立为学生全面发展的思想观念，要强化学生能力培养的意识，尤其是实践能力和创新能力的培养，要树立“大实践”的思想，“大实践”是在每一个教育教学环节中都需要有实践内容，让学生每年每学期都能够得到实践的锻炼。二是地方（行业）高校要科学设计人才培养体系，以地方（行业）市场需求为导向，科学设计课程体系、实践体系，正确处理课内与课外，基础与专业，理论与实践，教育与管理、服务，校内教育与校外教育等环节，优化课程模块，突出方向性课程模块，加大选修课程模块和辅修课程模块，增强课程的引导性和学生的选择性，建立规格多样的人才培养制度。针对大众化高等教育的特点以及地方（行业）需求的实际，设计不同的基础课群、专业课群、实践教学环节群，构成可以组合成不同要求的知识与技能模块，把不同层次学生培养成人成才，为地方（行业）的发展服务。三是要广泛利用和充分挖掘地方（行业）资源，为我所用。四是要大力引进国内外各种优质教育资源，引进国外先进的教育模式、手段和方法，设备、技术和资质，开展多种现代资质技能培训，使不同层次学生获得适应社会需要的就业能力。

（二）进一步增强坚持社会主义办学方向的自觉性和坚定性

为谁培养人，培养什么样的人，怎样培养人，是党的高等教育事业必须首先解决的重大问题，是普通高等学校必须首先明确的重大问题。在大学教育阶段，通过知识的学习和专业训练，将受教育者培养成为具有创新能力和创新意识的社会主义建设者无疑是十分重要的，而通过有效的思想政治教育，使他们树立正确的世界观、人生观、价值观，使社会主义核心价值体系成为广大青年学生的自觉认识和终极价值取向，从而成为为中国特色社会主义事业自觉奋斗的可靠的接班人，直接关系到党的事业的兴衰成败，关系到中华民族的前途命运。因此，高校党的组织和领导干部，要深刻领会党的十七大报告关于“中国特色社会主义伟大旗帜，是当代中国发展进步的旗帜，是全党全国各族人民团结奋斗的旗帜”的思想，坚持正确的政治方向，坚持德育为先，坚持育人为本。无论是教学、管理还是服务，都要时刻注意把握社会主义方向，坚持用中国特色社会主义共同理想培育学生，使中国特色社会主义成为广大青年学生的共同理想和信念。

（三）进一步增强推进高校科学发展的自觉性和坚定性

目前，地方（行业）高校发展的任务十分艰巨。一方面，大多数学校都要通过发展跻身于优质高校行列，都要通过提升科学研究水平、增强自主创新能力来促进学科、专业建设，提高学生培养质量、服务地方（行业）经济建设，得到社会的认可；另一方面，由于历史原因，地方（行业）高校要实现规模、结构、质量、效益方面的相互协调所面临突出矛盾和问题也是无法回避的。据北京市教育考试院公布：2008 年北京高考人数比 2007 年减少 5000 余人，未来 4 年内，高考人数呈下降趋势。从经济学角度分析，在适龄人口逐步下降、生源供给逐步减少的前提下，高等教育逐步转向买方市场只是个时间问题。面对高等教育大众化、国际化以及教育需求的多样化，如何坚持以人为本，使高等学校从整体到细节、从目标到过程都能达到学生满意、社会满意、政府满意，是需要我们按照科学发展观的要求认真对待和研究的。这就需要我们牢固树立正确的政绩观，按照科学发展观的要求，坚定不移地推进对内改革和对外开放，努力推进学校发展的全面性、协调性和可持续性。

（四）进一步增强构建社会主义和谐社会的自觉性和坚定性

高等学校在构建社会主义和谐社会中肩负重要使命。构建和谐校园是构建社会主义和谐社会在学校工作中的具体体现。地方（行业）高校学生的70%以上来源于本地区，对区域社会和谐稳定有着重要影响。可以说，没有高校的和谐，就难有整个区域社会的和谐。根据党的十七大提出的“推动社会主义文化大发展大繁荣”的要求，今后一个时期，地方（行业）高校应充分发挥自身的文化优势，一要突出加强中华优秀文化传统教育，促进地方（行业）建设和谐文化。二要始终注重人的发展与学校发展的和谐，把维护和实现广大师生的根本利益作为学校一切工作的出发点和归宿。三要对学校进行“科学、民主、法治”管理，推进校务公开，充分体现公正原则，切实实现公平正义。四要始终维护校园的安全稳定，确保师生的平安和学校发展稳定的大局。五要紧紧抓住校园文化这个重要载体，积极组织和开展一系列内容丰富、形式新颖、吸引力强的文化体育活动，以此丰富师生的文化生活，增强师生的体质，形成健康向上、文明有序的文化氛围。六要积极鼓励干群之间、师生之间加强交流与沟通，增加感情联系、增进学术合作，促成共同进步，全面加强教风、学风建设，着力营造师生团结友爱、勤奋进取的文化环境。

（五）进一步增强推进高校基层党组织创新的自觉性和坚定性

党的十七大报告强调，党的基层组织是党执政的组织基础。在地方（行业）高校发展的关键时期，学校党委的自身建设任务比过去任何时候都更加繁重。当前，一要按照建设学习型政党的要求，以坚定理想信念为根本，加强思想政治建设，着力用中国特色社会主义理论体系武装领导干部。二要必须把提高领导水平和执政能力作为核心内容抓紧抓好，以提高执政能力为重点，加强领导班子和干部队伍建设。三要以先进性建设为核心，充分发挥基层党组织推动发展、服务群众、凝聚人心、促进和谐的作用，以基层党组织建设带动其他各类基层组织建设。四要加强高校干部队伍的社会实践培训，有计划、有组织地选送干部到地方和行业去挂职，是他们围绕地方（行业）发展实际，研究新情况，解决新问题，不断改进工作方式，提高服务地方（行业）的针对性。五要完善体现科学发展观和正确政绩观的干部考核评价体系。六要加强和改进师德建设，注重人文关怀和心理疏导，密切师生关系。

总之，当前地方（行业）高校发展面临重要的转折时刻，我们要认真学习贯彻党的十七大精神，一定要居安思危、增强忧患意识；一定要戒骄戒躁、艰苦奋斗；一定要刻苦学习、埋头苦干；一定要加强团结、顾全大局，不断创造经得起实践、人民、历史检验的政绩，努力实现地方（行业）高等教育又好又快的发展。

建立“校企地联动”育人机制 提高思想政治教育实效*

长期以来，学校始终坚持“德育首位”的育人理念，高度重视学生的思想政治教育工作。《中共中央国务院关于进一步加强和改进大学生思想政治教育的意见》（以下简称“中央16号文件”）下发后，我校党委在认真学习领会有关精神的基础上，结合我校学生思想政治教育的实际情况，加大了挖掘、整合校内外思想政治教育资源的力度，探索建立了“校企地联动”的思想政治教育工作机制，切实提高了我校学生思想政治教育工作的实效。

一、开展理论研讨，为思想政治工作开展提供理论指导

学校党委高度重视学生思想政治教育方面的理论研究，并成立“德育研究会”组织团队开展理论和实务方面的研究。

（一）积极申报市级以上研究课题

先后承担了北京市“十五”哲学社会科学规划项目“建设先进大学

* 这是2007年11月10日刘超美所作的北京印刷学院2006—2007年学生思想政治工作总结。

文化与全球化背景下高校思想政治教育创新研究”，市优秀人才资助项目“大学生就业竞争力培养研究”、首都大学生思想政治教育研究课题“高校班级心理委员发展研究”、教育部哲学社会科学研究重大课题“高校辅导员职业期望和规划的调查研究”等。出版专著《新时期高校思想政治教育创新研究》1 部，在《北京教育》《思想教育研究》《教育研究》等刊物公开发表论文《高校思想政治教育内容的分层探析》《国外思想政治教育的特点及启示》《大学生中的重点人群研究》《完善二课堂体系，加强素质教育》《加强人文素质教育，促进学生全面发展》等 6 篇。

（二）设立基金支持德育课题研究

两年来，学校拿出 4 万元设立“学生工作理论研究基金”支持学生工作干部开展理论研究项目 20 个，涉及校园文化、思想教育、社会实践、学风建设、心理健康等学生思想教育的方方面面以及针对不同群体的“学生中的重点人群研究”等。从人员参与情况来看，覆盖了所有学生工作干部和部分思想政治理论课教师，在锻炼和提升参与人员研究能力的同时，也有效地提高了队伍的整体素质；从研究成果来看，有 5 篇理论性研究成果在公开刊物上发表，形成了 12 个改进工作的方案并在日常思想政治教育实践中应用。

（三）定期组织开展学习研讨活动

为了提高专、兼职学生工作干部的理论水平，学校定期组织“学生工作理论研讨会”“德育研究会年会”“‘两课’教育教学工作研讨会”等，就现实工作中遇到的问题上升到理论层面进行研讨，通过研讨统一思想、解决问题。为了提高学生工作干部学习贯彻上级文件精神的主动性，把握学生工作的前沿理论，学校定期编印《学工干部学习资料摘编》《理论动态活页文选》《学生工作》等学习资料要求学工干部自学。

2006 年度学生工作会

二、整合校内资源，增强主渠道主阵地教育的实效

中央 16 号文件要求：高校要在加强思想政治教育领导体制、工作机制和队伍建设的基础上，充分发挥思想政治理论课、校园文化活动、学生党团组织等思想政治教育主渠道主阵地的作用。根据我校学生思想政治教育工作的现状，学校重点加大了校内思想政治教育资源的整合力度，为全面加强学生思想政治教育工作提供了基本保障。

（一）整合组织和人力资源，为思想政治教育工作开展提供基础保障

1. 加强工作体制建设，提高整体工作水平

工作体制和队伍是开展思想政治教育工作的基础，学校根据中央 16

号文件精神，适时地调整、完善了思想政治工作体制，进一步加强了队伍建设，取得了明显成效。

第一，完善领导，理顺体制。根据中央 16 号文件的要求，学校成立了“学生思想政治教育工作领导小组”，党委书记任组长，院长与主管学生工作的副书记任副组长，领导小组下设“学生思想教育办公室”，挂靠在学工部，负责全校学生思想政治教育的策划、指导；同时成立了由有关部门负责人组成的“教书育人工作委员会、服务育人委员会、管理育人委员会、环境育人委员会”，负责“全员育人”相关单项工作的规划及指导落实；二级学院成立了党总支书记任组长、副书记任副组长的“学生思想政治教育工作领导小组”，学工组（分团委）负责本二级学院内学生思想政治教育的具体实施。从而构建了校、院两级领导，委员会和办公室分类负责的思想政治教育工作新机制。

心语·阳光

北京印刷学院心理咨询服务中心主办　北京印刷学院心理协会承办

我校心理文化氛围新局面

校报“心语·阳光”专栏

第二，调整机构，整合资源。为了适应新时期学生思想政治教育工作的需要，学校新设立了“心理咨询服务中心”“心理健康教育中心”“艺术教育中心”“勤工助学指导中心”“就业指导服务中心”等机构，专门负责单项教育、服务工作的开展。为了把思想政治教育的主阵地和主渠道有机结合起来，“心理健康教育中心”“艺术教育中心”等机构采取社科部和团委“机构共管、人员共用”的管理模式，理论教学部分归社科部管，课外咨询、教育、实践活动归团委管。为了增进一、二课堂的有机融合，实行了思想政治理论课教师担任“政治导师”、学生工作干部承担“思想政治理论课”教学任务的工作模式。为了培养复合型学生工作干部，学生工作职能部门在原有合署办公的基础上，采取“主岗”“辅岗”相结合，实行“一人多用、一专多能”的用人模式，在有效地解决人员不足问题的同时，为学生工作干部提供了更多锻炼的平台和机会。

第三，建设队伍，注重培养。学校高度重视学生工作队伍建设，两年来在加大人员引进力度的同时，探索建立了学生工作干部培养体系，有效地提高了学生工作队伍的整体战斗力。两年共引进学生工作干部 7 人，全部为硕士学历，人员配备达到了中央 16 号文件的要求。为了提高学生工作干部队伍的整体素质，学校主要采取了以下措施：定期举办“班主任培训班”和“学生工作研讨会”，两年来共举办 4 次，有 300 多人次参加了培训，通过研讨不仅开拓了学生工作干部的视野，而且为工作中遇到的一些个性化问题提供了解决思路；设立“学生工作理论研究基金”，鼓励和支持学生工作干部开展理论研究，两年来累计投入 4 万元资助 20 余个学生工作研究项目，通过开展研究提高了学生工作干部的理论水平；与北京师范大学联合举办“教育管理研究生班”，共有 19 位学生工作干部参与，进一步改善了学生工作干部队伍的学历、知识结构；外出考察或挂职锻炼，学习其他高校经验，先后组织 70 余人次前往北京师范大学、北京科技大学、北京林业大学、南开大学等考察，有 5 人曾在中国人民大学、北京科技大学等挂职锻炼；开通思想政治教育系列，解决了学工干部职称聘任问题，为学生工作干部的专业化发展提供通道。

2. 加强党团组织建设，充分发挥自我教育功能

思想政治教育工作的开展除了要发挥教育者的作用外，更重要的是要充分调动被教育者的积极性，通过加强学生组织建设，发挥其自我教育、

自我管理、自我服务的功能。

求真学会现场照，右为时任求是杂志社社长高明光

第一，加强学生党建，发挥党员的先锋模范作用。我校高度重视学生党建工作，在学校各级党组织的共同努力下，根据各年级学生的不同特点，发展党员工作的重心有所下移，构建了“一年级启蒙与选苗并重，二年级培养与发展并重，三年级发展、教育与使用并重，四年级使用与再教育并重”的学生党员发展教育工作格局；结合我校学科资源调整成立二级学院的实际，构建了“两级党校、三层培训、四个衔接”的学生党员培训培养工作模式；针对学生党员管理中所暴露出来的问题，构建了“制度完善、程序规范、监督到位”的学生党员管理工作体系。实践证明，我校在学生党建工作方面所推行的做法是行之有效的，不仅学生党员比例逐年递增，而且学生要求入党的积极性空前高涨，参加党校培训的人数比以前有大幅度提高。

第二，加强学生组织建设，发挥自我教育功能。在学生会建设方面：进一步明确了学生会的定位，突出学生会的服务职能、维权职能建设，充分发挥了学生会联系学生和学校的桥梁纽带作用；在社团建设方面：按照

求真学会创立合照

“管理规范、类型齐全、结构合理、活动有序”的总体思路，各级团组织在积极探索的基础上，在对原有社团进行整顿的基础上，新成立了“求真学会”“心理协会”“求职协会”“义务支教协会”“爱心社”等社团，目前共有校级学生社团 25 个，二级学院学生社团 12 个，社团成员累计达 4500 余人次，其中红十字会、心理协会、《跨越》杂志社等社团获得市级以上奖励。另外我校还积极探索社团管理的新模式，试行“社团挂靠部门”制度，给 10 个社团找到了挂靠部门，不仅解决了社团指导问题、有效地提高了社团活动的质量，而且把社团作为部门的手臂，为部门服务学生提供了组织支撑。

（二）整合教育和活动资源，为思想政治教育工作的开展提供平台保障

1. 加强“一课堂”建设，搭建主渠道教育平台

中央 16 号文件指出思想政治理论课是高校思想政治教育的主渠道，

充分体现了课堂教育和教师在思想政治教育工作中的重要性。学校高度重视思想政治理论课教育教学改革和师德建设，经过积极探索取得了一定成效。

第一，推进教学改革，提高课堂教育质量。两年来，我校社科部以思想政治理论课教学改革为切入点，以提高思想政治理论课教学质量为突破口，采取了“法律基础案例教学法”“‘思政课’与人文教育融合教学法”“马列理论课教学方法创新研究”“大学生思想道德修养感恩教育”“‘思政课’实践教学模式运行探索”等一系列教学方法、教学内容的改革，有效地提高了思想政治理论课的教学效果。其中一些经验文章发表在《毛泽东思想研究》《北京教育》（高教版）、《中国教育改革》《甘肃社会科学》《学习与探索》《北京印刷学校》等杂志上。

《我思我在》——思想政治理论课学生优秀论文集

第二，加强实践教学，强化课堂教学效果。我校社科部先后在“抗日战争纪念馆”“北京市监狱”等地建立“北京印刷学校大学生思想政治教育基地”，作为思想政治理论课实践教学的重要阵地，定期组织学生开展爱国主义教育和法制教育实践活动，收到了较好的效果。为了进一步提高学生的认知水平和践行能力，在思想政治理论课教学过程中，每门课程的授课教师还结合讲授内容，组织学生开展专题社会调查等实践活动，实践教育的成果选编成《我思我在——思想政治理论课学生优秀论文集》《大学生实践调查报告——马克思主义中国化伟大实践的记录》《走进迷人的心理世界——心理教育学生优秀论文选编》3 部论文集，这些实践教育的优秀成果为课堂教育提供了更加丰富、鲜活的素材。

刘美超（中间左）主持北京印刷学院大学生思想政治教育客座教授聘任仪式

第三，探索新型模式，提高形势教育实效。探索实行“客座教授”模式，聘请校外在某一领域有所建树的知名学者、专家，作为我校形势政策教育方面的“客座教授”，就有关时事问题作专题报告。在中日关系受到广大学生高度关注的情况下，学校邀请了国防大学孙旭教授为学生作“台湾问题与中日关系”的专题报告，对于稳定学生的情绪，倡导理智爱国之风起到了积极的促进作用；在台海形势严峻的时候，邀请首都师范大学李松林教授举办了“陈水扁的分裂活动与两岸关系走势”的专题报告。通过实行“客座教授”模式，有效地调动了学生参与形式政策教育课的积极性，提高了形势政策教育的实效。

第四，开设心理课程，提高学生心理素质。为了给学生健康成长保驾护航，学校高度重视心理健康教育工作，除了在《大学生思想品德修养》课中加入心理健康教育的内容外，还开设了《人际交往心理学》《大学生成功心理学》《心理学与生活》《大学生心理健康》4门心理教育方面的任选课，而且在《北京印刷学校05版本科生培养方案》中规定：每名学生在校期间必须选修1门心理健康教育方面的课程。通过课堂教学普及了心理健康知识，教会学生如何进行自我调适，有效地预防和减少了学生心理问题的出现。

2. 加强二课堂建设，搭建主阵地教育平台

中央16号文件指出要充分发挥校园文化活动在思想政治教育工作中的重要作用，学校在整合二课堂教育资源的基础上，搭建了二课堂教育体系，充分发挥了课外活动的思想政治教育功能。

文化建设大讲堂

第一，加强校园文化建设，营造良好育人氛围。为了充分发挥校园文化对学生思想潜移默化的教育功能，学校积极探索形成了校园文化“五个一工程”的格局（即每半年1个主题节、每半年1场高水平演出、每

季度 1 项比赛、每月 1 场高水平讲座、每周 1 次社团活动)，已经打造了“校园文化艺术节”“大学生科技活动周”“社团活动月”“印院大讲坛”“印刷人生”“体育文化节”等一批校园文化品牌活动。两年来，各级团学组织共开展各类文化艺术活动超过了 60 余场，参与学生达 3 万余人次，2006 年、2007 年组织参加了“首届首都大学生艺术展演活动”，共获得奖项 42 个，其中一等奖 5 项；设立了“大学生研究计划基金”，有 600 余名同学的 160 个项目获得资助；通过开展丰富多彩的课外活动，在丰富学生课外生活的同时，也提高了学生的综合素养。

社会实践团参与西部教育志愿活动

第二，加强社会实践工作，提高社会认知水平。学校按照“项目化、基地化、社会化、行业化”的思路，积极探索开创了我校学生社会实践的新局面。两年来，共有 1800 多名同学的 402 个项目申报，最终有 232 个项目获得资助，参与学生超过 1500 人次。“关于 2008 年北京奥运三大理念的调研实践团”“‘携手青岛，共迎奥运’社会实践团”“税改前后农民负担基本情况调研团”“中国稀有金属现状思考暨稀土现状调查与分析研究实践团”获得“首都高校社会实践优秀团队”荣誉称号，“豫东地区艾滋病家庭子女教育问题调研”“北京地区大学生‘村官’政策实施状况与思考”2 个实践报告获得“首都高校社会实践优秀成果”荣誉称号。为了调动了学生参与实践的积极性，学校在《05 版本科生培养方案》中明确规定每名学生每年必须完成 1 篇社会调查报告，并给予一定的学分，学生除了积极参加暑期组团实践和日常有组织的志愿服务外，绝大多数学生采取了与专业实习相结合、返乡自行开展社会实践的形式，实现了点面结合。

社会主义荣辱观教育活动

第三，抓住有利契机，开展主题教育活动。两年来，我校除了传统的主题教育活动外，在以下两方面作了尝试，收到了较好的效果：一是改变新生入学教育模式，实行大一全过程教育，根据新生不同阶段的特点分为“适应性教育、诚信教育、三观教育、学业目标教育”4 个阶段，帮助新生尽快适应大学生活，并初步确立大学四年的学业目标，通过采取这一措施有效地改善了我校的学风；二是利用每月一次升旗仪式的有利时机，举行主题教育活动的启动仪式，两年来先后举办过“文明礼仪伴我行”“诚信与我”“践行社会主义荣辱观，营造良好校园道德风尚”等主题教育活动12次，通过这种形式的动员，为相关教育活动的后续开展打下了坚实的思想基础，有效地提高了主题教育活动的最终效果。

3. 加强服务体系建设，搭建服务育人工作平台

中央16号文件指出要把解决学生的思想问题与解决实际困难结合起来，寓教育于服务之中。学校在整合资源的基础上，建立了“勤工助学”“心理咨询”“就业指导”三大服务体系，在帮助学生解决现实困难的同时使其受到教育。

承办北京高校大学生心理健康教育工作交流研讨会

第一，完善勤工助学体系，帮助贫困生解决实际困难。为了帮助贫困生顺利完成学业，学校构建了“奖、勤、减、免、补”五位一体的助学体系，通过帮助贫困生解决实际困难逐步消除贫困生因经济压力所造成的思想负担，使贫困生在感受到学校关怀的同时受到教育，激发他们努力学

习，将来为社会作更大贡献。两年累计开辟校内勤工助学固定岗 400 余个，临时岗 2000 余个，同时提高固定岗报酬（每人每月 200 元至 250 元），基本解决了贫困生的生活问题，每年发放各类奖助学金 160 余万元，减免学费 30 余万元，发放困难补助 70 余万元。另外，学校还批准成立了学生自助组织“兼职俱乐部”，开拓校外勤工助学资源，两年来提供岗位超过了 150 个。通过开展勤工助学活动不仅帮助贫困生缓解了经济压力，而且也培养了他们“吃苦耐劳、勤俭节约”的良好品质，许多同学将勤工助学的感受写成文稿，从中可以看出学生思想上的变化，学校将这些文章汇编成册——《路在脚下》，成为开展思想政治教育的好素材。

第二，完善心理服务体系，为学生健康成长保驾护航。2006 年、2007 年我校把心理健康教育工作的重点放在了完善咨询体制、危机干预体系以及提高服务质量上：一是与大兴精神病院签订合作协议，建立心理咨询、心理治疗的一体化服务体系；二是建立了心理咨询教师周例会制度，加强了工作沟通，提高了咨询专业水平；三是组建“印心”心理热线接线团队，开展培训活动；四是为提高学工干部心理健康知识水平、提高对大学生心理健康状况的区分能力、心理危机应对能力和心理健康的指导能力，邀请培训师米杉为广大学工干部、班主任、专兼职心理咨询员举办系列心理技能培训；五是在新生中试行“心理委员”制度，每班设立 1 名心理委员，尝试建立了心理疾病的班级防御机制。2006 年 6 月 4 日，我校心理咨询服务中心成功承办了“北京高校大学生心理健康教育工作交流研讨会”，市教工委宣教处时任副处长王峰及北京大学、首都师范大学等 9 所高校医学专家和心理健康专兼职工作者出席会议并在会上发言，专家和同行对我校心理健康教育工作给予充分的肯定和较高的评价。通过开展以上工作不仅完善了我校心理健康课外教育体系，营造了良好的心理教育氛围，而且有效地预防了学生因心理问题发生恶性事件，为学生健康成长保驾护航。正是由于心理健康教育工作成效显著，我校在 2007 年荣获中共北京市委教工委宣教处、北京市高教学会心理素质教育研究会颁发的“北京高校心理健康教育工作突出进步奖”。

第三，加强就业指导，帮助学生顺利就业。我校严格按照教育部“三到位”的要求，成立了“就业指导服务中心”，增配了专职就业工作人员开展就业指导服务。学校还先后出台了《北京印刷学院关于加强和改进毕业生就业工作的意见》《北京印刷学院本专科毕业生就业工作暂行规定》等文件，进一步健全了毕业生就业工作体制机制。坚持“走出去”与“请进来”相结合，定期举办“毕业生供需见面会”，为毕业生提供更多就业需求信息；探索建立了全过程“职业教育”工作体系，开设了《职业生涯规划》《职场礼仪》《大学生职业发展与就业指导》等课程；搭建了以“短信平台”为依托的就业信息传递渠道，增强了就业信息的时效性。学校还积极引导毕业生“到基层、到西部、到祖国”最需要的地方去建功立业，两年来，有 4 名学生参加“大学生志愿服务西部计划”，有 38 名学生参加“首都大学生基层志愿服务团”，有 84 名学生加入到“大学生村官”的行列。

三、挖掘校外资源，搭建实践育人工作新平台

为了提高学生的社会认知水平，培养学生的实践能力，在充分发挥校内教育资源的基础上，学校注重开拓社会资源，挖掘其教育功能，探索形成了以“社会助学活动周”为龙头、以“社会实践”为补充、以“实践基地”为保障的实践教育格局，有效地提高了育人实效。

（一）挖掘社会资源，举办“社会助学活动周”

1. 探索“校企合作”，成功举办了以社会助学单位为主、新闻出版总署以及行业协会支持的“社会助学活动周”。社会助学活动周包括 4 个板块的内容：社会助学活动周开幕式暨主题报告会——行业发展与人才培养、年度奖助学金颁奖大会暨专家论坛、毕业生校园双选会、助学单位校园形象宣传。活动周期间，新闻出版总署副署长石峰到会并作了重要讲话，学校崔文志书记作了“团结起来，为振兴新闻出版事业而奋斗”的

第三届校企合作活动周，左三为时任国家新闻出版总署副署长于永湛，右四为时任求是杂志社社长高明光，右三为时任中国印刷技术协会会长武文祥

主题讲演，中国出版集团管理委员会刘伯根秘书长与北京印刷学校副院长蒲嘉陵分别作了“出版行业的发展与出版人才的需求趋势”“印刷媒体技术的发展与学科专业建设”的主题报告；北京华联印刷有限公司董事兼总经理张林桂作了题为“漫谈社会助学”的主题发言以及雅昌彩色印刷管理集团董事长万捷给同学们作的成长报告等。通过参与这些活动使同学们了解了行业发展对人才的要求，有助于学生树立正确的学业目标。

2. 探索“校企地合作”，拓展“社会助学活动周”功能为进一步加强在人才培养上的校企、校地合作，在总结前几届“社会助学活动周”经验的基础上，进一步拓展了“社会助学活动周”的内容，采取学校、企业、驻地政府、学生共同参与的模式，先后举办了“新时期的校企（地）交流与合作”“企业人才战略与大学生职业发展”等主题活动，活动周期间，除了校企（地）高峰论坛外，学生举办的“成才、创新、成功”论坛、“实践能力培养与实践基地建设”论坛、“校友成就展”等都成为对学生进行思想政治教育的重要载体。

第三届校企合作活动周

（二）挖掘校友资源，发挥校友育人功能

校友作为思想政治教育的一种特殊资源，对学生进行成长教育具有其他资源不可替代的作用。我校在挖掘校友资源开展思想教育方面主要采取“请进来”“走出去”两种方式。

1. “请进来”即把成功校友请进校园以讲座、论坛等形式与在校学生进行面对面的交流，使学生从中受到启迪

学校各级团学组织先后打造了“印刷人生”“校友讲坛”等品牌活动，两年来先后邀请校友举办活动 20 余次，另外各级学生社团还邀请校友来校论坛，先后举办了“成才、创新、发展”论坛、“成才、创新、成功”论坛等。由于校友的成长经历对同学们来说具有可比照性，因此，此类活动很受同学欢迎。

2. “走出去”即组织学生开展“寻访校友足迹，寻找人生坐标”“走向企业，与行业同行”主题实践活动，通过了解校友成长的足迹，帮助学生找到自己的人生定位

启动该主题社会实践活动以来，学校先后组团 8 支、学生自主组团

“校友讲坛”

暑期社会实践活动

20余支，参与学生超过250人次。实践团的足迹遍布广东、山东、江苏、辽宁等十几个省区，参与采访、座谈的校友、企业领导超过了100人次，学生提交实践报告超过300篇，通过一篇篇采访实录、实践报告都能感受到学生的成长和收获。此类主题实践活动已经成为我校每年学生申报人数最多、参与面最广的一类社会实践活动，收到了很好的育人效果。

（三）引进社会资源，开展“校园文化活动”

1. 与企业合作，开展校园文化活动

近年来，各级团学组织加大了与行业内企业合作开展活动的力度，已经涌现出“奇良海德宿舍文化艺术节”“金冠方舟读书活动”“秋山杯科技文化节”“聚焦杯辩论赛”等一批企业赞助的校园科技文化品牌活动。在这些活动开展过程中主办方还邀请有关企业领导、行业内专家就新闻出版、印刷行业发展动态及前沿技术给学生作专题报告，在开阔学生专业视野的同时，使其思想上受到教育。

北京印刷学院与鹤山雅图仕有限公司达成人才定向培养协议

北京印刷学院与华光精工“社会实践教育基地”合作签约仪式

2. 挖掘行业资源，开展校外实践教育活动

2006年学校积极挖掘行业资源开展各种形式的实践教育活动，与“鹤山雅图仕印刷有限公司”签订了“人才定向培养协议”，从二年级中选拔部分学生利用假期前往公司开展实践活动，首批共选派学生16名；与企业和大兴区进行联合培养人才模式的新探索，与“北京佳信达艺术印刷有限公司”签订了“职业经理人”实践教育基地合作协议，共有49名同学入选“佳信达辉大学生自主创业工作室”；与“金光集团”联合开展“就业见习”类社会实践活动，集团下属5个公司共选拔了20名学生。通过利用行业资源开展校外实践教育活动，搭建了学生创新创业教育的社会平台。

（四）建立实践基地，提供组织保障

1. 借助校企合作平台，创建社会实践基地

学校高度重视社会实践基地建设，借助“社会助学活动周”的平台，

先后与太原高氏劳瑞油墨化学有限公司、辽宁营口冠华胶印机有限公司、广东天意扫描输出中心、四川炬光印刷器材有限公司、成都永发印务有限公司以及优秀的校友企业：北京华联印刷有限公司、雅昌企业（集团）有限公司、北京豹驰技术发展公司、北京奇良海德印刷有限公司和高等教育出版社、外语教学与研究出版社、电子工业出版社、山东世纪天鸿书业有限公司等19家行业优秀企业和单位签订了“社会实践教育基地”协议，为学生社会实践工作的开展提供了组织保障。

北京印刷学院与北京监狱“大学生思想政治教育实践基地”挂牌仪式

2. 规范实践基地管理，挖掘基地教育功能

在前期社会实践基地开发的基础上，学校把重点放在了实践基地规范管理、实践基地类别拓展、教育功能的挖掘上。学校先后与北京市监狱、抗日战争纪念馆签订了“思想政治教育基地”协议，与大兴特教中心、清源社区、爱心希望小学等单位签订了“志愿服务基地”协议，构建了由“社会实践基地”“思想政治教育基地”“志愿服务基地”组成的组织

体系；搭建了“日常社会实践”与“暑期集中社会实践”相结合的实践教育工作体系。“实践基地”建设为学生实践教育活动的开展提供了组织保障。近年来，实践基地不仅为学生实践活动的开展提供资金、场所、设备等方面的支持，而且学生通过实践有效地提高了实践能力。

经过两年来的探索，我们认识到要提高大学生思想政治教育工作的实效，不仅要充分发挥高校各类教育资源的最大功能，而且要主动挖掘社会教育资源为我所用，探索建立学校与社会联动的育人机制。我校在此方面作了一些探索，也收到了比较好的效果，当然“校企（地）”联动育人机制的重点在“联动”上，如何更好地发挥高校、企业、驻地资源的思想政治教育功能还有待进一步探索，以企能够发挥高校及社会资源整体的最大效能，切实提高大学生思想政治教育的实效。

从德国高等教育看应用型本科院校人才培养*

2008 年 10 月 31 日至 11 月 21 日，北京印刷学院业务骨干培训团赴德国接受了为期 3 周的培训。其间，培训团相继访问了德国慕尼黑大学、慕尼黑应用科技大学、雷根斯堡大学等高校和海德堡印刷机械股份有限公司、贝塔斯曼公司等著名企业以及巴伐利亚印刷媒体培训中心等职业培训机构，对德国高等教育尤其是高等印刷教育以及印刷职业教育的“双轨制”有了切身的体会，同时也对德国印刷设备制造业有了进一步了解。

2008 年 10 月 31 日至 11 月 21 日，刘超美（左七）率领北京印刷学院业务骨干培训团在德国考察

* 此文发表于《北京教育（高教版）》2010 年第 1 期，作者为刘超美、李晋尧、黄孝章、王晓林。

一、德国高等教育概况

1. 德国高校的构成情况

德国高等教育素来以历史悠久、治学严谨、理论联系实际而闻名于世，不少高等教育机构有着数百年的历史。目前，德国共有高校 391 所，其中 90%以上为公立学校，这些高校可分为 3 类：实施学术教育和工程教育的综合大学、实施应用技术教育的应用技术大学（相当于我国的应用型本科院校）和职业学院。开设印刷工程及印刷机设计制造专业的高校主要有德国慕尼黑大学、慕尼黑应用科技大学、斯图加特传媒大学等。从中不难看出：在德国，印刷工程作为应用型学科，其高等教育主要在应用技术大学完成。

2. 德国高校的行政管理体系

在高校管理上，德国联邦政府负责宏观协调，由州政府有关部门直接管理，高校经费除联邦政府财政拨款外，主要来自州财政资助。高校内部组织结构由 3 级构成：最基层为研究所（相当于我国的教研室），通常由一名教授任负责人，拥有决定课程设置、讲授内容以及考试评价的权力；第二级为系或学院，主要负责各学科课程的总体安排和向政府推荐教授候选人的工作；最高一级为校务委员会，包括校长、副校长等。

3. 德国高校的师资管理体系

德国高校的教师聘用制度规范严格。青年教师一般要在取得博士学位以后，有 5 年以上的职业实践（其中至少 3 年是在校外），才能参加大学教授资格考试，合格者可以取得大学教授资格。取得大学教授资格后，一旦某所高校有空缺的教授职位时，就可以向州政府教育部门申请应聘该教授职位，经批准后，就成为正式教授。德国高校工程技术领域里的教授必须有相当丰富的企业工作经验，如慕尼黑应用科技大学要求任职教授必须具备 5 年以上的企业工作经历。

4. 德国高校的课程设置特点

德国高校实行“宽口径”课程设置和完全学分制，不同的专业有不

同的学分规定。大学的学习分为两个阶段：一是基础课程学习阶段，需要2至3年时间，学习以拓展知识面为主。在这一阶段学生取得足够的学分

刘超美（左）与德国高校教授交流

后，可参加中间阶段考试，只有中间阶段考试通过的学生才能进入下一阶段学习。二是专业课程学习阶段。进入专业阶段学习后，学生可根据自己的兴趣选择不同专业模块。德国高校课程设置非常注重实践环节。毕业生普遍受到企业界欢迎的主要原因是高校的课程设置非常注重实践环节，注重学生实际动手能力的培养。在高校培养方案中，实践环节占到四分之一甚至三分之一的比例。在校期间的课程大都将理论与实践紧密结合，以培养大学生的实践能力。高校提供给学生较多实习课时，让学生到工厂或公司去实习并取得实习合格证书。如慕尼黑应用科技大学规定，第5学期学生都必须在企业实习。实习中，学校要求学生尽量联系并应用在学校学过的理论知识，为确保学生实习的表现和质量与教学要求相一致，学校还制订并实施了详细的实习计划和评价程序。

二、德国高等印刷教育与职业教育“双轨制”优势

德国高等印刷教育与职业教育“双轨制”对印刷设备制造业的支撑

“德国制造”享誉全球，德国的印刷机制造业更是世界领先，3 大印刷机制造企业（海德堡、曼罗兰、高宝）的总产值占世界市场的 40%。海德堡印刷机械股份有限公司 2006 年的产值为 38 亿欧元，超过我国印刷机制造企业的总产值。德国印刷机制造技术之所以能长期保持国际领先地位，主要源于以下 4 点。

1. 注重技术的不断创新

德国具有创新的传统，国际上许多重大印刷技术创新大多起源于德国。如 1436 年，德国人发明铅活字，被《纽约时报》评为千年对人类社会发展和文明影响最大的十大发明之一，是近代印刷技术发展的鼻祖；1814 年，高宝公司创始人 Koenig 发明蒸汽动力印刷机；1995 年，海德堡印刷机械股份有限公司在全球首次推出计算机直接制版技术等。德国印刷机制造业在国际上的统治地位基于它的创新能力。它把信息和通信技术知识用于印刷技术的发展，建立了从数据输入到成品的数字化工艺流程。

刘超美（前排中）率团赴德国海德堡公司考察

2. 强大的行业协会和组织

强有力的行业协会与欧洲印刷机械制造委员会以及国外印刷协会建立

了密切联系，协调企业之间关系，使其既竞争又联合，促进印刷技术发展及产品出口和国际合作。

3. 德国高等印刷教育对印刷机制造业的支撑

德国非常重视高等印刷教育和印刷人才的培训。1953 年，德国达姆斯塔特应用技术大学成立了印刷机及印刷技术学院，为印刷机工业培养设计者和开发者，成为德国印刷工业的教育和研究基地。1953 年，凯姆尼兹应用技术大学成立了机械工程学院，印刷机制造成为专业培养方向。1999 年，达姆斯塔特应用技术大学成立了印刷媒体学院。目前，德国印刷机研究协会的研究课题主要由达姆斯塔特应用技术大学和凯姆尼兹应用技术大学承担。

4. “双轨制”机制下培养出了大量熟练产业工人

德国“双轨制”教育理念中的“双轨”，意指理论与实践相结合、思维与动手相结合、学校与企业相结合。德国“双轨制”教育理念注重生产第一线实际操作技能的培养。在“双轨制”教育体制下，由于学生在特定的工作环境中学习，使得学生和企业有了更多的交流机会，大大提升了学生毕业后就业的机会。德国职业教育“双轨制”为印刷行业的人才培养奠定了重要基础。以巴伐利亚印刷媒体培训中心的培养方式为例，学生在中学毕业以后，若想进入印刷行业工作，可先到相关印刷企业签订学徒合同，再到巴伐利亚印刷媒体培训中心报到，开始为期 3 年的印刷课程学习。在这期间，学生会在印刷媒体培训中心学习到与印刷相关的基础知识、专业理论知识和其他必修的文化科目，而每周大约只有 1 天的时间是在中心学习，其他 4 天均要到所签订合同的企业进行实践学习。毕业考试的内容由印刷行业协会和培训中心共同确定。

三、启示与思考

1. 牢固树立“特色就是优势”的意识，坚持走特色办学之路

在培训过程中，我们了解到，德国高校不论大小，都对自己的特色、

定位非常清楚，不趋同也不盲目攀比。北京印刷学院是一所以印刷出版为特色的普通高校。“十五”以来，学校牢牢把握并紧密贴近国家经济社会发展和首都产业结构调整的媒体与传播业发展的基本脉搏，对学校的办学思路、办学定位、办学特色、办学目标、办学重点等进一步审视和谋划，积极优化学科专业结构，打造学科专业特色和“工科与文科结合、艺术与科技结合、理论与实践结合”的人才培养模式特色，取得了明显成效。今后，学校还应该不断强化“特色就是优势”“特色就是核心竞争力”的意识，继续坚持走“人才强院、特色兴院”之路。

2. 加强学生实践能力培养，是提高人才培养质量的重要环节

重视实践过程、重视能力培养、重视方法训练、强调独立工作能力和实际动手能力是德国高等教育的一大特点。长期以来，我国高等教育的培养模式是理论至上，实践教学环节相对薄弱。实践教学是大学教育培养计划中与理论教学相联系又独立于理论教学的一个重要组成部分。实践能力的培养不应附属于理论教学，而是培养学生实际能力和解决实际问题能力的一种必不可少的途径。

3. 积极促进对外交流合作，增强学校办学实力

德国高校非常重视对外交流与合作，这种交流与合作对学校的发展起着十分重要的作用。加强同国外高校之间的交流与合作是学校提高教学科研水平和教育国际化水平的一条重要途径。有鉴于此，我们一方面要积极开拓渠道，为师生“走出去”提供更多参与国际交流与合作的机会；另一方面也要积极“引进来”，通过邀请国际同行业知名学者来校讲学、讲座等多种方式，增进交流、开阔视野，扩大学校在国内外、行业内外的影响，促进学校办学水平的进一步提高。

不断提升中青年骨干教师的政治素质和业务能力素质水平*

今天，北京印刷学院第七期中青年骨干教师读书班开班了！在此，我代表学校党委，对参加读书班的各位老师表示热烈欢迎！

高等教育的发展离不开优秀师资力量的支持，离不开一支具有高尚职业道德、良好学术素养、开阔研究视野、精湛教学技能的教师队伍。而中青年骨干教师队伍建设正是师资队伍建设的关键，处于承上启下的地位，起到承前启后、继往开来的作用。承上，他们可以成为学科带头人、青年专家学者；启下，他们可以带动一大批青年教师，激励他们奋发向上。我校党委历来重视对中青年教师的选拔和培养，从人才强校的大局出发，加强中青年教师的政治理论素质修养和业务能力水平，特在2010年暑假前夕，举办第七期中青年教师读书班。

一、举办第七期中青年骨干教师读书班的目的和意义

1. 中青年教师已成为高校教学科研力量的主力军

从全国来看，根据2009年教育部公布的数据，我国高校中专任教师

---

* 这是2010年7月10日刘超美在北京印刷学院第七期中青年骨干培训班开班仪式上的讲话。

2010 年 7 月 10 日，刘超美为北京印刷学院第七期中青年骨干教师读书班作开班动员

读书班学员合影

总数为 1309799 人，其中 35 岁以下青年教师占 48%，45 岁以下青年教师占 80%。

从我校看，学校在岗教职工 750 人，35 岁以下青年教职工 224 人，占全校教职工总数的 30%；45 岁以下青年教职工 494 人，占全校教职工总数的 60%。其中专任教师 380 人，35 岁以下专任教师共有 138 名，占全校专任教师总数的 36%；45 岁以下青年教师 285 名，占全校专任教师总数的 75%，略高于全体在岗教职工对应的比例。

由此看来，中青年教师已成为高校科学发展的绝对主力。如何加大对中青年教师的培训力度，培养学科带头人、教学骨干以及管理队伍核心，成为各级党政领导最为紧迫的课题。

2. 优秀中青年教师和干部是学校教学科研和技术创新的主要后备力量，是学校中层干部队伍的蓄水池

中青年教师是学校的新鲜血液，为学校的教学科研和管理服务带来生机、活力以及新思维、新观点和新的教育理念。中青年教师具有以下几个特点：一是和“文革”期间接受高等教育的老一辈教师相比，中青年教师在改革开放期间接受了系统的科班教育，知识结构完整；二是知识层次较高，获得硕士以上学位的比例较大。以我校为例，45 岁以下教职工拥有硕士以上学位的占六成左右，是 45 岁以上教职工的 2.6 倍；三是知识结构较新，接受新事物能力快。面对知识和信息爆炸的年代，中青年教师常常能主动出击，充分应用新鲜事物于教学科研上，强化当代大学生的认同感。同时，我校现任中层干部中，近 60% 为 45 岁以下中青年教职工，他们在学校管理队伍中起到了至关重要的承上启下作用，成为学校创新管理方式、促进科学发展的主要力量。

因此，中青年教师承担着我校教学质量稳步推进、科研水平逐步提升的重要任务，是教学科研的生力军，也成为我校创新治校理教方式的重要源泉，是学校中层干部队伍建设的蓄水池。开展针对中青年教师的专门培训，努力提升他们的政治素质和业务能力，就显得十分必要。

二、中青年骨干教师读书班的历史沿革和现状特点

1. 中青年骨干教师读书班的历史沿革

学校党委高瞻远瞩，充分认识到中青年教师在学校科学发展过程中所起到的重要作用，早在2000年就开始举办中青年骨干教师读书班，旨在培养一批政治上可靠、业务上精熟的骨干力量，促进学校发展。2000年以来，学校共举办7期中青年骨干教师培训班，累计培训180余名专任教师和管理干部。现任处级干部中，有25名曾接受过中青年骨干教师培训班的培训，占目前处级干部总数的35%。以2009年年底处级干部换届为例，新上任的7名处级干部中，就有5名参加过中青年骨干教师培训班。另外，现具有高级专业技术职务的教学科研骨干中，42%的教师参加过中青年骨干教师培训。

可见，近几年来，中青年骨干教师读书班为学校的教学科研队伍和管理干部队伍的建设输送了大量人才，成为提高中青年教师政治理论素质、提升业务水平的有效手段。中青年骨干教师培训班作为我校培养中青年教师的特色品牌，曾在2008年北京高校党校年会上，由党校李全永同志以《探索授课与互动、实践与研讨相结合的培训模式，努力提升培训效果——记北京印刷学院第六期中青年骨干教师读书班记实》为题，作了主题交流发言，向全市兄弟院校介绍我校培养中青年教师的经验。

2. 第七期中青年骨干教师读书班的现状及特点

此次第七期中青年骨干教师读书班学员，分别来自15个不同的部门，近20个不同学科背景，共计27人，均为有副高级以上职称或硕士以上学位的优秀中青年骨干教师、副处级后备干部和优秀青年干部。

此次中青年骨干教师读书班在组织安排上有以下3个特点：

一是为了加强骨干教师的政治理论素质，提升自身的文化修养和业务工作能力，策划了关于行业发展前沿、区域经济发展前景和师德建设的报告；

二是提供中青年教师互相沟通的平台，加强不同知识背景教师的沟通

和交流，安排不同部门之间的教职工交叉住宿、共同研讨；

三是注重锻炼中青年教师的社会实践能力，促进中青年教师对学校发展、对行业发展和对区域发展的了解，组织大家前往东部发达地区或西部特色地区考察行业动态。此外，本次中青年骨干教师培训班还第一次成立了班委，加强了学员的自我教育、自我管理和自我服务能力。

三、《国家中长期教育改革和发展规划纲要》《国家中长期人才发展规划纲要》和《首都中长期人才发展规划纲要》对我校加强中青年教师队伍建设的影响

一是加大中青年教师的培训力度，提升中青年教师的政治理论素质，注重理想信念教育和职业道德建设，加强师德建设，树立“大胜靠德”的理念，为学校的科学发展保驾护航。

二是加强锻炼中青年教师的实践能力，支持中青年教师发展贴近区域、贴近行业，鼓励不同专业的中青年教师互相交流，促进跨学科、跨单位合作。

三是发挥学校党组织的组织优势，努力帮扶中青年教师解决工作、学习、生活上的难题，鼓励中青年教师潜心静气做好教学科研。

四是搭建中青年教师发挥作用和表现能力的舞台，改善评价人才的体制，以用为本，克服唯学历、唯论文倾向，创造团结、包容和干事业的和谐氛围。

四、潜心静气　学思并重　知行合一　有所收获

一是在学习上，要能静下心来，认真学习马克思主义理论知识和业务知识，做到真学、真懂、真用，学思并重，切实提高思想政治素质和政策理论水平，增强“办好人民满意的高等教育”的责任感和使命感。

二是在实践上，增强理论联系实际的自觉性和主动性，做到知行合一，认真围绕教学科研中心工作，切实提升建设“三个北京”和世界城市的能力。

三是在发展上，做好职业生涯规划，把自身的发展与学校、行业和区域的发展统一起来，找准定位，在教学、科研、管理工作中再创佳绩。

最后，我用一段《将创先争优作为共产党员的终身追求》中的话与大家共勉：

一流的教学没有捷径，只有多花时间，不管内容多熟悉，每次课前都要精心准备；

一流的教学需要有激情，就像演员，在上课时间需要大量分泌荷尔蒙，感染学生，不过如何保持住激情是个问题，如果教学内容和手段长期不变，则肯定不行，需要不断求新、求变；

一流的教学需要一流的教学研究。教学和科研不同，科研好不见得教得好，如何让学生接受，需要研究教学规律，需要组织教学团队一起研讨，需要投身于教学研究项目，需要发表教学论文，像搞科研一样搞教学研究。

深度合作　资源共享　共同服务国家印刷出版人才培养*

在这春意盎然、生机勃发的美好时节，我们相聚在山水秀美、历史悠久的美丽春城——昆明，共同见证云南开放大学与北京印刷学院合作协议签约仪式。在此，我谨代表北京印刷学院对出席签约仪式的各位领导和来宾表示热烈的欢迎！对云南省新闻出版局长期以来对北京印刷学院建设与发展给予的关心和支持表示诚挚的谢意！

党的十七届六中全会站在建设社会主义文化强国的新高度，作出了深化文化体制改革、推动社会主义文化大发展大繁荣的重要决定。作为国民经济的一个重要产业，印刷复制业不仅在新闻出版业中占有举足轻重的地位，而且也是文化事业的重要组成部分。柳斌杰同志曾经指出，从某种意义上说，信息的传播、文化的积累、文明的传承，如果没有印刷复制业不断地在技术、工艺、材料上的发明、与时俱进地创新，文化传播、社会进步不会有今天这样的局面。因此，推动印刷复制业快速、健康发展，对于社会主义物质文明、精神文明、政治文明，以及和谐社会建设都有着极其重要的战略意义。

近年来，云南省新闻出版业紧紧抓住西部大开发的历史机遇，在新闻

* 这是2012年3月30日刘超美在北京印刷学院与云南开放大学合作协议签约仪式上的讲话。

2012 年 3 月 30 日，刘超美（前排左）与云南开放大学校长徐彬签署两校合作共建协议

出版公共服务体系建设、新闻出版产业发展、推动新闻出版“走出去”等方面取得一系列喜人成绩，推动了云南省经济社会的快速、健康发展。云南开放大学合并建校以来，主动适应云南地方经济建设和社会发展的需要，充分发挥现代远程教育的优势，不断开拓办学领域，在人才培养模式、教学手段和媒体、管理体制模式等方面形成了鲜明的办学特色和优势，构建了“人人皆学、时时能学、处处可学”的学习平台和体系，培养了一大批深受社会欢迎的、高质量的毕业生，非学历培训也取得显著成绩并赢得了良好的社会声誉。学校高职教育立项建设省级示范性高等职业院校，并成为中西部地区唯一一所获准开展开放大学试点建设的省级电大。我们对云南开放大学在办学模式、专业建设、人才培养等方面取得的成绩表示由衷的敬佩。

北京印刷学院是亚洲唯一一所以印刷专业为特色的高等学府，由国家新闻出版总署和北京市人民政府共建，长期致力于为印刷出版行业培养专门人才。学校现有 7 个一级学科、20 个二级学科硕士学位授权点和 2 个专业学位授权点；有 4 个北京市重点建设学科、24 个本科专业，7 个北京市级重点实验室，现有各类在校生 9000 余人。近年来，学校不断加大人才引进力度，形成了以两院院士、“长江学者”“千人计划”为核心的科技创新领军团队，以新闻出版行业领军人才、中国出版政府奖获得者为核心的行业领军人才团队，以全国优秀教师、北京市“人才强教”计划高层次人才为核心的教学科研团队。学校还是“教育部印刷包装教学指导委员会”副主任委员单位和“全国高职高专印刷与包装类专业教学指导委员会”主任委员单位。经过 50 多年的建设与发展，学校现已成为学科和专业设置涵盖完整的新闻出版产业链，办学特色鲜明、工文管艺多学科协调发展的传媒类大学。学校先后面向新疆、西藏等少数民族地区开展了印刷技能、编辑出版、市场营销等多种形式的学历或非学历培训班，为少数民族地区新闻出版人才培养提供了有力支持，得到了有关部门和领导的高度评价。

本次合作协议的签署，是两校积极响应新闻出版总署关于加强西部印刷出版人才培养、构建西部新闻出版人才培养快速通道的重要活动。在这里，特别感谢云南省新闻出版局等部门对双方合作的高度重视和大力支持。我们希望，双方以签署合作协议为契机，不断开拓思路，增进共识，本着“资源共享、优势互补、深度合作，共同发展”的原则，围绕学科专业建设、教学科研团队培育、课程及网络学习资源开发等共同关注的领域，在项目共建、专业建设、人才培养等方面展开合作与交流，促进双方事业的共同发展。我们相信，此次签约是双方开展深层次、全方位交流与合作的开端，通过双方的精诚合作与不懈努力，一定能够为云南开放大学建设和北京印刷学院的发展带来更多的机遇，为国家印刷出版人才培养和新闻出版强国建设作出新的更大的贡献！

最后，预祝两校的合作取得圆满成功，祝愿两校的友谊地久天长！

关心下一代是一项功在当代、利在千秋的非常重要的工作*

党的十八大报告指出，“中国特色社会主义事业是面向未来的事业，需要一代又一代有志青年接续奋斗。全党都要关注青年、关心青年、关爱青年，倾听青年心声，鼓励青年成长”。关心下一代，是一项非常重要的工作，也是一项功在当代、利在千秋的非常重要的事业。教育系统离退休老同志长期从事教育、科研、管理等工作，积累了丰富的经验，是学校十分宝贵的财富，也是配合学校培养、教育青年学生和青年教工的一支重要力量，在育人工作中具有不可替代的优势和作用。以离退休老同志为主体组成关心下一代工作委员会，多年来围绕学校立德树人这一根本任务，开展了许多卓有成效的工作，为促进学校教育事业发展作出了重要贡献。市委教工委、市教委根据“中央16号文件”精神，建立了北京教育系统关工委工作协作组制度，承蒙教育关工委和兄弟院校关工委的信任和厚爱，推荐北京印刷学院作为高校关工委第三协作组组长单位。我们这个组，共有14所高等院校，在关工委工作中都很有特色、很有经验，其中很多高校都还曾获得过北京乃至全国关心下一代工作先进单位荣誉称号，值得我们认真学习。今天，协作组召开第一次成员单位会议，大家在一

---

* 这是2012年12月14日刘超美在北京高校关工委第三协作组2012年工作交流会上的致辞，这次会议由北京印刷学院承办。

起交流经验、研讨工作，一定会对今后关工委的工作起到积极的推动作用。

2012 年 12 月 14 日，刘超美（中右）出席北京高校关工委第三协作组 2012 年工作交流会

再次感谢各位领导来学校指导工作，为我们做好关工委的工作提供一个难得的学习机会。北京印刷学院第一次承担组长单位职责，工作经验不足，有些不周到的地方，还请各位领导多提宝贵意见。

落实京蒙区域合作框架协议 为内蒙古新闻出版梦增光添彩*

尊敬的王中青巡视员，亲爱的学员朋友们：

今天，2013年内蒙古自治区编辑业务培训班在我校开班了。在此，我代表学校对本次培训班的顺利开班表示热烈的祝贺！对出席开班仪式的各位领导、学员表示热烈的欢迎！对内蒙古自治区新闻出版局长期以来对我校建设发展所给予的关心和支持表示衷心的感谢！

作为原国家新闻出版总署高级技能型人才培养基地，我校一贯注重强化产学研结合，除为行业培养全日制应用人才外，近年来还加大了面向行业的高技能人才培养力度，建立了覆盖新闻出版产业链的科研平台，成立了北京绿色印刷包装产业技术研究院、北京印刷学院文化产业安全研究院、大学科技园，在打造高端培训、创新服务行业体制机制、推动协同创新方面取得长足进步。目前，我校上下一心，正在为建设国际知名、有特色、高水平的传媒类教学研究型大学而努力奋斗！

长期以来，内蒙古自治区新闻出版局和我校建立了密切的联系，有着良好的合作基础和广泛的合作空间。为进一步落实“京蒙区域合作框架协议”，充分发挥我校在人才培养、科学研究、服务社会和文化传承方面

---

* 这是2013年7月2日刘超美在北京印刷学院2013年内蒙古自治区编辑业务培训班开班仪式上的讲话。

2013 年 7 月 2 日，刘超美（前排左一）出席 2013 年内蒙古自治区编辑业务培训班开班仪式

的功能，形成推动内蒙古经济社会发展和新闻出版事业繁荣的强大合力，2012 年 3 月，内蒙古自治区新闻出版局与我校签署了战略合作协议 2012 年以来，我们双方携手合作，已顺利举办 6 次培训班，积累了丰富经验，也结下了深厚友谊。本次培训班正是双方进一步贯彻落实上述协议、深化校地合作、服务内蒙古新闻出版业发展的重要举措。我们有信心将本次培训办得更好！

同志们，2013 年是“十二五”的深耕之年，也是践行“中国梦”的新起点。我们都是“中国梦”的实践者，都肩负使命，也大有可为，我校很期待为“内蒙古新闻出版梦”增光添彩！

为了让各位学员在培训期间学习好、生活好，我校选派了造诣深厚的师资和服务团队，认真做好培训教育和服务工作。在安排系统理论学习的同时，还将组织大家赴国家大剧院进行文化体验、到清华同方出版社开展参观交流等。此外，国家印刷博物馆、北京绿色印刷包装产业研究院和出版产业与文化研究基地均坐落我校，其中绿色研究院拥有的 3D

打印、印刷电子等高端技术广受关注，欢迎大家在学习之余前往参观交流。

最后，我衷心祝愿各位领导、老师工作顺心，祝各位学员学业有成，预祝本次培训班取得圆满成功！

深入推进人才强校工程 全面深化人事人才制度改革*

2014 年是我国全面深化改革的元年。今天，我们召开 2014 年暑期工作会议暨第三次人才工作会议，研究部署今后一段时期的人才工作。这次会议是我校改革发展处在关键时期召开的一次十分重要的会议，对于我校深入推进人才强校工程，全面深化人事人才制度改革，建设国际知名、有特色、高水平传媒类大学具有重要的意义。下面，我就贯彻落实这次人才会议的精神，补充 3 点意见。

一、立足国家全面深化改革、行业转型升级和首都城市战略定位的战略高度，深刻认识进一步深化我校人才强校工程和人事人才制度改革的必要性和紧迫性

纵观中外著名大学的发展史，办好一所大学，最核心、最关键的是大师，而不是规模和大楼。比如，美国的哥伦比亚大学和法国的巴黎高等师范学院规模都很小，但哥伦比亚大学有 88 人获得过诺贝尔奖，法国巴黎

* 这是 2014 年 9 月 4 日刘超美在北京印刷学院 2014 年暑期工作会暨第三次人才工作会议上的讲话。

高等师范学院则有11位，它们都是举世闻名的一流大学。为了在激烈的竞争中领先，国内外高校无不首先选择以人才队伍建设作为突破点、主攻点，无不争相瞄准高层次创新人才的培养和引进。可以说，高校对于人才的竞争已经进入了白热化的状态。

2014年9月4日，刘超美（前台左一）出席北京印刷学院2014年暑期工作会暨第三次人才工作会议

党的十八大、十八届三中全会作出全面深化改革的决定，目的是完善和发展中国特色社会主义制度，推进国家治理体系和治理能力现代化。三中全会指出，“全面深化改革，需要有力的组织保证和人才支撑。”这是人才工作在全面深化改革中的新定位。全面深化改革为人才体制机制改革既提供了重要机遇，又提出了更高要求。我校的人才体制机制改革需要服从学校全面深化改革的总体要求，更要在全面深化改革中抓住机遇、乘势而上，通过释放人才活力集聚改革动力。

当前，网络和数字技术裂变式发展，带来媒体格局的深刻调整和舆论生态的重大变化，新兴媒体发展异常迅猛，对传统媒体带来很大冲击。为此，8 月 18 日，中央全面深化改革领导小组第四次会议审议通过了《关于推动传统媒体和新兴媒体融合发展的指导意见》。中央推动传统媒体与新兴媒体融合发展，促使新闻出版产业数字化转型升级，迫切需要人才队伍的支撑。作为以新闻出版行业为主要面向的高校，我校必须深化人才强校工程、进一步推进人事人才体制改革，为媒体融合和新闻出版行业转型升级提供智力和人才支撑。

习近平总书记在视察北京重要讲话中明确了北京是全国政治中心、文化中心、国际交往中心、科技创新中心的城市战略定位，作出了京津冀协同发展的战略部署，是我们做好包括人才工作在内的各项工作的基本遵循。作为首都高校，我们要以更加广阔的视野和更加灵活开放的人才政策，更多地参与区域人才竞争和全球人才竞争，着眼人才资源战略储备、骨干人才前瞻性培养、前沿领军人才全面引进，战略性地谋划我校人才中长期工作。

我们一定要站在国家、行业和首都发展的战略高度，围绕学校的战略定位，深刻认识人才工作的重要意义，进一步增强做好人才工作的紧迫感和责任感，以改革创新精神大力推动人才工作，大力提升我校人才队伍的水平，为实现我校跨越转型奠定坚实的人才基础。

二、大兴识才爱才敬才用才之风，建立集聚人才体制机制，加快确立人才优先发展战略布局

党的十八届三中全会指出，“建立集聚人才体制机制，择天下英才而用之。”这是党管人才原则下加快确立人才优先发展的战略布局，推动我国由人才大国迈向人才强国的体制保证。大学是集聚高层次人才的重要基地，是国家人才队伍的重要组成部分，是实施人才战略的强大生力军。大学必须率先建立集聚人才体制机制，为全面深化改革提供人才和智力支持。

为各项改革事业集聚人才，这是我校当前人才工作的着力点。习近平总书记强调，要在全社会大兴识才爱才敬才用才之风。这就要求我们思贤若渴、慧眼辨才、广路进才、扬长避短、人尽其才。各二级学院、各部门要确立“人力资源是第一资源”“抓人才就是抓创新发展”的理念，克服“重物轻人”的思想观念，把思想从旧的条条框框中解放出来，舍得向人才投入，面向全国乃至全球“招才引智”，广开进贤之路、广纳天下英才，唯才是举，择天下英才而用之。破除限制人才流动的一切机制障碍，推动人才按照市场规律自由流动和优化配置。我校的人才工作不只是为北京服务，更要向全国辐射，要站在国家和民族大义的角度来认识和谋划。各二级学院、各部门要保持开阔的胸怀，破除封闭保守、局部狭隘的思维，自觉打破自家“一亩三分地”的思维定式，通过组建跨学科团队，建立跨学科研究机构、校内外交流挂职等方式，以更大力度、在更广的领域将我校人才资源向全国辐射。

引才聚才，关键是环境，根基是文化。习近平总书记指出：“环境好，则人才聚、事业兴；环境不好，则人才散、事业衰”。李克强总理在同国家杰出青年科学基金获得者代表座谈时强调，“通过深化改革最大限度释放人才红利，激发全社会创新创造创业活力。”各级领导要做解放思想、解放人才的先行者，抓住我校全面深化改革的有利契机，不遗余力推进人才制度创新，扫除一切阻碍人才发展的“拦路虎”和“绊脚石”，与一切妒才压才贬才轻才的现象做坚决斗争，形成激发人才创造活力、具有国际竞争力的人才制度优势，开创人人皆可成才、人人尽展其才的生动局面。

三、围绕学校发展战略定位，强化责任担当，落实好这次人才会议的精神

习近平总书记在全面深化改革领导小组第四次会议上讲话时强调，“实施方案要抓到位，实施行动要抓到位，督促检查要抓到位，改革成

果要抓到位，宣传引导要抓到位，让人民群众感受到实实在在的改革成效，引导广大干部群众共同为改革想招、一起为改革发力。”习总书记的讲话指明了当前和今后一个时期推进改革的关键点、着力点，为凝聚起更大力量和智慧解难题、创难关提供了重要方法和基本遵循。

贯彻人才会议精神，要坚持“一分部署，九分落实”，切实把各项工作落到实处。实施方案要抓到位，就是要抓住突出问题和关键环节。对于这次会议确定的重点任务和关键环节，要抓住不放、持续推进、跟踪落实。要突出问题导向，着力破解人才工作中的热点、难点问题和体制性障碍。实施行动要抓到位，就是要掌握节奏和步骤，搞好统筹协调，使相关改革协同配套、整体推进、重点突破、试点先行，加快推进我校教育综合改革步伐。督促检查要抓到位，就是强化督促人才考核机制。高校教师考核评价改革是近年教育制度改革的重点难点问题，也是建立中国特色现代大学制度的重要内容。南京大学、复旦大学等高校近年来在把发展性评价运用到教师考核中做了很多有益的探索，我校要积极跟进，把完善学校人才评价机制作为切入点，逐步建立以发展性评价为主体，兼顾绩效评价的考核模式。改革成果要抓到位，就是要建立人才体制改革举措实施效果评价体系。高校肩负着立德树人的根本任务，是培育和践行社会主义核心价值观的示范之区，在全社会具有辐射引领作用。要把社会主义核心价值观学习纳入人才队伍的教育培训之中，融入到教育教学全过程，强化督查指导，将培育和践行社会主义核心价值观作为各类人才岗位聘任、教学管理、职称晋升等的首要标准。宣传引导要抓到位，就是要抓好对于我校第三次人才工作会议精神的宣传引导，积极宣传人事人才体制改革取得的新进展新成效。我们要牢牢按照习近平总书记“凡事都要有人去管、去盯、去促、去干”的指示，翻破敢立、敢闯敢干，把我校人才工作向前推进。

同志们，时代发展呼唤英才辈出，改革大局赋予广阔舞台。让我们进一步增强使命感、责任感、危机感，把思想和行动切实统一到贯彻落实党的十八届三中全会精神上来，以“敢于啃硬骨头、敢于涉险滩”的决心和信心，全面深化人才工作体制机制改革，全力推进人才队伍建设，努力开创我校人才工作新局面，为实现“建设国际知名、有特色、高水平传媒类大学”的“北印梦”而共同奋斗！

为我国传媒业的发展和中国人工智能学会的建设作出应有的贡献*

首先，我代表北京印刷学院欢迎各位领导、专家学者在百忙之中相聚北印，共同研讨智能传媒专业委员会发展大计。

对于我国传媒业的发展，中央出台了一系列文件和政策，提出文化大发展大繁荣和建设文化强国战略。特别是今年9月18日，中央深改组第四次会议讨论通过了《关于推进传统媒体和新兴传媒融合发展的指导意见》，习近平总书记指出“强化互联网思维，坚持传统媒体和新兴媒体优势互补、一体发展，坚持先进技术为支撑、内容建设为根本，推动传统媒体和新兴媒体在内容、渠道、平台、经营、管理等方面的深度融合”。11月6日至12日在北京召开的APEC会议，“互通互联”作为本次会议主题彰显了信息传播已经进入全球化时代，11月19日至21日，在浙江乌镇召开的首届国际互联网大会，“互通互联，共享共治”作为会议主题彰显了互联网时代信息传播与共享的基本法则。

今天互联网引起各行各业的变革刚刚开始，新的发展机遇不断涌现，原有的东西正在不断被革新和颠覆，正如新媒体出现，一夜之间仿佛其他媒体都老了。新媒体改变了信息传播方式，以至于有人发出“电脑已经

* 这是2014年11月22日刘超美在北京印刷学院2014中国人工智能学会智能传媒专业委员会成立会上的致辞。

2014年11月22日，刘超美（左七）出席2014中国人工智能学会智能传媒专业委员会主任会议

成为传统媒体”的感叹。

当今移动互联网、大数据、云计算和智能媒介已经影响到政治、经济、文化和人们生活的方方面面。智能科技正在更深层次、更大范围和更高层面影响人类社会的发展。未来是什么样，按照软银公司孙正义的预测，2020年电脑的智力水平将超过人脑，2040年将达到人脑的60次方，那时的情况如何，现在真的是想不清楚。不管这样的预言是否会真的发生，但智能科技发展对社会带来的颠覆式影响的确已初见端倪，将来必然会产生更多、更大的超越现在人的认识水平的影响，为有志于创造未来的每一个人都提供了广阔的舞台。

因此，智能传媒专业委员会成立恰逢其时，非常符合传媒业发展需要。通过专委会建设，广聚英才，汇聚国内外在智能科技、互联网等领域内众多学者专家和科技人才，结合传媒业发展需要和我国建设文化强国的战略需要，携起手来，协同开展科学研究、人才培养和社会服务，努力为我国传媒业的发展和中国人工智能学会的建设作出应有的贡献。

新形势下首都高校中青年教师宗教信仰状况调查与分析*

宗教作为一种社会历史文化现象具有国际性、民族性、群众性、长期性、复杂性的特点。近年来，随着经济全球化、思想多元化、政治多极化、传播网络化的到来，“宗教热”在我国呈现升温的态势，并波及了大学校园，各地高校都不同程度地出现了中青年教师信仰宗教的问题。相对而言，宗教作为一种社会历史文化现象具有国际性、民族性、群众性、长期性、复杂性的特点。相比其他地区院校，首都高校由于其位置环境的特殊性一直处在多元文化影响的潮头，对外交往的频繁，人员构成的庞杂，致使首都高校中的宗教成分更加复杂，高校宗教信仰问题已由隐性存在转变为显性现实，宗教信仰已经成为影响高校教师群体特别是中青年教师思想政治素质的众多因素之一。

为全面把握首都高校中青年教师的信教状况及宗教观，“新形势下首都高校中青年教师宗教信仰现状研究及应对策略”课题组于 2014 年 7 月—9 月间在北京印刷学院、北京石油化工学院、北京建筑大学、北京工

* 这是刘超美所主持，北京印刷学院、北京林业大学、北京体育大学联合开展的 2014 年度北京高校统战理论与实践研究会课题《新形势下首都高校中青年教师宗教信仰现状研究及应对策略》的研究成果，获中共北京市委统战部 2014 年度北京市统一战线理论研究与调查研究优秀成果二等奖。发表于《科学与无神论》2016 年第 3 期，课题组成员包括：邹秀春（北京体育大学思想政治理论课教学部副教授）、陆洋（北京印刷学院社科部副教授）等。

商大学、北京体育大学、北京林业大学、北京工业大学、清华大学、北京交通大学、中央财经大学等10所首都高校开展了系列调研活动。调研主要采取问卷调查的方式，辅以个别访谈，调查问卷分三类进行设计与统计，调研对象分别为党员中青年教师（154人）、非党员中青年教师（140人）和高校统战部、组织部工作人员（31人）三类人群，受访中青年教师均为教学一线教师，共计发放问卷400余份，回收有效问卷325份，深度访谈约30人次。

一、首都高校中青年教师宗教信仰的基本情况

（一）高校中无宗教信仰的中青年教师占绝大多数

调查表明，首都高校中青年教师的总体信教比例为4.28%，主要信奉佛教和基督教，且多为女性教师。受访者中党员中青年教师具有硕士、博士学历的人数占92.86%，非党员中青年教师具有硕士及以上学历的也占到80.71%，具有副高级以上职称的比例分别为31.17%和29.28%。学历层次高也就意味着他们接受了较长时间、较为系统的马克思主义理论教育，接受并将唯物主义理念置于思想深处，在一定程度上可以和唯心主义思想划定严格的界限。高级职称比例高也就意味着中青年教师在业务提升和训练方面经历较多、积累较多，他们的工作性质和工作要求使得首都高校中青年教师能够更为理性、更加客观地认识世界、对待宗教、对待人生。

（二）中青年教师信教与所学专业有一定的关联度

调查发现，信教中青年教师与所学专业有一定的关联度，主要集中在法学、文学和工学三个专业领域中，其中文学专业中青年教师的信教比例最高，为3.48%。究其原因，这些专业受到外来文化的冲击影响较大，特别是文学类专业的外国语言文学。中青年教师在专业学习过程中必然不断接触西方文化而有更多的可能去接触西方宗教文化，能够出国交流的教

师直接受宗教文化的熏陶和影响机会就更多。调查中有80%的中青年教师基督徒都有在国外学习、工作和生活的经历也可以说明这一点。

（三）高校中青年教师信教原因相对集中

调查表明，高校中青年教师信教原因主要集中在“家庭环境，民族风俗，承袭传统”和“生活遇到挫折，寻求心理寄托和精神安慰”这两个选项上，即家庭因素和个体因素占较大比例，比例分别占到76.62%、61.43%。调研中课题组与两位中青年教师基督徒进行了深度访谈，他们信教的原因也可以进一步说明上述调查结果的可靠性。

中青年教师基督徒甲：女，某985高校博士毕业到某重点大学工作，是一个坚定的马克思主义者。参加工作后结婚生子，生活顺风顺水，从未想过自己也可能信教的问题，对宗教知识了解的也并不多。然而平静的生活在儿子一岁左右的时候被打破，因为孩子被检查出身患一种很少见的免疫系统疾病，原因不明，治疗希望非常渺茫，整个家庭陷入四处求医问药的境地。几年过去了，孩子的情况越来越差，她的精神也被摧残到无望的境地，除了必要工作外一概不出门，不再与同学、朋友们联系。她的母亲看着她的样子很难过，一直建议她去信基督教。无论她的母亲怎么劝说她都坚持拒绝。一次她的母亲急了开始威胁她，若不跟她去教堂就不再帮她带孩子。在这条杀手锏胁迫下她只好妥协去了教堂。渐渐地喜欢并成为一名虔诚的基督徒。她觉得宗教对她的帮助很大，现在她已经走出自己的思想泥潭，正视孩子的病患问题，开始与朋友、同学恢复联系，整个人也发生了很大的变化。

中青年教师基督徒乙：女，东北某重点大学硕士毕业到京某重点大学工作，学习的专业是英语语言文学。该老师为人谦和，品学兼优，思想坚定，经过组织严格培养与考察，读大学时就加入了中国共产党。参加工作后的一段时间，只身一人在北京工作，空余时间较多，与学校的外教关系非常好，经常参加外教在家里组织的宗教活动，在他们那里得到一些安慰和鼓励，但从未考虑过自己去信教。婚后多年没有孩子，后来当医院查出无法生育后她一度非常难过。这时外教给了她更多的心理支持，自己也慢慢开始对宗教经典感兴趣，开始信教。当教会建议她担任一个教会的职务时，她进行了强烈的思想斗争，最后向党组织提出退党申请。组织上最后批准了她的申请，但由于教师身份而不建议她担任教会的职务。多年后她领养了一个女儿，改变了自己对世界的看法。

综合以上两个案例可知，她们信教的原因都有一个共同之处，即生活中遇到困难和挫折，心理积郁并没有在得到现实渠道帮助和支持，进而到宗教那里找到安慰和寄托。

（四）高校中青年教师对宗教的认识比较客观、理性

在对宗教本质认识的调查中，认为宗教是“一种文化历史现象”和“唯心主义”的比例排在前列，分别为 71.43%和 11.43%。这说明首都高校中青年教师对宗教本质的认识比较客观，基本可以将其同愚昧迷信区别开。在调查高校中青年教师对待宗教宣传品的态度时，我们看到选择“很感兴趣，认真阅读”的非党员中青年教师为 11.43%，党员中青年教师为 5.19%。这说明首都高校的中青年教师在对待宗教渗透方面有一定的抵御能力，不会轻易偏听、偏信。

调查表明，中青年教师对待周围的信教者的态度非常理性和宽容，能够尊重他人的宗教信仰。非党员中青年教师选择“尊重其个人信仰”的比例为 73.57%，党员中青年教师选择“尊重其个人信仰”的比例为 79.22%，鄙视信教者的比例为 0。这充分说明中青年教师思想觉悟较高，能够较好尊重和理解他人的宗教信仰，不歧视、不鄙视，尊重差异，包容多样。对宗教现状与未来的看法的调查显示，受访者选择比例较高的两个选项是“宗教的存在有着深刻的社会历史根源，它还将在我国长期存在并发生作用”（63.57%和 77.27%）和“有效地管理和引导宗教，减少其中的消极因素，发挥其中的积极因素”（60.71%和 68.83%）。这说明中青年教师既看到了宗教的积极作用也看到了它的消极影响，对宗教未来发展的认识比较客观。

二、当前首都高校宗教事务管理工作存在的问题及原因

（一）高校中青年教师对党和国家宗教政策理解模糊

调查发现，有相当一部分中青年教师认为课堂不可以传教，但课下可以。认为校园内可以进行宗教活动的党员教师占 3.25%，非党员教师中占 5%。26.43%的非党员教师和 19.48%的党员教师表示对此说不清楚。仅有 50%的党员中青年教师和 37.86%的非党员中青年教师认为“不得以任何形式在学校进行宗教活动或宣扬宗教”。有三成以上的中青年教师对我国现行的宗教政策“不够了解”和“很不了解”。产生这种结果的原因很多，有教师自身学习领会不够的原因，也与学校的组织统战部门对宗教政策的宣传教育活动开展不足有关。从对高校组织、统战部门的调查结果可以看出，“经常进行”宗教政策宣传的仅占 16%，“偶尔进行”宗教政策宣传的占 74.20%。

（二）中共党员中青年教师中存在信教现象

调查显示，中共党员中青年教师中存在信教的情况。近 37.66%的受访党员教师认为周围有党员信教的情况存在。党员中青年教师选择对宗教“很感兴趣”的比例为 5.84%，18.83%的党员表示“有点兴趣”。对待宗教的兴趣程度能够反映出人们对待宗教的一个基本态度，这两项选择之和达到了 24.67%，这些中青年教师容易被宗教吸引，“时机成熟”容易走向信教之路。另外，42.86%的党员中青年教师选择对宗教的兴趣“一般”，其态度模糊不明确。

（三）高校中青年教师对宗教的社会影响存在认识偏差

对于宗教的社会影响，非党员中青年教师认为“有益无害”的占 8.57%，“益大于害”的占 17.86%，党员中青年教师认为“有益无害”

的占 10.38%，认为“益大于害”的占 20.13%，均有近半数的受访者选择“不清楚”宗教的社会影响。这一结果表明，高校中青年教师在某种程度上夸大了宗教对社会影响的有益方面，忽视其有害的一面。出现这种认识偏差的主要原因是大多数中青年教师对宗教历史了解不多，只看到了宗教现今的面貌，没有把他放到人类历史长河中去比较“益”和“害”的问题。事实上，宗教在历史上给人类造成的伤害远远大于它的益处。只是从宗教文化发展和当前社会发展需要的角度我们提倡宗教与社会主义相适应，不断发挥宗教的积极影响，克服其消极影响。

调查显示，48.57%的受访非党员中青年教师认为“信教属个人私事，对学生影响不大”，3.57%的受访者认为教师信教“有助于和谐师生关系”，7.14%的受访者认为“没任何影响”，仅有 25%的受访者认为“会对大学生科学世界观的形成、马克思主义意识形态的巩固、科学精神的培养以及对社会主义核心价值观的认同起负面影响”。这种情况说明，非党员中青年教师对个人信教对大学生的危害认识相对不足。对于一个普通的社会人来说，信教是个人私事，在法律和政策规定范围内正当信教无可非议。然而高校，特别是首都高校，肩负着培养中国特色社会主义建设者和接班人的历史使命，对大学生进行唯物主义无神论的教育是他的应有之义。高校中青年教师，作为社会主义大学的知识传播者，假若信仰某种宗教，那么必然产生个人信仰上的有神论与对大学生进行无神论教育的矛盾，这种矛盾必定会影响大学生的健康成长。同时，一个虔诚的教徒，按照多数宗教教义的要求都有传播教义的义务。神的旨意和国家禁止校园传教的政策有时也会产生矛盾。

综合以上调研可知，没有宗教信仰的中青年教师占绝大多数；首都高校的中青年教师由于教育程度较高，职称水平较高，对宗教的本质有着较客观和理性的认识；青年教师信教与所学专业关联度较高，家庭影响和生活挫折影响成为青年教师信教的最主要原因；就本次调查而言，不论信教原因如何和信教时间的长短，高校中青年教师信教后的行为变化总体上是在向积极的方面转化；总体而言，青年教师对宗教本质的认识比较客观，

对待宗教的态度比较理性和宽容。

调查亦发现，首都高校青年教师在宗教观方面也存在如下问题：一些青年教师对国家宗教政策的认识较模糊，对宗教社会影响的认识存在偏差，中共党员青年教师中存在信教的现象，非党员青年教师对教师信教的危害性认识不够等等。当前一个不可否认的事实是：宗教传播与西方价值观、政治观及意识形态输送在同时进行，有时还会以比较隐蔽而极端的方式进行，如极端教会组织、地下教会点、以宗教研究的名义建立基金会拉拢高校青年教师去信教。因此，青年教师对待宗教的恶意渗透与不良影响应时刻保持高度警惕。同时，高校组织统战部门应加强对高校青年教师进行宗教信仰政策上的解读与宣传；高校基层党组织需要从多个方面关心和关怀党员群众，悉心了解，做好不良情绪的及时疏导工作，提供必要的生活、工作中的扶持与帮助，共同抵制宗教价值观的恶意渗透，弘扬和培育社会主义核心价值观。

三、高校中青年教师宗教信仰问题

对高校教育管理工作的挑战与对策高等学校是为社会培养高素质人才的主要阵地，高校教师是人才培养工作的直接实施主体。中青年教师又是高校教师群体的重要组成部分，他们大多处在教育教学的第一线，是学生接受世界观、人生观、价值观教育最重要的思想源，对学生的思想言行起着引领和示范作用，其信仰状况、政治素质、行为品质在很大程度上决定着人才培养的水平和教育目标的达成。中青年教师的宗教信仰问题从个体层面而言是公民个人的私事，只要不违犯相关法律与政策似乎都无可厚非，甚至在一定程度上还可发挥调整心态、和谐人际关系的积极作用。但是如若放在高等教育的整体环境中，中青年教师信教带来的不利影响就立刻凸显出来，再加上这种影响又具有一定的隐蔽性和持久性，对高校的教育管理工作带来严峻挑战，诸如颠覆高校马克思主义意识形态的主导地位，淡化高校科学精神的培养，影响高校思想政治教育的效果，威胁校园的和谐稳定等。因此，做好中青年教师的宗教事务管理工作是高校统战工作的重要环节，也是当前新的形势下确保高校社会主义教育方向，稳定校园秩序、和谐校园人际关系的迫切需要。

（一）统一思想认识

在调查中发现，由于长期以来对高校宗教信仰现象缺乏普遍关注和深入细致的思考，目前高校的领导、教师在对宗教的理解上还存在很大的偏差。宗教在部分人的眼中，仍被视为异质于社会的存在。这一方面是由于部分教师对宗教起源的无知，另一方面可能是由于当代宗教信仰的传播不可避免地与西方政治势力的干扰、民族问题的介入等因素结合起来，国家公安部门、安全部门对高校宗教问题的重视客观上又强化了这种异质性，最终造成部分教师对宗教信仰问题不同程度的好奇。事实上，宗教是人类社会发展到一定阶段的产物，它的产生有一定的经济、社会、心理根源，宗教本身并不神秘，目前高校中的宗教信仰现象，存在着多层次、多原因、不稳定等特点，对待这类问题，既不需要过分恐慌，绝对抑制，也不能大而化之，简单放任，既要区分宗教接触、宗教朦胧、宗教信仰，辨明参加宗教组织的中青年教师与宗教信仰关系的复杂层次，又要区分社会性因素、心理性因素、宗教性因素等，探寻教师在参加宗教活动抑或归信上的不同原因加以区别对待。

（二）健全领导机制

做好高校中青年教师宗教事务管理工作是一项长期的任务，需要高校党委、院系、统战、宣传、外事、学生、保卫等部门的协同联动。为此，有必要健全党委统一领导、党政密切配合，相关部门齐抓共管，基层院系各负其责，全校紧密配合的工作机制。遵循意识形态及思想发展规律，明确任务分工，落实责任区及责任人，建立信息报送机制，实现工作预警功能，实事求是、求真务实，内紧外松、举重若轻，区别对待，制定有理、有利、有节的工作方针。

（三）加强宣传教育

调查显示，目前高校中青年教师对党和国家宗教政策的把握状况并不十分理想，如在党员和非党员教师中均有约三分之一的人认为不能在课堂传播宗教信仰，但课下可以；自认为对党和国家的宗教政策不够了解或很不了解的教师也超过调查总数的三分之一，这一方面说明高校中青年教师对此方面知识的欠缺，另一方面也从侧面反映出高校对党和国家宗教政策的宣传教育还不够到位。

首先，可以利用新入职教工培训、党员学习、知识讲座、专题网站建设等渠道帮助中青年教师了解宗教。宗教学学科发展的历史充分证明，比较的方式是打破思维神秘、摆脱思维控制的最好方式。如果能够让更多的中青年教师在选择宗教信仰前更全面地了解各种宗教的历史和文化，就能够更加真实地还原宗教的本来面目，帮助他们深刻反思宗教作为现实社会存在与宗教义理之间的差距，树立起更为理性的宗教观。

其次，鼓励中青年教师认真学习马克思主义宗教观，正确认识宗教的起源、深刻理解宗教本质、全面把握宗教的社会功能。宗教是人类特有的意识现象，是一个历史范畴，有它产生的认识根源、自然根源和社会根源。宗教观念源自人们的现实生活，只不过采取了幻想、颠倒的反映形式，其本质是“支配着人们日常生活的外部力量在人们头脑中的虚幻的反映，在这种反映中，人间的力量采取了超人间的力量的形式。”尽管随着社会生产力的提高，科技的进步和文明的提升，宗教赖以生存的条件将逐渐消除，宗教也最终将走向消亡，但这是一个十分漫长的过程，至少在今天，宗教的根源不但没有完全消失，甚至在社会转型时期其存在的认识心理根源表现得更加突出。宗教信仰者在很大程度上是在宗教群体中寻求心理慰藉与满足，而这种心理需求其实往往并不是专属于宗教的，这种群体性、安全感甚至对陌生环境的现实融入需求是完全可以通过其他方式获得的，了解了这一点将有助于高校中青年教师客观分析自我的处境和责任担当，更清醒地选择自己的信仰。

再次，引导中青年教师准确把握党和国家的有关政策。宗教信仰自由作为公民的一项基本权利，得到了宪法和法律的保障。尊重和保护宗教信仰自由，是我国政府对待宗教问题的一项长期的基本政策。宪法第 36 条第 3 款规定："中华人民共和国公民有宗教信仰自由。""任何国家机关、社会团体和个人不得强制公民信仰宗教或者不信仰宗教，不得歧视信仰宗教的公民和不信仰宗教的公民。"作为高校的中青年教师，应该清楚地意识到宗教信仰自由作为个人的基本权利是受到《中华人民共和国宪法》保护的，但并不意味着可以在信仰宗教的前提下为所欲为。正常的宗教信仰是受国家法律保护的，但打着各种宗教旗号的"邪教"则是世界各国法律所坚决打击的。即使是法律容许的宗教信仰，也必须在法律规定的范围内活动，即："任何人不得利用宗教进行破坏社会秩序、损害公民身体健康、妨碍国家教育制度的活动。""宗教团体和宗教事务不受外国势力的支配。"大学校园是教育重地，高校教师不是简单的公民个体，更是教育的实施者。《教育法》第八条明确规定："教育活动必须符合国家和社会公共利益。""国家实行教育与宗教相分离。任何组织和个人不得利用宗教进行妨碍国家教育制度的活动。"因此，作为高校教师，要时刻警醒自己不要把自己的宗教信仰带到校园中。

（四）抓住重点人群

做好高校中青年教师的宗教事务管理工作特别要抓好几类重点人群。

做好对党员中青年教师的教育。《中国共产党章程》中明确指出："中国共产党是中国工人阶级的先锋队，同时是中国人民和中华民族的先锋队，是中国特色社会主义事业的领导核心，代表中国先进生产力的发展要求，代表中国先进文化的前进方向，代表中国最广大人民的根本利益。党的最高理想和最终目标是实现共产主义。中国共产党以马克思列宁主义、毛泽东思想、邓小平理论和'三个代表'重要思想和科学发展观作为自己的行动指南。"中国共产党党员是中国工人阶级的有共产主义觉悟的先锋战士，他们是无神论者，是唯物主义者，是马克思主义者。早在

1991 年，中共中央组织部在《关于妥善解决共产党员信仰宗教问题的通知》中指出，共产党员信仰宗教，参加宗教活动，违背党的性质，削弱党组织的战斗力，降低党在群众中的威信，也不利于正确贯彻执行党的宗教政策。高校中青年党员教师是高知识、高素质的党员代表，理应带头遵守党章中关于党员政治信仰的相关规定，做辩证唯物主义和历史唯物主义思想的坚强柱石。做好高校中青年教师的宗教事务管理工作必须首先抓好党员中青年教师这一领头羊，大力开展无神论教育，加强对党员中青年教师的马克思主义宗教观教育和社会主义核心价值观教育，旗帜鲜明地树立党员不能信仰宗教的意识，严格遵守党章各项规定，用科学精神武装党员中青年教师的头脑，引导他们用科学的态度看待宗教信仰。对于个别党员积极参与宗教团体生活和传教，甚至利用党员身份保护、推动非法宗教活动的，党组织应及时将其使从党员队伍中清退。

做好对少数民族中青年教师的宣传。少数民族教师，特别是来自民族地区的少数民族教师，由于长期受家庭环境、民族习俗等的影响，对宗教信仰有着天然的亲近感。要通过宣传教育帮助少数民族教师把握宗教信仰和民族风俗习惯的区别，明确尊重本民族风俗习惯并不意味着要毫无选择的接受本民族、本地区的宗教信仰，每个公民的宗教信仰自由权利是受到法律保护的，少数民族教师也可以在信仰上作出自己的选择。

做好对中青年信教教师的引导。在充分尊重信教教师宗教信仰选择的基础上，引导他们认识到高校中青年教师不是一般意义的公民，他们肩负着培养中国特色社会主义的建设者和接班人的历史使命，他们的职业特征要求他们一定要牢牢把握住社会主义大学的育人目标，审慎处理好个人宗教信仰自由与培养社会主义合格建设者和可靠接班人之间的关系。

做好对外籍教师的管理。随着对外交流的频繁，高校内的外籍教师人数不断增加，他们在为我国高等教育贡献知识的同时也极有可能或直接或间接地输出了他们的宗教信仰。对此，要引导他们了解我国的有关政策、法规，特别是要按照“任何组织和个人不得在学校进行宗教活动”的规定，禁止在高校宣传教义和组织宗教活动，也不得以学术交流为背景进行宗教渗透。

除了做好以上几类重点人群的管理工作，还要做好对出国留学教师的监督以及对新入职教工的摸底排查工作，及时掌握中青年教师的宗教信仰状况和思想动态，确定重点对象，查找隐患漏洞，真正做到“底数清”“情况明”，建立长效机制，对重点对象做到一人一组、一人一册、定期了解、长期关注，完善对校园安全管理的动态监控。

（五）做好心理疏导

调查显示，家庭因素和个体因素成为中青年教师信教的主要诱因。一方面，中青年教师是高校的中坚力量，他们承担着院系中的主要教学任务，又大多面临着来自职称晋升、子女入托升学、老人赡养、提升学历等多重压力，难免会遇到个人难以排解的困惑。另一方面，由于高校工作的特殊性，一线教师往往不需坐班，致使同事之间缺乏必有的交流沟通，无法在工作环境中寻找到排解积郁的出口。为此，应充分发挥基层党组织、院系组织的纽带作用，关心中青年教师的生活状态，经常性地与中青年的教师开展谈心活动，发现问题，严格控制、及时疏导，帮助他们解决在学习、工作、生活中遇到的心理冲突，完善自我意识、调节自身情绪、塑造自身人格，构筑起坚强牢固的心理防御体系。

（六）实施依法管理

作为高校的管理层，要牢固树立“宗教信仰问题是公民个人的私事”的观念，尊重正常的宗教信仰，不歧视有宗教信仰的中青年教师。《宗教事务条例》明文指出：“任何组织或者个人不得强制公民信仰或者不信仰宗教，不得歧视信仰宗教的公民或者不信仰宗教的公民。信教公民和不信教公民、信仰不同宗教的公民应当互相尊重、和睦相处。”但同时也要清楚意识到，宗教问题一直都是很复杂的，“宗教方面涉及国家利益和社会公共利益的事项和活动，必须纳入依法管理的范围。不能以宗教信仰自由和政教分离为借口，放弃或摆脱国家对宗教事务的管理”。高校应依照国家有关的法律、法规和政策，积极建立健全相应的管理制度，引导高校中的宗教信仰者到经过登记的宗教活动场所参加正常的宗教活动，以实际行动弘扬宗教教义、宗教道德中有利于社会发展、时代进步的内容，为国家安全、民族团结和社会稳定作出贡献；明确要求宗教信仰者不得在宗教活动场所以外（尤其是大学校园内）传教、布道、宣传有神论，不得在学校成立宗教团体或组织；采取有效措施，制止和打击校园内的各种非法宗教活动，依法规范外籍教师在高校的宗教活动，谨防高校校园成为境内外宗教势力渗透的基地。

四、结　语

高校中青年教师是高校的中流砥柱，研究新形势下高校中青年教师的宗教信仰现状，加强对高校中青年教师的宗教事务管理工作对高校统战工作的顺利展开具有重要意义。做好这项系统工作，既需要加强马克思主义宗教观教育，又需要加强党和国家的民族宗教政策教育；既需要坚决贯彻党的宗教信仰自由政策，又要秉承宗教与教育相分离的原则，防范校园宗教渗透；既需要注重对中青年教师社会主义核心价值观的培育，又要积极开展相关的心理疏导。此外，鉴于现代化信息技术在高校中的普遍应用，高校宗教事务管理工作要充分利用现代化信息手段，在宣传教育中积极引入新媒体技术，大力推进工作的信息化进程。

参考文献：

［1］《马克思恩格斯选集》第3卷，人民出版社1995年版。

［2］《江泽民论有中国特色社会主义》（专题摘编），中央文献出版社2002年版。

［3］2011年中央办公厅18号文件《关于做好抵御境外利用宗教对高校进行渗透和防范校园传教工作的意见》。

［4］赵康太：《我国高校防范和处理邪教问题研究》，中国社会科学出版社2011年版。

认真领会把握习总书记讲话精神 做“四有”好老师*

在隆重纪念抗日战争暨世界反法西斯战争胜利70周年的日子里，我们迎来了第31个教师节。就在今天，习近平总书记给“国培计划（2014）”北京师范大学贵州研修班全体参训教师回信，对他们提出殷切希望，并向全国广大教师致以节日祝贺和诚挚祝福。这也是习近平总书记连续3年在教师节之际为广大教师送上祝福，充分体现出党和国家对教育事业的高度重视，我们作为高等教育事业战线上的工作者，备受振奋、备感骄傲，同时也深感责任重大、使命光荣。

今天，我们齐聚一堂，庆祝属于我们教师自己的节日，表彰在过去一年里涌现出的先进集体和个人，以及从事教育工作满30年的教职员工。首先请允许我代表学校党政领导班子向辛勤工作在教学、科研、管理和服务岗位上的全体教职员工致以诚挚的节日问候！向为学校建设与发展作出贡献的老教师、老领导、老同志致以崇高的敬意！向受到表彰的教师表示热烈的祝贺！向新入职的老师和新入校的新生表示真诚的欢迎！

过去一年，我们认真贯彻落实党的十八届三中、四中全会精神，紧紧围绕建设国际知名、有特色、高水平传媒类大学目标，以更名建设为抓

* 这是2015年9月9日刘超美在北京印刷学院2015年教师节庆祝暨表彰大会上的讲话。

2015 年 9 月 9 日，北京印刷学院召开 2015 年教师节庆祝暨表彰大会

手，协调推进综合改革，大力加强师资队伍建设，稳步推进依法治校，全面加强党的建设，广大干部教师齐心协力、奋力拼搏，学校各项事业取得新的成绩。

第一，完善岗位聘任制度，加强人才队伍建设，学校师资结构进一步优化。今年，根据国务院和北京市人事制度改革的总体设计，学校按照科学设岗、分类管理、总量控制、动态调整的原则，圆满完成了新聘期岗位聘任工作。聘任过程中学校统筹全校资源，多渠道增加可投放的高级岗位数量，超上限投放高级岗位，最大程度打通了教师的发展通道。通过调整职称评审标准，完善评聘工作流程，进一步突出学术导向，实现评聘过程的公平公正公开。同时，打通管理岗位和专技岗位之间的转化通道，增设管理 7A 岗，充分考虑和保障了全校各支队伍的均衡发展。本次岗位聘任工作结束后，学校专任教师比例达到 64%；高级岗位人数达到 268 人，占比达到 53%；共计有 175 位教师实现晋升或晋级。

学校加大了青年教师和博士后的培养力度，举办了首届博士后学术创新论坛，组织了博士后学术拓展活动；多次邀请院士及知名专家学者来校做相关讲座；选派 20 余名优秀青年教师和博士后赴国家新闻出版广电总局、北京市属单位及行业企业挂职锻炼；选派 26 位青年教师赴革命圣地井冈山进行理想信念主题培训。彭文伟等 10 位博士后获得 2015 年度北京市博士后科研活动项目资助，资助人数占在站博士后人数比例在市属高校中排名第一，资助总人数排名第三，作为一支刚刚组建的博士后队伍，成绩尤为可贵。截止到目前，学校具有硕士及以上学位教师比例达到 87%，具有博士学位的教师比例达到 33%，师资队伍结构得到明显优化。

第二，积极推动教育教学改革，办学声誉和社会影响力进一步提升。2014 年 9 月，学校组织申报的《面向行业，构建“四位一体”的印刷出版创新人才培养模式》成功获得国家教学成果奖二等奖，这是建校以来第一个国家级教学成果奖。去年 11 月，北京市教委公布了 2014 年度北京高等学校教育教学改革立项项目，学校获批 4 个项目。今年 1 月，教育部公布了 2014 年国家级实验教学示范中心名单，北印“数字艺术与创新设计实验教学中心”名列其中，这是学校首个国家级实验教学示范中心。

学校生源质量大幅提高，新增北京、内蒙古、四川、甘肃 4 个省（市），一本招生省（市）拓展至 16 个。一本批次共计招生 317 名，占非艺术类本科生的 26. 89%，比去年大幅增加。各省录取分数线普遍高出一本线 15—30 分左右。根据刚刚得到的统计数据，2015 年学校新生入校报到率为 98%，创历年新高。

学校通过积极争取、多方努力，成功加入北京市“双培”和“外培”计划，全部参与“双培”和“外培”计划的仅有两所市属高校，而北京印刷学院位列其中。学校今年录取“双培”新生 36 人，“外培”新生 4 人，根据掌握的市属高校的录取情况，我校属于“双培”“外培”计划完成较好的高校之一。

今年广东财经大学、河北民族师范学院与我校深入对接，将各选派 20 名学生到北印进行为期一年的学习。以往的开门办学，主要是我们选送学生到兄弟院校培养，从今年开始，兄弟院校也开始选派学生来我校培养。这标志着我校部分学科专业得到了社会更充分的肯定，在我校办学历程中具有重要历史意义。

今年暑期，我们为学生宿舍安装了空调，所有新生宿舍和部分教室进行了粉刷及公共空间的改造，新实验楼、留学生公寓已完成内部装修并将陆续投入使用。9 月 6 日，学校党委讨论通过了《校区功能布局与调整方案》，本校区功能布局整体方案今年也将出台，方案落实后将会有更多的资源得到释放，广大学生和教职工的学习、工作、生活环境将大幅度改善。

刘超美（前排中）为北京印刷学院 2014 年教师节以来获得市级以上奖励人员颁奖

第三，加强与行业和区域的合作，取得了一批高水平科研成果，服务行业和首都能力进一步增强。今年学校科研成果丰硕，获批国家自然科学基金 4 项，北京市自然科学基金 1 项，北京市自然科学基金 B 类暨教委科技类重点项目 3 项，教委科技类重点项目 1 项，创新能力提升计划项目 1 项。3 个项目获国家社会科学基金年度项目和青年项目立项资助，有 8 个项目获北京市社会科学基金年度项目立项资助。

今年 4 月，学校与中国版权协会签署战略合作协议，中国版权协会版权研究中心落户北京印刷学院；6月，学校与承德市人民政府正式签署协同发展战略合作框架协议；7月，学校与固安县人民政府签署战略合作协议，全面落实好这些协议，将会为学校发展带来更多的办学资源和发展空间。

经过学校两年努力，今年8月，国家新闻出版广电总局来校考察后决定将国家数字复合出版系统工程和版权保护工程两大项目落地我校。这两个项目是国家传统媒体和新媒体融合战略的标志性工程项目，代表了出版产业发展的新方向，建设经费4.75亿元，全部由国家财政拨款。可以预期，国家数字复合出版系统工程和版权保护工程项目的实施将会对我校提升综合实力、加快学科交叉融合产生重要深远影响。

当前，学校正在起草制订学校“十三五”规划。“十三五”时期，学校发展的环境、条件、任务、要求等都将会发生新的变化。我们面临着前所未有的发展机遇，也面临着前所未有的严峻挑战。从大的机遇来讲，至少有3个：第一个是在深化高等教育领域综合改革的背景下，以加强创新创业教育为突破口提高人才培养质量的机遇；第二个是在首都功能定位调整和“一带一路”、京津冀协同发展、长江经济带等国家战略发展背景下，优势学科更好发挥作用及拓展办学空间的机遇；第三个是在传统媒体和新兴媒体融合发展的背景下，整合、优化、拓展我校相关学科专业及研究方向的机遇。

但是，机遇和挑战往往是一个矛盾的两个方面。抓住了机遇，挑战也会转化成机遇，就能为学校发展赢得更大的优势和更广阔的发展空间；抓不住机遇，机遇就会成为新的挑战，特别是别人抓住了我们没有抓住，那我们就会错过千载难逢的发展良机，进而造成“错过一步，步步赶不上”的被动局面。“日新者日进，日进者日强。”新形势下，抓住机遇、迎接挑战、促进发展，必须要有新理念、新思路、新举措。希望大家同学校党委保持一致，心往一处想，劲往一处使，迅速行动起来，努力做到在机遇面前“醒得早、看得清、动得快、抓得住”，为学校变革转型赢得先机。

去年教师节，习近平总书记发表了《做党和人民满意的好老师》的重要讲话。刚才，李晋尧、王蔚两位老师也在发言中谈到学习总书记讲话的体会。希望大家深刻理解好教师的“四有”标准，争做学生爱戴、家长满意、社会尊重的好教师。

第一，要坚定理想信念。理想信念是引航的灯塔，是远航的风帆，是我们成为老师的理由。作为教师，注定了我们不能成为经济上的大富翁，拥有丰厚的物质财富；但作为教师，我们在一份基础的物质保障之上，可以因为自己的成长而直接使学生们有更好的发展，从而收获一份精神上的富足和愉悦，这种幸福感是无法用金钱衡量和满足的。一个能够从工作中发现幸福的老师，肯定会更乐于投身教育之中；一个厌恶教育的人，肯定不可能成为好老师，也不应该在教师队伍中。天长日久，积攒的幸福就会成为一种前进的动力，激发自己创造更多幸福。

第二，要修养道德情操。老师的人格力量和人格魅力是成功教育的重要条件。老师对学生的影响，离不开老师的学识和能力，更离不开老师为人处世、于国于民、于公于私所持的价值观，老师是学生道德修养的镜子。好老师应该不断提高道德修养，提升人格品质，带头弘扬社会主义道德和中华传统美德，引导和帮助学生把握好人生方向，以自己的模范行为影响和带动学生，帮助学生扣好人生的第一粒扣子。

第三，要提升专业技能。学生往往可以原谅老师严厉刻板，但不能原谅老师学识浅薄。好老师立于三尺讲台，一方面要在自己深耕的学术领域里有见识、有担当，关上教室大门，我的教室我做主；另一方面，更要永远敞开心门，乐于学习他人成功经验，乐于分享自己成长所获，在学习实践中不断总结提升，以扎实的知识功底、过硬的教学能力、勤勉的教学态度、科学的教学方法赢得学生尊敬。

第四，要常怀仁爱之心。爱是教育的灵魂，没有爱就没有教育。老师慈爱的眼神，会成为学生不竭的动力；老师慈祥的笑容，会成为学生一生的记忆。好老师应该把自己的温暖和情感倾注到每个学生身上，用欣赏增强学生的信心，用信任树立学生的自尊，让每个学生都健康成长，让每个学生都享受被欣赏的喜悦。

习近平总书记说，老师在学生心目中具有重要位置，老师无意间的一句话，可能造就一个天才，也可能毁灭一个天才。好老师一定要平等对待每一个学生，尊重学生的个性，理解学生的情感，包容学生的缺点和不足，善于发现每一个学生的长处和闪光点，让所有学生都成长为有用之才。

各位老师，同志们，“行胜于言”，但“知易行难”。希望广大教师牢记总书记的嘱托，认真领会、把握总书记的讲话精神，并将其贯彻到我们的学习、工作、生活中，融入到我们日常的点点滴滴中，做学生真心爱戴的好老师、做推动学校转型跨越发展的好老师、做党和人民满意的好老师！

最后，衷心祝愿全校教职工身体健康、工作舒心、学习愉快，节日快乐！

学习习近平治国理政思想 做忠诚干净担当的好干部*

今天我讲的主题是《学习习近平治国理政思想　做忠诚干净担当的好干部》，包括两个分主题：一是“对习近平治国理政思想的解读”，二是“如何做忠诚干净担当的好干部”。

一、“对习近平治国理政思想的解读”，包括背景解读和框架分析两部分

（一）背景解读

1. 关于《习近平谈治国理政》。本书收入习近平总书记在 2012 年 11 月至 2014 年了 6 月这段时间内的讲话、谈话、演讲、答问、批示、贺信等 79 篇，共分为 18 个专题。党的十八大以来，以习近平同志为核心的党中央围绕深化改革开放和实现中国梦，提出了治国理政的许多新思想、新观点、新论断，深刻回答了新的时代条件下党和国家发展的重大理论和现实问题，集中展示了中央领导集体的治国理念和执政方略。

对于本书：一是初步学，原原本本地学，从各自角度学，要尊重文本

* 这是 2015 年 9 月 10 日刘超美在北京印刷学院 2015 年干部党课上的讲授提纲。

原义；碎片化，难以把握核心要义。二是深入学，尊重文本原义，全面把握要义，对于“习近平治国理政思想”，把分散条条串成一个有机整体。

2. 各界评议习近平

第一，外国政要评习近平。新加坡前总理李光耀说，“习近平性格内敛，不是说他不与你交流，而是说他不会显露自己的好恶。我会把习近平归类于纳逊·曼德拉这一级的人物。他们有强大的情感自制力，不会让个人的不幸和苦难影响其判断。换句话说，他让人印象深刻”。

第二，国外学者评习近平。英国诺丁汉大学中国研究院院长、教授姚树洁认为，“从习近平担任中共中央总书记以来，不到一年半的时间，已经做了许多事情。内政方面，我已经有比较全面的评论，包括反腐败斗争、深化经济体制改革、改善民生和弱化两极分化等方面，作出了非常明显的成绩，赢得了国内民众的广泛支持。”“习近平的外交特色，可以简单归纳如下。不让步，但有分寸，把握全局。”

第三，中国百姓评习近平：“总书记能经常深入群众，和人民群众在一起，充分了解民众的艰辛，体现了新一届中央领导集体率先垂范的精神品质。”

（二）框架分析，包括主题、目标、理念、框架、思路、方略、支点7个方面

1. 主题：关于坚持和发展中国特色社会主义

第一，坚持：中国特色社会主义首先是社会主义；

第二，发展：全面深化改革—国家治理现代化—中国梦；

第三，自信：客观上，纵向（发展速度）；横向（第二经济体），主观上，缺乏自信的表现，原因：近代落后与西方“文化渗透”。

在这里，我列出两个世界名人的说法，涉及自信和认知的问题，很值得我们思考：一是美国前总统尼克松说，“当有一天，中国的年轻人不再相信他们的历史传统和民族的时候，就是美国人不战而胜的时候”。二是

新加坡前总理李光耀说，“中国的年青一代成长于和平与发展时期，没有经历中国动荡的时代……必须向他们灌输正确的价值观和态度，让他们以虚心和责任心应对未来。”

2. 目标：关于实现中华民族伟大复兴的中国梦

第一，中国梦的背景。过去：辉煌中国与没落中国；现在：天时、地利、人和；未来：水到渠成、逻辑必然。

第二，中国梦的内涵。宏观（中国与世界）：和平发展，合作共赢；中观（国家与人民）：国家富强、民族振兴、人民幸福；微观（组织与个人）：人生出彩，梦想成真。

第三，中国梦的实质。对于国内：攻坚克难、凝聚力量、最大共识；对于国际：对话、交往、合作基础、平台和空间。

3. 理念：人民幸福

习近平说过，“我的执政理念，概括起来就是：为人民服务，担当起该担当的责任！”

总体来说：人民对美好生活的向往，就是我们的奋斗目标；

经济方面：小康不小康关键看老乡；

政治方面：让人民群众在每一个司法案件中感受到公平正义；

文化方面：丰富人民精神世界；

改革方面：依靠人民才有动力，为了人民才有意义，尊重人民才有遵循。

4. 框架：打铁还需自身硬

涉及伟大事业、伟大斗争、伟大梦想和伟大工程。

“硬”，是从邓小平到习近平的标志性符号，从“发展是硬道理”到“打铁还需自身硬”。

在习近平的治国理政思想中，强调自身硬，其中，伟大事业、伟大斗争和伟大梦想是其目标取向，如同“过河”“尖刀”“高山”。习近平说，“只为肚子苦恼的时候只有一种苦恼，当肚子的苦恼解决之后，会有无穷无尽的苦恼”，强调的是人生的目标要循序渐进，事业的目标可谓层层推进，需要不断努力，但是首先要练好内功，因为打铁还需自身硬。

伟大工程是自身硬的主体和基础，也就是加强和改进党的自身建设。作为执政党，要硬就硬在精神、硬在能力、硬在作风、硬在纯洁。

5. 思路：破解“四大危险”

“四大危险”是胡锦涛同志在庆祝建党 90 周年大会上提出的，他的原话是：“我们党面临许多前所未有的新情况新问题新挑战，执政考验、改革开放考验、市场经济考验、外部环境考验是长期的、复杂的、严峻的。精神懈怠的危险，能力不足的危险，脱离群众的危险，消极腐败的危险，更加尖锐地摆在全党面前。”

针对“四大危险”，习近平强调了 3 点，就是“发挥比较优势”“克服发展软肋”“打牢发展支点”。具体做法就是，针对“精神懈怠”，强调硬在精神；针对“能力不足”，强调硬在能力；针对“脱离群众”，强调硬在作风；针对“消极腐败”，强调硬在纯洁。

定位：世界第二大经济体；

定标：由大国成为强国；

定法：三条根本路径。

第一，中国声音：就是中国在世界发展、时代发展等方面的看法、愿望、要求和战略构想。

2014 年 12 月 5 日习近平同志在中央政治局集体学习时指出，“我们不能当旁观者、跟随者，而是要做参与者、引领者，善于通过自由贸易区建设增强我国国际竞争力，在国际规则制定中发出更多中国声音、注入更多中国元素，维护和拓展我国发展利益。”

第二，中国道路：中国特色社会主义道路，就是在中国共产党领导下，立足基本国情，以经济建设为中心，坚持四项基本原则，坚持改革开放，解放和发展社会生产力，建设社会主义市场经济、社会主义民主政治、社会主义先进文化、社会主义和谐社会、社会主义生态文明，逐步实现全体人民的共同富裕，建设富强民主文明和谐的社会主义现代化国家。早在改革开放之初，邓小平一开始就自觉地提出要“走出一条中国式的现代化道路”，1984 年，他确切地讲，“总的来说，这条道路叫做建设有中国特色的社会主义的道路”。中国道路是着眼于现实，面向未来，全面建成小康社会、加快推进社会主义现代化、实现中华民族伟大复兴的必由之路。需要一代又一代人的共同努力和永续奋斗。唱响中国道路，有助于打造一种新的文明类型、重构世界格局、对话西方意识形态。

第三，中国精神：就是爱国、感恩、勤劳、互助、开放、进取、创新、包容、厚德、谦虚、务实、奋进、诚信、兼容、好学、互信、互利、协商、尊重、爱心、公德、平等、平和等。它是中华民族的灵魂，是社会主义核心价值观的具体体现，是实现“中国梦”的强大精神支柱，存在于实现“中国梦”的全过程。“伟大的事业需要并将产生崇高的精神，崇高的精神支撑和推动着伟大的事业。”实现“中国梦”，离不开中国精神。中国精神，包含了民族精神、革命精神和时代精神。按照中央要求，要加强以爱国主义为核心的民族精神教育，加强以改革创新为核心的时代精神教育，加强中华优秀传统文化教育以及中共党史与国情教育。

第四，中国力量：首先是道路的力量。就是来之不易的中国特色社会主义道路。其次是精神的力量。就是以爱国主义为核心的民族精神，以改革创新为核心的时代精神。再次是团结的力量。就是中国各族人民大团结的力量。最后是人民的力量。具体来说，就是做好点：建构中美、中俄新型大国关系；牵好线：“一带一路”倡议，搭建中国东盟、欧亚丝绸之路；铺好面：丝绸之路经济带和互联互通，打通欧亚大陆桥；布好局：经营好周边外交。

6. 最终目标，就是实现以下 4 个方面

第一，多极制约：“将坚定不移做和平发展的实践者、共同发展的推动者、多边贸易体制的维护者、全球经济治理的参与者。”

第二，国际平衡：“发挥建设性作用，推动国际秩序朝更加公正合理的方向发展。”

第三，核心利益：“我们要坚持走和平发展道路，但绝不能放弃我们的正当权益，绝不能牺牲国家核心利益。”

第四，话语权："要讲好中国故事，传播好中国声音，阐释好中国特色"，"努力提高国际话语权"。

7. 方略：推进"四个全面"

全面建成小康社会、全面深化改革、全面依法治国、全面从严治党。四个全面之间的相互关系：全面建成小康社会是总目标，全面深化改革与全面依法治国是两翼或两个轮子，全面从严治党是根本保证。

8. 支点：促进公平正义

第一，体现人民期待：做大蛋糕即发展是硬道理，公平分好蛋糕也是硬道理；

第二，符合哲学思维：有助解决活力与和谐问题；

第三，具备政治意义：有助于巩固党的执政基础。

二、"如何做忠诚干净担当的好干部"，包括关于好干部的标准要求、做新时期的学校好干部

（一）关于好干部的要求

历史与现实表明：一个政党，一个国家，能不能不断培养出优秀的领导人才，在很大程度上决定着这个政党、这个国家的兴衰存亡。干部队伍是党的事业兴衰成败的关键，是改进和完善党的领导方式与执政方式的关键。只有造就一大批高素质的好干部队伍，才能保证把党的正确领导落到实处，才能实现党的奋斗目标。

《新华每日电讯》2015 年 3 月 20 日一篇文章《明末权贵为何不肯捐款救国》指出，"一个缺乏信任与共识的国家，势必一盘散沙。遇事谁也不肯担当责任，谁都想把责任推给对方、一味指责对方，势必最后同归于尽。"

党的十八大以来，习近平同志多次就加强干部队伍建设作出深刻阐述，科学回答了"怎样是好干部""怎样成长为好干部""怎样把好干部

选用起来”等重大问题。习近平强调，“我们党历来高度重视选贤任能，始终把选人用人作为关系党和人民事业的关键性、根本性问题来抓。”

我们要深刻认识习近平同志关于好干部标准论述的重大意义，自觉践行习近平同志提出的“信念坚定、为民服务、勤政务实、敢于担当、清正廉洁”的好干部标准，努力成为党和人民、学校发展需要的好干部。

1. 马克思主义经典作家谈干部

列宁指出：你给我一个革命家组织，我可以让整个俄国翻个个。毛泽东指出：政治路线确定之后，干部就是决定的因素。邓小平指出：中国的问题关键在党，党的问题关键在人，人的问题关键在干部。江泽民指出：党领导的事业要胜利，必须有一支高素质的干部队伍。胡锦涛指出：各级干部特别是领导干部要进一步增强忧患意识、公仆意识和节俭意识。习近平指出：我们党历来高度重视选贤任能，始终把选人用人作为关系党和人民事业的关键性、根本性问题来抓。好干部要做到信念坚定、为民服务、勤政务实、敢于担当、清正廉洁。

2. 好干部的标准和要求

党的十八大以来，习近平总书记多次就加强干部队伍建设作出深刻阐述，科学回答了好干部的标准和要求等重大问题。

2013 年 6 月，习近平在全国组织工作会议提出“信念坚定、为民服务、勤政务实、敢于担当、清正廉洁”的好干部标准，号召“建设一支宏大高素质干部队伍，确保党始终成为坚强领导核心”。

2014 年 10 月，习近平对云南工作作出指示，要求党员干部“对党忠诚、个人干净、敢于担当”。这“三句话”是对好干部标准的高度概括和朴素表达，是党员干部安身立命、做人做官做事的“三要素”，缺一不可，为我国新时期干部队伍建设指明了方向。

我们要深刻认识习近平同志关于好干部标准论述的重大意义，自觉践行习近平同志提出的好干部标准，努力成为党和人民、学校发展需要的好干部。

3. 我校处级干部队伍现状

截至2015年3月，我校现有处级干部93名（其中党政群团机构46人，教学单位35名，教辅单位7名，研究院5名），干部队伍平均年龄44岁，学科涉及党建、管理、工学、文学、艺术等领域。

第一，主要成绩：

（1）整体素养和精神风貌积极向上；

（2）工作能力和领导水平普遍较强；

（3）团结师生和推动发展成效显著。

第二，存在不足：

（1）大局意识和政绩观、执行力有待改进；

（2）党性修养和理论水平有待进一步提高；

（3）基层落实党建第一负责人自觉性不够。

（二）做新时期的学校好干部

包括对党忠诚是好干部的立身之本、个人干净是好干部的处世之基、敢于担当是好干部的成事之道这3个方面。

1. 对党忠诚是好干部的立身之本

“天下至德，莫大于忠”。绝对忠诚是我们党对党员的根本政治要求，是做好干部的基本前提。坚定对党忠诚的政治品格。对党忠诚，就是要在党言党、在党忧党、在党为党，绝对忠于党、忠于祖国、忠于人民，不管面临什么艰难险阻，不管遇到什么大风大浪，都要始终坚持中国共产党的领导、始终坚守共产党人的精神追求、始终坚定马克思主义的信仰、始终坚定共产主义理想和中国特色社会主义信念。

习近平强调：“全党同志要强化党的意识，始终把党放在心中最高位置，牢记自己的第一身份是共产党员，第一职责是为党工作，做到忠诚于组织，任何时候都与党同心同德。”

第一，干部不忠诚的表现

有的信念不坚定、旗帜不鲜明，对于挑衅中国共产党的领导、质疑中国特色社会主义道路的言论等大是大非的问题，态度含混，立场模糊，随声附和，人云亦云，甚至利用微信、微博传谣、造谣。有的原则不坚持，立场不稳定，对于学校党委决策、教育教学改革、学科专业建设等大局观、利益观和思考力、执行力不够强，步调不够一致，当面不言语、私下谈褒贬，在师生中造成不良影响。有的对所管辖单位涉及宗教言行、传教行为的关注和制止不够及时到位，个别自身马克思主义无神论立场和界限不够清晰，甚至私下参加宗教活动。

第二，对策和要求

（1）对党忠诚。就是要在党言党、在党忧党、在党为党，绝对忠于党、忠于祖国、忠于人民，不管面临什么艰难险阻，不管遇到什么大风大浪，都要始终坚持中国共产党的领导、始终坚守共产党人的精神追求、始终坚定马克思主义的信仰、始终坚定共产主义理想和中国特色社会主义信念。

（2）对人民忠诚。就是要为民、爱民、忧民、助民、富民、安民，权为民所用，情为民所系，利为民所谋，尊重人民群众的主体地位和创造精神，牢固树立群众观念，认真坚持群众路线，对人民真心、用心、倾心，全心全意为人民服务，以真诚换真心，以真心换民心，以实际行动和成效取信于民，密切党群干群关系。

（3）对学校忠诚。就是坚决贯彻学校党委精神，真正想干事、能干事、真干事、可干事、干成事；以事业为基、忠诚履职，以责任为要、求真务实，以才智为用、乐于奉献。坚定党性立场和宗旨意识，将责任内化于心、外化于行，把忠诚扎根在工作中、深植在奉献里；牢固公道正派的品质，树立乐业奉献的作风，培养服务师生的情怀，强化推进学校转型跨越发展的使命感，让工作经得起历史和师生的检验。

2. 个人干净是好干部的处世之基

干部要干净，就是思想干净、行为干净、语言干净、形象干净，同时还必须要求自己的家庭成员和社会关系人员也干净。守得住清贫、耐得住寂寞，清清白白做人，踏踏实实干事。

习近平指出："一个人能否廉洁自律，最大的诱惑是自己，最难战胜的敌人也是自己""贪如火，不遏则燎原；欲如水，不遏则滔天""理想信念就是共产党人精神上的'钙'，没有理想信念，理想信念不坚定，精神上就会'缺钙'，就会得'软骨病'""责任重于泰山，事业任重道远。我们一定要始终与人民心心相印、与人民同甘共苦、与人民团结奋斗，夙夜在公，勤勉工作，努力向历史、向人民交一份合格的答卷。"这些语重心长的话语，充分体现了新的历史条件下我们党自觉的历史担当意识和强烈的历史担当精神。

延安时期黄克功案发生后，毛泽东力排众议，在给边区高等法院审判长雷经天的信中说："共产党与红军，对于自己的党员与红军成员不能不执行比较一般平民更加严格的纪律……一切共产党员，一切红军指战员，一切革命分子，都要以黄克功为前车之鉴。"此信表现出毛泽东的大情怀和大境界，以此告诫全体党员干部。

第一，干部"不干净"的表现

有的干部确实能力很强，但动机不纯，把人民赋予的权力当作捞取不义之财的工具，造成权力异化，一旦自己不干净了，对待身边的各种歪风邪气，自然底气不足，腰板不硬。

有的干部有魄力，但贪欲无穷，敛财手段也很高明，台上讲反腐，台下将腐败进行到底，并善于以种种借口为自己的腐败行为开脱。

有的干部原本清高，但经不起身边人的"鼓舞"，经不起朋友圈的"忽悠"，经不起家里人的"枕边风"，经不起潜规则的"召唤"，最后也同污合流、被拖下水。

第二，对策和要求

（1）思想上清醒：树立正确世界观、人生观、价值观和正确的权力观、地位观、利益观，坚定崇高理想信念，任何时候都把党和人民利益放在第一位。要思想纯正、品行端正，在各种诱惑面前把握住自己、守得住清贫、耐得住寂寞、稳得住心神、经得住考验，严守党纪国法，牢记规章制度，处处严格约束自己。

（2）经济上清白：看待好利与义的关系，算清七笔账：算清“政治账”——断送前途，算清“经济账”——人财两空，算清“名誉账”——身败名裂，算清“家庭账”——妻离子散，算清“亲情账”——众叛亲离，算清“自由账”——身陷牢笼，算清“健康账”——终日惶惶。要坚决让头脑冷静下来，刹住车、掉转头、找新路、走对路。

（3）生活上清新：倡导高尚正派、恬淡健康的生活方式，做到慎言、慎行、慎权、慎独、慎微、慎友，时刻防止“贪欲缠身”“人情腐败”“权力寻租”和“温水煮青蛙”陷阱，切实管住嘴、管住手、管住脚，筑起防线、抗拒诱惑。

3. 敢于担当是好干部的成事之道

第一，干部“不担当”的表现

存在不敢批评、不愿批评，不敢负责、不愿负责的好人主义倾向：有的怕得罪人，怕丢选票，搞无原则的一团和气，信奉多栽花、少栽刺的庸俗哲学，各人自扫门前雪、不管他人瓦上霜，事不关己、高高挂起，满足于做得过且过的太平官；有的在其位、不谋其政，遇到矛盾绕着走，遇到群众诉求躲着行，推诿扯皮、敷衍塞责，致使小事拖大、大事拖炸；有的为人圆滑世故，处世精明透顶，工作拈轻怕重，岗位挑肥拣瘦，遇事明哲保身，面对名利又争又抢，出了问题上推下卸。

第二，对策和要求

（1）学会担当。担当是一种能力，学习是提升能力的根本途径，只有勤于学习，善于学习，才能练好“善”的内功，增强“担当”的能力。面对新形势、新情况、新问题，要不断解放思想、实事求是、与时俱进，用战略思维、辩证思维、系统思维、创新思维、底线思维和法治思维观察分析问题，才能切实肩负起党和人民赋予的重任，担当起学校和师生寄予的厚望。

（2）善于担当。善于担当是一种艺术，需要把握全局、科学谋事的智慧；立足大局、和谐共事的本领；践行宗旨、设身处地地为群众着想，解决好“我是谁、为了谁、依靠谁”的问题；需要充分发挥主观能动性，以踏石留印、抓铁有痕的劲头干工作，靠实招实干实绩树形象、聚民心、促发展，切实负起工作责任。

（3）鼓励担当。学校必须坚持正确的用人导向，建立健全激励干部求真务实的有效机制，使那些重实际、说实话、务实事、求实效的干部受到鼓励、褒奖、重用。把作风要求贯穿于干部培养选拔和管理监督全程，对那些对群众感情真挚、深得群众拥护，说话办事有灼见、有效率的干部；对上对下实实在在、不玩虚招的干部；保持清正廉洁、公众形象好的干部；心无旁骛干工作、扛事顶硬抓落实、敢冲敢当破难题的干部多加宣传鼓励，形成鼓励担当的良好氛围。

寄　语

当前，我国全面深化改革已进入深水区，我校正处于“十二五”规划的收功期、“十三五”规划的编制期，在学校深化改革、转型发展、依法治校的过程中，“拦路虎”“硬骨头”还很多。希望大家深入学习贯彻习近平总书记系列重要讲话精神，按照“四个全面”战略布局，在学校转型跨越发展关键期，在个人干部生涯的起点上，立志做对党忠诚、个人干净、敢于担当的好干部，对职责任务，以逢山开路、遇河架桥的精神迎难而上，以踏石留印、抓铁有痕的劲头抓下去，善始善终、善做善成，坚决完成学校党委部署的各项目标任务，让广大师生不断看到实实在在的成效变化。

聚焦国家重大战略机遇 打造新闻出版行业新智库*

我代表北京印刷学院，对中国新闻出版研究院成立30周年表示热烈的祝贺。有这样的机会见到这么多曾经在20世纪80年代、90年代北京印刷学院艰苦创业初期，为北京印刷学院操劳和作出贡献的老领导于永湛、桂晓风、石峰等老署长以及张伯海老书记，我的心情感慨万分。请允许我代表北京印刷学院8000名师生向各位老领导表达崇高的敬意和诚挚的感谢。同时，对长期以来、对北京印刷学院建设发展给以关心支持和帮助的总局领导以及各出版单位、各司局领导表示衷心的感谢。

中国新闻出版研究院在新闻出版业快速发展的时代背景下，应运而生。30年来，始终坚持内涵研究和外延拓展，为党和政府宏观决策和新闻出版业外围发展提供了全方位的智力支持和服务。特别是2010年由所转院以来，中国新闻出版研究院服务总局和行业的高端智库作用更加明显，先后推出了中国出版、国际出版、数字出版、中国阅读季等系列蓝皮书，多项年度核心数据为国内外各大媒体广泛引用，历时10年完成的中国出版通史，填补了中国出版史上的空白。持续10年的全国国民阅读状况调研报告更是成为衡量和评价全国国民年度阅读状况的重要数据和指标。中国出版产业的经济贡献成果受到中央高层及各级社会的广泛关注。

* 这是2015年11月27日刘超美在中国新闻出版研究院成立30周年座谈会上的讲话。

时任国家新闻出版广电总局副局长吴尚之讲话

一直以来，北京印刷学院与中国出版研究院有着密切的联系和深入的合作，特别是近年来，在魏玉山院长和前院长郝振省教授的高度重视和支持下，我们于2008年签署了全面战略的合作协议，共建了中国数字出版人才培养基地。魏玉山院长、张力副院长作为我校的兼职教授和导师，都曾为我校师生讲学授课。郝振省老院长受聘担任我校数字出版与传媒研究院院长。刘拥军同志上月底还曾重返北印，为我校新闻出版学科专业发展建言献策。我们联合举办了理论中心组学习，以传统媒体和新兴媒体融合发展为主题，进行了一场关于媒体融合的头脑风暴，并同赴西藏进行专题调研。共同承担“十三五”西藏新闻出版规划的制定，在援藏方面开展了密切的合作。我们充分发挥各自优势，在数字版权保护工程的研发，北京市重点实验室的共建。重要学术活动的联合举办，高层次人才的深度互通等方面取得了重要的合作成果。

刚刚闭幕不久的十八届五中全会明确提出，要坚定文化自信，增强文化自觉，推动传统媒体与新型媒体融合发展，加快数字化建设和国际传播主义建设，创新对外传播文化交流方式，积极推动新闻出版走出去。在当前“一路一带”及京津冀协同发展等重大国家历史机遇和出版全球化的时代格局下，面对不同肤色、不同种族、不同信仰的人们如何讲好中国故

事、传播好中国文化、构建中国出版的话语权和传播力，提高中国出版国际影响力。迫切需要一支具有国际视野、懂国际出版经营之道、熟悉出版业务、能开展国际出版活动的专业出版人才。

2015 年 11 月 27 日，刘超美出席中国新闻出版研究院成立 30 周年座谈会

北京印刷学院办学 57 年来，始终坚持面向行业和总局需求，以培养复合型人才为己任，在“十二五”以来，发生了重要变化。初步形成了新闻出版、出版行业领军人才和技能型人才相结合的培养人才模式。今后，我们将围绕国家新闻出版的重大战略和重要项目以及“一带一路”等国家重大战略机遇，积极融入新闻出版走出去的时代潮流，优化调整学科专业结构，不断提高服务国家新闻出版发展的能力和水平。

党的十八届五中全会提出要加强文化人才培养，实施哲学、社会科学、创新工程，建设中国特色的新兴智库，构建中华优秀传统文化的传承体系。今后北印将充分发挥好高校的人才和智力优势，以总局落地我校的数字出版系统工程和版权保护系统工程的重大项目为抓手，与新闻出版研究院一道，聚焦国家新闻出版事业发展、紧密围绕行业需求，积极打造新闻出版业新智库。努力在出思想、出成果、出人才方面，取得更大的突破；努力为政府统筹新闻出版事业发展思路重大战略、重大项目提供更强有力的决策质询和智力支持。

今天的座谈会既是推动新闻出版工作的好平台，也是广加益友的好机会。北京印刷学院愿意与大家携手共进共同发展，为我国新闻出版事业的进步和文化产业的发展作出新的贡献。谢谢大家！

携手共进　共同发展　为我国印刷出版事业进步作出新贡献*

很高兴参加今天的座谈会，首先我代表北京印刷学院对中国印刷博物馆成立 20 周年表示热烈的祝贺！同时，对长期以来关心支持帮助北京印刷学院建设发展的总局领导以及各行业单位、各司局领导表示衷心的感谢！

中国印刷博物馆作为世界上最大的印刷博物馆，始终坚持以弘扬中华民族印刷文化为宗旨，建馆 20 年来，在展示陈列、社会服务、公共教育、文物收藏等领域发挥了重要作用。特别是通过实施博物馆改造工程，在推动实现印刷博物馆从履职型到服务型、传统型到现代型、行业型到社会型的跨域发展中迈上新的台阶，为中国出版博物馆的建设以及创建现代化、数字化、社会化国家级博物馆的目标奠定了更加坚实的基础。

中国印刷博物馆坐落于北京印刷学院校内，双方多年来唇齿相依、共进共荣，在人才培养基地的共建、重要学术活动的联合举办、高层次人才的深度互通等方面取得了重要的合作成果。田胜立、魏志刚、刘拥军、张连章等一批业内知名专家和老师将毕生心血奉献给了北京印刷学院和中国印刷博物馆，他们见证了印刷文明进入“0 和 1”的重大变迁，见证了文化产业的繁荣发展和蓬勃生机，也见证了北京印刷学院和中国印刷博物馆

* 这是 2016 年 6 月 28 日刘超美在中国印刷博物馆成立 20 周年座谈会上的讲话。

牢不可破的兄弟情谊。特别是近年来中国印刷博物馆内涵外延的改造提升和中国出版博物馆的规划设计，与北京印刷学院的未来发展定位有着高度的关联性，对我校统筹“十三五”规划布局，进一步提升人才培养、科学研究、服务社会水平具有重要意义。

2016 年 6 月 28 日，中国印刷博物馆成立 20 周年座谈会现场

各位领导、各位同志，党的十八大以来，以习近平同志为核心的新一代中央领导集体提出了“四个全面”战略布局以及“一带一路”、京津冀协同发展等重大国家战略举措；同时，传统印刷、包装、出版三大行业正在加速转型发展，媒体融合正在加速重构新的人才培养生态圈，这些都对我们“十三五”时期的建设发展提供了新的重要机遇和挑战。学校即将出台的“十三五”规划明确提出要“围绕建设国际知名、有特色、高水平传媒类大学的总体目标，到 2020 年基本完成由主要服务传统印刷、包装、出版产业向主要服务传媒、文化创意、印刷包装等相关产业转变”。特别是提出要“建设好国家复合数字出版工程和数字版权保护中心联合实验室，支持中国出版博物馆等国家级资源和项目落户我校。”北京印刷

学院办学 58 年来，始终坚持面向行业和总局需求，以培养复合型人才为己任，初步形成了新闻出版、出版行业领军人才和技能型人才相结合的培养人才模式。

党的十八届五中全会提出“要坚定文化自信、增强文化自觉，推动传统媒体与新型媒体融合发展。加强文化人才培养，实施哲学、社会科学、创新工程，建设中国特色的新兴智库，构建中华优秀传统文化的传承体系”。今后我们将充分发挥好高校的人才和智力优势，以总局落地我校的数字出版符合出版系统工程和版权保护系统工程的重大项目为抓手，与中国印刷博物馆一道，聚焦国家印刷出版事业发展、紧密围绕行业需求，积极探索印刷出版业新智库建设，努力为政府统筹印刷出版事业发展思路重大战略、重大项目提供更强有力的决策质询和智力支持。以印刷文化传承和文化创意产业为核心，以博物馆的“社会教育”“科学研究”“文物收藏”“文化传播”四大功能为依托，统筹整合资源，联合申报重大项目，携手为国家、首都发展贡献更大力量。

今天的座谈会既是推动印刷和出版工作的好平台，也是广结益友的好机会。北京印刷学院愿意与大家携手共进，共同发展，为我国印刷出版事业的进步和文化产业的发展作出新的贡献。谢谢大家！

深化落实京蒙区域合作协议 推进内蒙古政府机关软件正版化*

尊敬的乌恩奇副局长、沙力处长，亲爱的学员朋友们：

大家好！今天，在金秋十月的北京，我们迎来了2016年内蒙古自治区政府机关软件正版化工作培训班的109名学员。在此，我代表学校对本次培训班的顺利举办表示热烈的祝贺！对出席开班仪式的各位领导、学员表示热烈的欢迎！对内蒙古自治区新闻出版广电局长期以来对我校发展给予的关心、支持表示衷心的感谢！

自古以来，内蒙古与北京地域相近，京蒙双方联系广泛、合作深入，内蒙古自治区新闻出版广电局高度重视与我校的合作，特别是姜伯彦局长高度重视双方合作，与我校建立了密切的联系，为双方长期来往打下了良好的合作基础和广阔的合作空间。2013年5月，双方在京蒙合作的大背景下，签署了战略合作协议。3年来，双方领导高度重视，务实合作，成功举办了8期培训班，培训了近1000名编辑、印务、发行人员，积累了丰富的合作经验，结下了深厚的友谊，有力推动了内蒙古自治区新闻出版产业在观念、人才、知识等方面的转型升级，双方的合作成效也得到了国家新闻出版广电总局的充分肯定。

* 这是2016年10月10日刘超美在北京印刷学院2016年内蒙古自治区政府机关软件正版化工作培训班开班仪式上的致辞。

2016 年 10 月 10 日，刘超美（中）出席 2016 年内蒙古自治区政府机关软件正版化工作培训班

刘超美（左）会见时任内蒙古自治区新闻出版广电局副局长乌恩奇

长期以来，我校致力于打造新闻出版行业的“黄埔军校”，除了学历教育之外，也为在职人员开办了多门类继续教育与远程教育课程，以及相

培训课堂

关的培训班，力争成为新闻出版行业高级人才的培养与培训基地，欢迎大家长期关注并积极参与相关培训进修活动。此次，学校选派了经验丰富的服务团队，以保障各位学员在培训期间学习好、生活好。同时，中国印刷博物馆、北京绿色印刷包装产业研究院等均坐落在我校，博物馆展区资源丰富、研究院拥有印刷电子、3D 打印等先进技术，欢迎大家前往参观。

最后，预祝本次培训活动圆满成功，预祝各位学员学业有成。

坚持正确选人用人导向 厚植学校发展的组织基础*

我校现任中层领导班子和干部是2013年年初聘任、2016年到届。根据工作需要和学校实际，学校党委研究，决定启动新一届中层领导班子和干部换届调整工作。

在这次中层领导班子换届和干部调整工作启动之前，自今年11月19日开始，由我带队，赵盛伟同志、史国敏同志全程参与，学校组织部、纪委、党办组成党委调研组，历经一个多月，深度调研了学校所有二级单位，调研通过听取汇报、查阅资料、个别谈话，力求准确全面地了解和掌握二级单位运行和领导班子、干部的实际状况。这次个别谈话基本上做到全覆盖，除个别出国、休产假、病休的同志外，全校所有在编正式员工都参与了谈话，共计个别谈话754人，占在编教职员工的93.55%。从这次调研的情况来看，广大教职员工对本届中层领导班子、干部整体是比较认可的。通过这次调研，我们明显地感觉到这届干部的变化，主要表现在4个方面：一是普遍认为，经过党的群众路线实践教育活动和“三严三实”专题教育活动整改以及“两学一做”学习教育活动，广大干部普遍增强了“四个意识”，特别是核心意识和看齐意识；二是作风转变明显，服务

---

* 这是2016年12月14日刘超美在北京印刷学院新一届中层领导班子换届和干部调整工作动员会上的讲话。

师生意识普遍较强，干群关系得到明显改善；三是纪律和规矩意识得到较大增强；四是多数干部勤奋、敬业、奉献。在信息工程学院，一些教师认为李业丽作为一个直接从教师提拔起来的干部，能够团结务实、凝心聚力、发扬民主，和曹少中一起带领班子取得了较好成绩，很不容易。在机电工程学院，一些教师评价程光耀院长“用尽了‘洪荒之力’带动了二级学院的发展”。设艺学院许多教师认为设艺学院这几年的发展，杨虹书记“作出的贡献很为关键”。图书馆的干部员工反映马韩增书记“总是到得最早的那个人，敢于担当”。工程中心的职工把郭俊忠主任看作“好厂长”。基础部的干部教师评价杜明芳同志“大局意识强、站位较高，能够发挥下属、教师的长处”。机关一些干部评价史国敏同志“抓班子、带队伍能力比较突出，能够较好地抓大方向”。评价李阳“工作严谨细致认真”，等等。这里不再一一列举。习近平总书记说过：“民心是最大的政治。”李瑞环同志也曾经说过：“群众最可爱，只要你真心实意地为他们服务，他们就真心实意地支持你”；“历史是无情的，人民是公正的。只要他为人民谋了利益，办了好事，为国家为民族立了功劳，争了荣誉，人民就不会忘记他”。这届班子和干部换届至今已近 4 年，是学校“十二五”发展规划完成的主要力量。学校在人才培养、学科专业、科学研究、师资队伍、服务社会、党建和思想政治工作等方面都取得了一系列新的突破，学校首次获得国家级教学成果奖二等奖；一本招生专业扩大到 18 个省份；建成 7 个一级学科和 19 个二级学科硕士学位授权点，设计学、新闻传播学、美术学在学科评估中取得了好成绩；“十二五”时期科研总经费累计达到 3. 18 亿元，获批北京绿色印刷包装产业技术研究院等高层次科研条件平台，新建省部级重点实验室或工程中心 5 个；产学研用合作取得成效，成功对接国家数字复合出版系统工程、数字版权保护技术研发工程；获批博士后科研工作站；校园新增建筑面积 10 万平方米，完成新实验楼、运动场看台、学生集体宿舍、食堂等项目的新建、扩建，绿色印刷包装产业技术科研楼项目已完成主体结构建设；校舍资源进一步整合，初步完成了 3 个校区功能布局和调整；等等。这些成绩的取得，既凝结着广大教职工的心血和汗水，更与本届中层领导班子和干部的辛勤付出和努力拼搏密不可分，我们的师生员工都看在眼里，对此给予了较高的评价。借此机会，我代表学校党政领导班子，对本届领导班子及全体中层干部4年来的辛勤努力和奉献表示诚挚的谢意！

成绩是主要的，评价是积极的。同时，我们在调研中，干部群众也反映了一些问题，主要体现在以下几个方面：个别领导班子站位不高、视野不广、思路不宽、办法不多；还有的领导班子党政一把手表面和和气气，实际各吹各的号，各想各的事，各干各的事，人心凝聚不够得力；一些领导班子和干部仍然存在担当不足、不敢为、慢作为、不会为等问题；还有极个别中层干部仍然存在利益输送、小圈子、老好人、两面人等现象，对领导、对老师两个样；极个别中层干部“四个意识”不强，不能正确处理学校、二级单位和学术、个人事务的关系，在管理工作上投入严重不足；此外，也有许多教职员工反映所在单位教学工作薄弱、科研工作缺少成果、学风建设成效不足、对外合作交流不多、制度执行宽松软等问题。所以，我们这次换届调整要着眼于这些问题的解决，进一步加强中层领导班子的能力建设，提高领导干部队伍的整体素质，选拔好、配备好我们的中层领导班子和干部队伍。

我就这次换届调整工作，强调3点意见：

一、增强“四个意识”，充分认识干部换届工作的重要意义

今年我校的中层领导班子和干部换届调整，既是4年一次的例行工作，更是在全面学习贯彻党的十八届六中全会精神、贯彻落实习近平总书记在全国高校思想政治工作会议上讲话精神的大背景下，在“十三五”开局之年的重要节点上开展的一项关乎全局、影响我们学校中长远发展的政治任务。我们必须站在全局和战略的高度，以高度的政治责任感，充分认识做好这次换届工作的重大意义。

2016 年 12 月 14 日，刘超美主持召开北京印刷学院 2016 年中层领导班子领导干部换届调整动员会

（一）换届是学习贯彻落实党的十八届六中全会精神的重要实践

党的十八大以来，学校党委认真落实党要管党、从严治党要求，带头履行管党治党责任，扎实开展党的群众路线教育实践活动、“三严三实”专题教育和“两学一做”学习教育，深入开展党风廉洁建设和反腐败斗争，全校上下从严治党的氛围初步形成。当前，全党上下紧密团结在以习近平同志为核心的党中央周围，正在认真学习贯彻党的十八届六中全会精神，坚定不移地推进全面从严治党。我们学校中层干部换届工作适逢其会，我们要把它当作学习贯彻落实六中全会精神、《关于新形势下党内政治生活的若干准则》和《中国共产党党内监督条例》的一次重要实践，当作集中检验我校政治生态建设成果的一次“大考”。在这次换届工作过程中，我们要特别强调进一步增强“四个意识”，坚决维护以习近平同志为核心的党中央权威，把全面从严治党贯穿于整个换届过程，一方面拿起“德为先”的刻度尺，掌握“辨真伪”的方法论，正确识人察人、选人用

人；另一方面认真学习领会党的十八届六中全会精神，深刻汲取吕锡文受贿案、四川南充拉票贿选案、辽宁拉票贿选案的教训，通过换届严肃党内政治生活，切实加强党内监督，从严落实主体责任，扎实做好换届调整的各项工作。

（二）换届是落实全国高校思想政治工作会议精神的重要契机

前不久，全国高校思想政治工作会议召开，习近平总书记出席会议并发表重要讲话。习近平总书记的重要讲话深刻回答了事关高等教育发展和高校思想政治工作的一系列重大问题。习近平总书记首先明确指出了我们高校的办学方向。总书记强调，我国有独特的历史、独特的文化、独特的国情，决定了我国必须走自己的高等教育发展道路，扎实办好中国特色社会主义高校。我国高等教育发展方向要同我国发展的现实目标和未来方向紧密联系在一起，为人民服务，为中国共产党治国理政服务，为巩固和发展中国特色社会主义制度服务，为改革开放和社会主义现代化建设服务。其次，总书记在讲话中告诉我们必须坚持党的领导，高校党委对学校工作实行全面领导，承担管党治党、办学治校主体责任，把方向、管大局、做决策、保落实。要加强高校党的基层组织建设，创新机制体制，改进工作方式。提高党的基层组织做思想政治工作能力。我们学校这次换届调整工作，为我们落实习近平总书记这次讲话精神提供了一个非常重要的契机。在这次干部调整换届工作中，我们要努力达到这样 3 个目标。一是设置好党的基层组织，实现全覆盖，把从严治党的体系建立健全起来，把“最后一公里”的落地工作进一步完善和建立起来，责任延伸落实下去。大家也看到，我们在这次职称评定增加了一个环节，就是基层党组织的把关，这就是把从严治党的责任层层落实。二是选配好党的基层组织负责人。一直以来，存在重业务干部、轻党务干部的现象，这在很多高校都比较普遍。现在，中央和北京市的巡视都特别注重检查基层党组织建设的情况。所以，这次换届要着力选拔政治素质好、抓党建意识强、善于抓班子带队伍，公道正派、廉洁自律，在推动发展上勇于担当、奋发有为的干部担任二级学院党组织书记。大家从换届的文件可以看出，对于二级学院党组织书记选拔的标准就和院长不一样；要着力于探索把有条件的党务工作者培养成学术带头人，把中层行政负责人、学科带头人培养成各级党组织负责人，通过双向融合整体推进基层党的建设。这也是新任教育部长陈宝生同志提出来的。三是建设好一支思想政治工作队伍。习总书记在全国高校思想政治工作会议上的讲话中指出：要整体推进高校党政干部和共青团干部、思想政治理论课教师和哲学社会科学课教师、辅导员班主任和心理咨询教师等队伍建设，保证这支队伍后继有人、源源不断。这支队伍不是救火队，不是谁都可以干的工作。在这次换届调整工作中，我们要拓展选拔视野，将那些政治强、素质优、作风硬、威信高的年轻人用起来，切实充实我们学校的思想政治工作队伍。

（三）换届是落实学校“十三五”发展规划的重要保证

毛泽东同志反复强调，“政治路线确定之后，干部就是决定的因素”。邓小平同志也说过一段非常重要的话：“中国的事情能不能办好，社会主义和改革开放能不能坚持，经济上能不能快一点发展起来，国家能不能长治久安，从一定意义上说，关键在人。”2012 年，我们学校第二次党代会确立了“建设国际知名、有特色、高水平传媒类大学，实现由教学型向教学研究型大学转变”的目标，这个目标也写进了我们学校“十三五”发展规划中。经过近年来的快速健康发展，我们已经站在一个新的历史起点上。在新的发展阶段，深化改革已经进入“深水区”，学校转型的任务十分繁重，破解发展瓶颈的难度也正在加大，需要我们的干部有敢闯敢试的精神、迎难而上的勇气、舍我其谁的气魄。学校今年这次干部换届，一方面要围绕学校发展目标，深化综合改革，扎实推进现代大学制度建设，对学校内部组织结构进行顶层设计，形成良好的组织体系和运行机制，盛伟同志会将我们机构改革的情况进行介绍；另一方面要通过换届把干部选好、把班子配强。为破解发展难题，解决突出矛盾，实现学校“十三五”规划的各项目标和任务，促进学校又好又快发展奠定坚实的组织基础。

二、明确主要任务，扎实做好换届各项工作

（一）精准科学选人用人

“用人必考其终，授任必求其当。”换届工作说到底就是精准科学选好人用好人。精准，就是要全方位、多角度、立体式考察人选，全面了解人选的德能勤绩廉表现，作出实事求是、客观准确的评价，不搞模糊表述、千人一面。科学，就是要坚持德才兼备、以德为先，坚持五湖四海、任人唯贤，恪守信念坚定、为民服务、勤政务实、敢于担当、清正廉洁的好干部标准，把公道正派贯穿推荐、考察、遴选、确定人选的全过程。最近中组部常务副部长陈希发表了一篇关于坚持正确选人用人导向的文章，我反复学了几遍，并把这篇文章推荐给两级理论中心组学习。我选几段话和大家一起学习。一是严格执行党章规定的干部条件。一个时期以来，一些地方和单位党组织对此重视不够、了解不深，在选人用人中忽视甚至淡化党章规定的领导干部条件，影响了选人用人质量。二是好干部标准概括地说就是忠诚干净担当，理想信念坚定是好干部第一位的标准，必须一心一意跟党走，坚定信仰马克思主义，严守政治纪律和政治规矩，始终在思想上政治上行动上同以习近平同志为核心的党中央保持高度一致。三是敢于担当是好干部的必备素质。习近平总书记多次强调，领导干部不担当，就是对党不忠诚。对党忠诚不是抽象的而是具体的，比如填报个人申报事项。在我们学校也有具体的，有的干部对学校的一些决定、决策，合意的就执行，不合意的就不执行，或者慢执行，这是不是一种不忠诚的表现呢。陈希同志在文章中还谈到目前在部分干部中存在着担当不足、不敢为的问题，必须强化敢于担当的好干部标准。所以这次换届，我们要把对党忠诚、敢于担当作为重要的政治标准，格外关注那些作风正派、勇于任事、锐意进取的干部，把那些想改革、谋改革、善改革的干部及时用起来，并在工作中旗帜鲜明地为敢于担当的干部担当，为敢于负责的干部负责，激励更多的干部勇挑重担、奋发有为。

在前期充分调研谈话的基础上，我们分别对每个班子、每个干部进行了分析研判，进一步明确在个体素质、专业结构、整体功能等方面，短板弱项有哪些、优化方向在哪里，希望通过换届，真正选拔一批组织放心、群众满意、干部服气的优秀干部。在这次换届过程中，我们要切实把好“三关”。要把好作风关，选那些兢兢业业、默默无闻、真干苦干的干部；不能选漠视纪律、不守规矩、拉拉扯扯、搞小圈子、拉帮结伙、搞利益共同体的干部。要把好能力关，选那些能够适应把握新形势新要求，在促改革、促转型、促发展中敢于担当、实绩突出、群众公认的干部；不能选不愿干、不敢干、不会干，敷衍应付上级、工作不在状态、庸懒散拖推的干部。要把好廉政关，选那些廉洁从政用权、廉洁修身齐家的干部；不能选侵害群众利益、优亲厚友、群众反映强烈的干部。要以这次换届为契机，加大调整不适宜担任现职干部力度，积极推进干部能上能下，真正使品德端正的干部受到褒奖和重用、品行不端的干部受到警醒和惩戒，努力营造敢于负责担当、争相干事创业的浓厚氛围。

（二）配齐优化领导班子

将干部选出来、用起来，关键还是要做到人岗相适，追求领导班子的最佳结构，要将干部放在最合适的岗位上、放在最合适的领导班子里。这次换届，要以优化班子结构、增强整体功能作为重要着力点，注重选拔既懂管理工作又懂学科专业的复合型领导人才，注重选拔经过多岗位锻炼、实际工作经验和领导经验比较丰富的干部担任党政“一把手”；坚持老中青相结合的梯次配备，不简单以年龄划线，把年轻干部整体配备目标和领导班子具体情况结合起来，既注重从基层发现、从基层选拔一批优秀年轻干部进入新班子，又注意保留一些经验丰富、事业心强、工作得力、年龄较大的干部，发挥好各年龄段干部的作用；立足干部队伍和学校工作实际需要，通盘考虑女干部、少数民族干部和党外干部的选拔使用，充分考虑人选成熟度和岗位匹配度进行择优配备，在保证质量前提下应配尽配。要提高领导班子，特别是二级学院领导班子专业化水平，把握不同班子专业化配备要求，防止一个班子中同类型干部过于集中，注重优化结构和增强功能的高度切合，既考虑专业、能力、结构上的合理性，又考虑个性特点和工作阅历、工作经验上的互补性，最大限度地增强领导班子整体功能和合力。

（三）基础工作痕迹管理

根据市委组织部在2016年3月发布的《关于对2015年全市结合巡视开展选人用人工作专项检查情况的通报》，很多单位在选人用人基础性工作方面存在问题，主要表现在：党委（党组）会议记录不规范；考察文书档案管理不规范；干部档案“三龄两历”存疑；对个人有关事项抽查核实结果处理不够严格，存在“高举轻放”问题；等等。针对这些问题，我们要善于运用底线思维，加强痕迹管理。要认真执行《北京市干部选拔任用纪实办法》，如实记录换届工作中民主推荐、干部考察、讨论决定等选拔任用各个环节的主要工作和重要情况，使每个人选的选人过程可追溯、可倒查。要严格执行“四必”要求，对考察对象的干部档案“凡提必审”，看其“三龄两历一身份”是否存在造假问题；个人有关事项报告“凡提必核”；纪检监察机关意见“凡提必听”；有关信访举报“凡提必查”，坚决把有硬伤的干部一律排除在外，坚决防止“带病提拔”。

（四）强化党组织把关作用

党组织的领导和把关是贯彻党管干部原则的重要体现和基本要求。在这次换届工作中，学校党委要强化领导和把关，一是把好政治关。对那些政治上不过硬，大是大非面前立场不坚定的人一票否决，二级党组织要把握好推荐干部的表现。二是把好廉洁观。对廉洁上有硬伤的人，决不能选进来。三是把好程序关。坚持民主集中制原则，按照“集体领导、民主集中、个别酝酿、会议决定”的要求，健全完善集体讨论决定任用干部的制度和机制，坚决防止个人或少数人说了算。四是把好风气关。自觉防范和纠正用人上的不正之风和种种偏向，坚持正确选人用人导向，纠正“劣币驱逐良币”的逆淘汰现象，摒弃“四唯”用人偏向。公道对待干部、公平评价干部、公正使用干部。我在这里也代表党委班子郑重承诺，凡是要求大家做到的，我们首先做到。

三、严明换届纪律，营造风清气正的换届环境

（一）加强组织领导

有力的组织领导是保证这次换届工作顺利进行的前提。各二级党组织和机关各部门要切实担负起组织领导责任，要严格按照学校党委的统一部署和要求，做好深入细致的思想政治工作，提高认识，统一思想，端正态度，确保换届工作健康顺利进行。各单位、各部门主要负责同志要以高度的政治责任感，投入足够精力和时间，亲自抓好这项工作。要统筹安排好换届工作和其他工作，确保换届期间思想不散、劲头不减、秩序不乱、工作不断，做到换届工作和学校各项工作“两不误、两促进”。要增强政治敏锐性和工作主动性，凡是换届工作中遇到的问题，及时向学校党委请示汇报，绝不允许擅作主张，影响换届正常工作。这里再次明确，二级单位党组织向党委汇报工作是必尽的责任。全体领导干部要以身作则，带头严格执行纪律要求，如因履责不力，导致所分管或所在单位、部门换届风气不正、换届纪律松弛、换届过程中出现非组织活动的，一律严肃问责。造成恶劣影响的，给予调离岗位、引咎辞职、责令辞职、免职、降职等组织处理；涉嫌失职渎职的，依纪依法处理，绝不姑息迁就。

（二）明确纪律规矩

换届纪律就是政治纪律，严肃换届纪律，确保换届风清气正，是做好换届工作的头等大事，直接关系换届工作成败。我在这里专门强调一下中央纪委机关、中央组织部提出的“九严禁”要求。一是严禁拉帮结派，

对搞团团伙伙、结党营私的，一律给予纪律处分。二是严禁拉票贿选，对在民主推荐和选举中搞拉票、助选等非组织活动的，一律排除出人选名单或者取消候选人资格，并视情节给予纪律处分，对贿选的依法处理。三是严禁买官卖官，对以谋取职务调整、晋升等为目的贿赂他人或者收受贿赂的，一律先停职或者免职，并依纪依法处理。四是严禁跑官要官，对采取拉关系或者要挟等手段谋取职务或者职级待遇的，一律不得提拔使用。五是严禁造假骗官，对篡改、伪造干部档案材料的，一律对相关人员给予组织处理或者纪律处理。六是严禁说情打招呼，对封官许愿或者为他人提拔重用说情打招呼的，对私自干预下级干部选拔任用的一律记录在案，情节严重的严肃追究责任。七是严禁违规用人，对突击提拔调整干部、超职数配备干部和违反规定程序选拔任用干部的，一律宣布无效，并视情节对相关人员给予纪律处分。八是严禁跑风漏气，对泄露、扩散涉及换届人事安排等保密内容的，一律追究相关人员责任。九是严禁干扰换届，对造谣、诬告他人或者妨害他人自由行使选举权的，一律严厉查处，对涉嫌违法犯罪的移送司法机关处理。今天在座的都是学校各个层面的领导干部，一定要深刻汲取一些地方、一些单位破坏换届纪律的教训，严防所谓的“贵人”“高人”“好人”，做好“四种人”，即在坚决维护核心上做政治的明白人，做到原则问题上不糊涂，大是大非面前不摇摆；在坚决服从核心上做行动的带头人，带头遵守和严格执行“九严禁”换届纪律，带头维护干部能上能下的体制机制；在坚决贯彻落实六中全会精神上做清白人，内心清白，双手清白，行为清白；在对待“进退留转”上做健康人，进退留转本是组织行为，是组织根据工作需要和个人实际进行的组织安排，作为一名领导干部，服从组织安排、执行组织决定是最基本的素质和要求。党章第二章第十条将“党员个人服从党的组织”列在民主集中制“四个服从”之首；最近出台的《关于新形势下党内政治生活的若干准则》也明确指出，“领导干部要自觉服从组织分工安排，任何人都不能向组织讨价还价，不服从组织安排”。因此，我想送给所有现任中层干部一句话“换届最是心静时”，保持健康心态，认真做好目前的本职工作。组织作

出决定后，进则奋发有为，退则愉快接受，留则意志不衰，转则积极适应，真正体现一个党员干部应有的党性和胸怀。

（三）做好教育宣传

换届期间，各级党组织要充分利用“两学一做”这个契机，将学习贯彻党的十八届六中全会精神贯穿于换届工作的始终。要组织全体党员干部认真学习习近平总书记系列重要讲话精神特别是关于干部换届的讲话精神，学习党的十八届六中全会通过的《准则》和《条例》，学习干部选拔任用和换届选举工作的政策法规，特别是要认真学习“九严禁”的纪律要求，教育引导广大党员干部讲政治、顾大局、守规矩，以阳光、淡泊、平和、担当、慎独的健康心态净化政治生态。此外，全校上下要营造良好的舆论环境。要通过各种宣传平台，开设专栏、专刊或者专区，主动宣传换届风气监督的新精神新要求，推介加强换届风气监督的典型经验做法。要加强舆情监测工作，建立舆情应急机制和工作方案，对涉及换届的敏感信息、重要情况、突发问题等，做到迅速反映、及时研判、妥善应对。

（四）强化监督查处

中层干部换届期间，纪委监察部门要严格监督检查，让投机钻营者不敢伸手。要认真践行监督执纪“四种形态”，加强“八小时之外”的监督，坚持抓早、抓小、抓现行，对苗头性、倾向性问题早发现、早提醒、早批评，真正做到防微杜渐，把纪律和规矩挺在前面；要欢迎全校党员干部、师生员工对换届调整工作进行监督，向全校师生公布“九严禁”换届纪律和信访、电话、网络、短信“四位一体”的综合举报受理平台；要及时受理反映违反换届纪律的问题，实现换届监督无禁区、无盲区、无特区；对换届中违规违纪问题实行“零容忍”，发现一起，查处一起，绝不姑息，绝不手软。

同志们，换届工作体现用人导向，关乎党风民意，关系事业发展。希望全校各级党组织、广大党员干部坚持以习近平总书记系列重要讲话精神为指导，学习贯彻落实党的十八届六中全会精神，以高度的政治责任感和历史使命感，自觉把思想和行动统一到党委决策和部署上来，识大体、顾大局，积极投入和支持换届工作，努力把换届的各项工作做得更细一些、更实一些、更好一些，不辜负习近平总书记的教导与期望，让市委放心，让全体师生员工满意，圆满完成换届各项任务。

坚持科学选人用人导向将高校从严治党落到实处*

——学习贯彻习近平总书记选人用人重要论述

中国共产党历来高度重视选贤任能，始终把科学选人用人作为关系党和人民事业的关键性、根本性问题来抓。毛泽东同志强调，“政治路线确定之后，干部就是决定的因素。”邓小平同志强调，“中国的事情能不能办好，社会主义和改革开放能不能坚持，经济上能不能快一点发展起来，国家能不能长治久安，从一定意义上说，关键在人。”改革开放以来尤其党的十八大以来，习近平同志就科学选人用人、建设宏大高素质的干部队伍作了许多重要论述，在科学选人用人方面提出许多新思想新论断。习近平同志强调，“党的干部必须坚定共产主义远大理想，真诚信仰马克思主义，矢志不渝为中国特色社会主义而奋斗，坚持党的基本理论、基本路线、基本纲领、基本经验、基本要求不动摇。”“好干部要做到信念坚定、为民服务、勤政务实、敢于担当、清正廉洁。”这些思想尤其是二十字“好干部”标准，体现了我们党在科学选人用人上一脉相承的思想脉络，体现了当前以习近平同志为核心的党中央坚持党管干部、科学选贤的要求，既是做好干部队伍建设的根本要求，也是高校选拔任用干部的基本遵

---

* 这是刘超美 2016 年撰写的领导干部理论文章。

循，更是从源头上预防治理选人用人不正之风的有力武器。

一、增强“四个意识”，充分认识做好科学选人用人的重要意义

事业兴衰，唯在用人；用人之要，重在导向。科学选拔任用干部，事关党领导的事业长远发展的组织基础的稳固。2016年1月29日，习近平总书记主持召开中央政治局会议，提出要增强“四个意识”即增强政治意识、大局意识、核心意识、看齐意识的重要论述，为我们党选拔任用干部提供了立场鲜明的政治导向。高校干部队伍建设和选人用人水平高低，事关高校的“育才造士”“为固为本”。高校要深入学习贯彻习总书记干部工作重要论述，充分认识做好科学选人用人的重要意义，增强“四个意识”，做好干部队伍建设。

（一）科学选人用人是贯彻党的十八届六中全会精神的重要实践

党的十八届六中全会着眼于加强和规范党内政治生活、加强党内监督，深入贯彻党的十八大以来党中央关于干部工作的思想、理念和要求，对坚持科学选人用人导向、严格干部考察考核作出了部署。高校要站在全局战略的高度，深入学习贯彻六中全会精神以及《准则》和《条例》要求，坚定不移地推进全面从严治党。要以高度的政治责任感，将科学选人用人当作深入学习贯彻落实六中全会精神的一次重要实践，当作集中检验学校政治生态建设成果的一次“大考”，坚决维护以习近平同志为核心的党中央的权威，把全面从严治党贯穿换届工作全过程，一方面拿起“德为先”的刻度尺，掌握“辨真伪”的方法论，正确识人察人、选人用人；另一方面全面领会六中全会精神，深刻汲取吕锡文受贿案、四川南充拉票贿选案、辽宁拉票贿选案等干部选拔方面的教训，通过科学选人用人，进一步严肃党内政治生活，切实加强党内监督，从严落实主体责任，为落实六中全会精神做好保障。

（二）科学选人用人是落实高校思想政治工作会议精神的主要保证

习近平总书记在全国高校思想政治工作会议上的重要讲话，从全局和战略高度，深刻回答了事关高等教育事业发展和高校思想政治工作的一系列重大问题。他强调，要坚持党的领导，加强高校党的基层组织建设；提高党的基层组织做好思想政治工作能力；整体推进高校党政干部等队伍建设。高校换届工作，在一定意义上也是落实以上要求的重要契机。一要设置好党的基层组织，实现全覆盖，把从严治党的体系建立健全起来，把“最后一公里”的落地工作完善建立起来，责任延伸落实下去。二要选配好基层党组织负责人，着力选拔政治素质好、抓党建意识强、善于抓班子带队伍，在推动发展上公道正派、廉洁自律、勇于担当、奋发有为的干部担任基层书记。三要选优配强专兼党务工作者，强化其抓党建和思想政治工作的职责意识，提高其思想水平和工作水平。四要选用基层部门及教学一线的政治强、素质优、作风硬、威信高的年轻人，切实充实和建好高校思想政治工作队伍。

（三）科学选人用人是实现“十三五”发展规划的组织保障

“十三五”时期是全面建成小康社会、实现我们党确定的“两个一百年”奋斗目标的第一个百年目标的决胜阶段，也是深化教育领域综合改革、扎实推进现代大学制度建设的关键节点。国家“十三五”规划纲要强调，要全面贯彻党的教育方针，推进现代大学制度建设，完善学校内部治理结构，推进高等教育分类管理和高等学校综合改革。要落实这一任务，就需要高校各级干部有敢闯敢试的精神、迎难而上的勇气、舍我其谁的气魄。高校做好科学选人用人，一方面要紧密围绕“十三五”规划目标，做好内部组织结构顶层设计，形成良好的组织体系和运行机制；另一方面要紧密结合高等教育发展实际，把干部选好，把班子配强，形成一支真正为民务实清廉、勇于创新、敢于担当、能打硬仗的干部队伍，为破解发展难题、解决突出矛盾、凝聚师生人心、推动实现“十三五”发展规划的各项目标任务提供坚实的组织保障。

北京印刷学院于2016年年底启动新一届中层领导班子调整及干部选拔任用工作。为做好本次换届工作，学校党委认真组织学习了《党政领导干部选拔任用工作条例》，统筹部署，科学布局。党委调研组先后赴上海、深圳等地高校深入调研，学习好经验好做法；又深入各二级单位全面考察现有中层班子和干部情况，收集意见建议245条。党委认真吸纳这些意见建议，以提高干部队伍整体素质和能力建设为目标，着眼于现有问题解决，充分论证、精准选拔、科学配备，最终形成符合学校发展大局和师生广泛认可的新一届中层干部队伍。

调研也表明，当前高校干部的整体素质得到师生的总体认可，但也存在一些问题：个别班子站位不高、视野不广、思路不宽、办法不多，人心凝聚不够得力；个别干部仍存在担当不足、不敢为、慢作为、不会为以及利益输送、小圈子、老好人、两面人等现象，“四个意识”不强、工作投入不足，不能正确处理学校与部门、学术与个人事务的关系等问题。这主要是由于有的高校对干部的教育管理不够到位、不够严格，应该管的没有管起来、应该严的也没有严起来，根本上还在于选人用人导向不够科学、相关制度不够完善。好校风、好学风的基础在于办学方向和治理水平。没有科学的选人用人导向，就很难有高质量的干部队伍和高水平的治理体系及高质量的育人体系和良好的学习风气，发展也就无从谈起。

二、坚持精准科学，统筹做好科学选人用人的各项工作

当前，国际国内形势深刻复杂变化，社会思想文化和意识形态领域情况更加复杂，马克思主义指导思想、社会主义核心价值观、传统教育引导方式等都面临严峻挑战。习近平总书记强调，“党面临的形势越复杂、肩负的任务越艰巨，就越要加强纪律建设，越要维护党的团结统一，确保全

党统一意志、统一行动、步调一致前进。”在选人用人及干部换届问题上，高校党委要坚决遵循习总书记要求，始终坚持党的领导，牢记政治责任，妥善应对问题，以高标准严要求和好干部标准确保选人用人的精准科学，确保干部换届的风清气正。

（一）加强党的领导

贤必公，公生贤。做好选人用人，最核心的是公道正派。我们的高校是党领导下的高校，是中国特色社会主义高校。要切实把党的领导在高校落到实处。党的领导既是贯彻党管干部原则的重要体现和基本要求，也是确保选人用人公道正派的重要屏障和基本保证。选人用人中，高校要把党的领导贯穿全过程，将组织把关始终放在主导地位、发挥主导作用：一是做好政治考察。突出政治素养、突出廉洁素养、突出作风素养，对政治上不过硬、大是大非面前立场不坚定的人，一票否决。二是严格素质把关。严格身份认定、组织考察、人选审查，切实选好干部、配强班子。三是遵循组织程序。坚持民主集中制，健全集体讨论决定任用干部机制，摒弃“四唯”偏向，防止个人或少数人说了算。四是加强痕迹管理。运用底线思维，执行“四必”要求，即“凡提必审”“凡提必核”“凡提必听”“凡提必查”，防止“带病提拔”。

（二）做好舆论引导

舆论引导是我们党开展思想、政治等方面建设的优良传统和一贯做法，其目的就是统一思想、凝聚共识、形成合力。习近平同志指出，“舆论引导就是通过新闻报道，弘扬社会正气。”换届期间，高校党委要旗帜鲜明地坚持党管干部原则，坚持社会主义办学方向，承担起管党治党、办学治校的主体责任，组织党员干部认真学习习近平总书记系列重要讲话精神特别是选人用人重要论述，做好选人用人政策法规特别是换届“九严禁”的纪律要求的舆论引导，教育和引导广大干部讲政治、顾大局、守规矩，以阳光、淡泊、平和、担当、慎独的健康心态净化政治生态。各级

组织要利用“两学一做”学习教育契机，组织学习《准则》和《条例》，将选人用人宣传教育贯穿始终。基层部门要通过各种宣传平台，开设专栏、专刊或专区，主动宣传选人用人风气监督的新精神新要求，推介加强选人用人风气监督上的典型经验做法，在全校营造出健康向上的舆论氛围和风清气正的工作环境。

（三）精准科学选人

“用人必考其终，授任必求其当。”习近平总书记在党的十八届六中全会上提出精准科学选人用人的重要思想，为不断加强和改进干部工作、提高选人用人科学化水平提供了重要指南。干部换届工作，说到底就是精准科学选好人用好人。精准，重在考准考实，客观评价，不搞模糊表述和千人一面。科学，重在用对用好，严格把关，以开阔视野选出最合适者。高校要做到精准科学选人用人，就要把好“三关”：一是把好作风关，将那些兢兢业业、默默无闻、真干苦干的干部选进来，不选漠视纪律、不守规矩、拉拉扯扯、搞小圈子、拉帮结伙、搞利益共同体的干部；二是把好能力关，将那些能把握新形势新要求，在促改革促转型促发展中敢于担当、实绩突出、群众公认的干部选进来，不选爱惜“羽毛”不愿干、不敢干、不会干，敷衍应付上级、工作不在状态、庸懒散拖推的干部；三是把好廉政关，将那些廉洁从政用权、修身齐家的干部选进来，不选侵害群众利益、优亲厚友、群众反映强烈的干部。

（四）优化领导班子

“芳林新叶催陈叶，流水前波让后波。”选拔任用干部，需要做好培养新人、新老交替，关键还是要做到人岗相适、追求领导班子较好配合的最佳结构。1984 年，习近平同志还在正定工作时就指出，“起用人才的迫切性与事业是连在一起的，方法应服从目的，应为目的服务，在选拔人才时，讲文凭也要讲水平。不拘一格包括不拘文凭……各种年龄的人，都使用起来、跑起来、积极性调动起来。只有这样，我们的事业才能人才济济、兴旺发达。”高校选拔任用干部，要立足学校发展实际和干部队伍建设需要，注重优化结构与增强功能高度切合。既注重从基层发现、选拔一批优秀年轻干部，又注意保留一些经验丰富、事业心强、工作得力、年龄较大的干部，不简单以年龄划线，体现老中青相结合的梯次配备，发挥好各年龄段干部的作用。实行任职回避，注重交叉任职，加大转岗交流。要通盘考虑女干部、少数民族干部和党外干部的选拔使用。既要考虑专业、能力和结构的合理性，又要考虑个性特点、工作阅历和经验上的互补性，不搞简单的专业对口，防止同一班子中同类型干部过于集中。尤其对于教学一线部门，注重选拔既懂管理工作又懂学科专业、既历经多岗位锻炼又实际工作经验丰富的干部担任党政“一把手”，有效提高领导班子特别是教学部门领导班子的专业化水平。

（五）明确选拔纪律

“善禁者，先禁其身而后人。”明确并严肃选人用人工作纪律，是确保换届风清气正的头等大事。习总书记强调，“我们的权力是人民赋予的，领导干部作为人民的公仆，必须自觉接受监督。”“要把党内监督、法律监督、群众监督结合起来，发挥舆论监督的作用。”作为真善美的殿堂，高校在选人用人中，要以更高的标准和更严的要求，强化政治纪律和政治规矩，强调中纪委、中组部“九严禁”的要求，即严禁拉帮结派、严禁拉票贿选、严禁买官卖官、严禁跑官要官、严禁造假骗官、严禁说情打招呼、严禁违规用人、严禁跑风漏气、严禁干扰换届。同时，要深刻汲取一些地方、一些单位破坏选拔纪律的教训，严防“三种人”，即所谓的“贵人”“高人”“好人”。要引导党员干部讲政治、顾大局、守纪律，做好“四种人”，即在坚决维护核心上做政治的明白人，在坚决服从核心上做行动的带头人，在坚决贯彻落实六中全会精神上做清白人，在对待“进退留转”上做健康人，进则奋发有为，退则愉快接受，留则意志不衰，转则积极适应，体现新时期党员干部应有的党性和胸怀。

（六）强化风气监督

风气的好坏，直接关系到全面从严治党要求能否落实，关系到党内政治生态的优劣。习近平总书记强调，“要重视基层风气问题”，“着力净化政治生态，营造廉洁从政良好环境”。换届往往是问题易发多发期，加强风气监督，说到底就是要督促广大干部遵规守纪，严格按纪律办事、按规矩办事、按制度办事。因此，在选人用人中，高校党委要立足“严、实、全”，紧扣“点、线、面”，强化风气监督，实现监督无禁区、无盲区、无特区。纪委监察部门要第一时间向师生公布“九严禁”换届纪律及“四位一体”综合举报受理平台，动员广大师生参与换届全程监督，及时受理违纪举报。同时，严格践行监督执纪“四种形态”，加强“八小时之外”监督，坚持抓早、抓小、抓现形，对苗头性、倾向性问题早发现、早提醒、早批评，对选人用人中出现的违规违纪问题“零容忍”，发现一起，查处一起，绝不姑息手软。通过强化监督，把干部选准、把班子配强、把风气搞好、把工作做实。

总之，高校坚持科学的选人用人导向，关乎党风民意，关系事业发展。高校党委要深入学习贯彻习近平总书记系列重要讲话精神尤其是选人用人重要论述精神，贯彻落实《党政领导干部选拔任用工作条例》及中央关于换届风气监督有关要求，把中央工作要求作为做好选人用人的“路线图”和“导航仪”，以高度的政治责任感和使命感，统筹做好干部选人用人及换届工作，努力把工作做得更细一些、更实一些、更好一些，不辜负习总书记的教导与期望，不辜负师生的信任与支持，让上级放心，让师生满意，以此将高校从严治党落到实处。

参考文献：

[1]《毛泽东选集》第2卷，人民出版社1991年版，第536页。

[2]《邓小平文选》第3卷，人民出版社1993年版，第373页。

[3] 习近平：《在全国组织工作会议上的讲话》，《人民日报》2013年6月30日。

［4］习近平:《在全国高校思想政治工作会议上的讲话》,《人民日报》2016 年 12 月 8 日。

［5］《中华人民共和国国民经济和社会发展第十三个五年规划纲要》,新华社 2016 年 3 月 17 日。

［6］《习近平谈治国理政》,外文出版社 2014 年版,第 386 页。

［7］习近平:《脱离贫困》,福建人民出版社 1992 年版,第 88 页。

［8］习近平:《知之深　爱之初》,河北人民出版社 2015 年版,第 178 页。

［9］习近平:《之江新语》,浙江人民出版社 2007 年版,第 55 页。

［10］中央纪委机关、中央组织部:《关于加强换届风气监督的通知》(中组发〔2016〕1 号)。

［11］《习近平参加江西代表团审议》,新华网,2015 年 3 月 6 日。

关于学习贯彻全国高校思想政治工作会议精神的五点意见*

为期一天半的工作务虚会即将画上句号。一天半以来，同志们按照“贯彻落实全国高校思政工作会议精神，深化学校综合改革”的务虚会主题，围绕学校重点工作，进行思想碰撞交流、相互启迪思考、积极建言献策。昨天，北京外国语大学党委书记韩震教授为我们作了《学习贯彻全国高校思想政治工作会议精神》辅导报告，4 位班子成员围绕学校重点工作分别作了专题发言，今天上午，罗学科校长作了《认真学习贯彻全国高校思想政治工作会议精神，扎实推进学校工作稳中求进》的主题报告，相信大家和我一样都有很多收获。总的来讲，几位同志的报告特别是学科校长的报告，是我们学校 2017 年工作的主线、思路、重点。希望大家听完之后要统一思想，提高办好特色型、应用型大学的政治自觉和历史责任感。我们都在北京印刷学院的岗位上，我在党委书记岗位上，你在教授岗位上，他在院长、书记的岗位上，在其位就要谋其政，我们的任职时间是有限的，有限的时间怎样为北印八千师生谋利益？我们一定要不辜负师生、不辜负上级对印刷学院的期望，努力推进学校的工作，这是我们每一名处级干部和教授应有的工作态度。今天各位讲得都很好，会议结束后，

* 这是 2017 年 2 月 18 日刘超美在北京印刷学院 2017 年寒假校级领导班子务虚会上的讲话。

要将这次会议的精髓和重点吸收纳入 2017 年学校工作要点中。下面，结合今天会议的主题及几位同志的发言，我就学习贯彻全国高校思想政治工作会议精神及 2017 年全校重点工作，强调以下 5 点意见：

2017 年 2 月 17 日，北京印刷学院召开 2017 年寒假校级领导班子（扩大）工作务虚会

一、结合 2019 年本科教学评估，全面系统深入贯彻全国高校思想政治会议精神

从现在开始，我们有两年半的时间，以贯彻落实全国高校思想政治工作会议的精神为主线，全面推进迎接 2019 年本科教学评估准备工作。去年 12 月，在党的十八届六中全会召开后不久，中央专门召开全国高校思想政治工作会议，习近平总书记发表了重要讲话，会议印发了《中共中央、国务院关于加强和改进新形势下高校思想政治工作的意见》（中发〔2016〕31 号），进一步明确了加强和改进高校思想政治工作的根本方向、目标任务、基本要求以及高校培养什么人、如何培养人、为谁培养人这一根本问题。我们要重新审视北京印刷学院人才培养方案特别是通识教育，

关于通识教育我们缺什么，应该怎么做，31 号文件里面都清清楚楚地列明了。昨天韩书记说到 31 号文件在国家高等教育发展史上的重要性，确实是点得非常到位。中央自 1990 年召开了首次全国高校党建工作会议，强调了党对高校领导的重要性，下发了《关于加强高等学校党的建设的通知》，颁布了《中国共产党普通高等学校基层组织工作条例》等一系列重要文件，对高校领导体制、党组织设置和职责、党员教育管理等方面作了明确规定，并自此以后坚持每年召开高校党建工作会议，有力保证了高校的整体稳定。特别是 2004 年，中央下发了《关于进一步加强和改进大学生思想政治教育的意见》，核心就是抓好大学生思想政治工作。去年 12 月召开的这次高规格高校思想政治工作会议属于新中国成立以来首次，对办好中国特色社会主义大学、推进党和国家事业发展具有重大深远意义。昨天韩书记在辅导报告中也讲到，习近平总书记在思想政治工作会议 3 个多小时的讲话中多次脱稿即兴发言，用亲身经历和深邃思考，讲形势、提要求，举旗引路，研机析理，饱含深情。总书记在讲话中明确了高校肩负的五大功能——人才培养、科学研究、社会服务、文化创新、国际交流合作。其中，文化创新功能是党的十八大后正式确立的，这次思想政治会议又明确了高校的国际交流合作功能，这与习近平总书记系列重要讲话精神是一脉相通的。总书记在多个场合多次提到，要构建人类命运共同体，中国作为负责任的大国，要在国际发展的大舞台上拿出中国方案。因此，高校肩负的五大功能特别是文化传承创新和国际交流功能，我们一定要牢牢记住。高校在国家发展的地位和作用得到了空前提升，这次全国高校思想政治工作会议核心就是提升高等教育质量，明确提出高校要为人民服务、为中国共产党治国理政服务、为巩固和发展中国特色社会主义制度服务、为改革开放和社会主义现代化建设服务。因此我们要对高校在服务国家不同发展阶段的功能有更加深刻的认识，有这样的站位才能理解我们要做的事情。这次高校思想政治工作会议也点出了近年来高校发展面临的挑战以及部分高校存在的问题。第一个问题是对思想政治工作重视不够，重智育轻德育，重学术轻思政工作，重科研轻课堂教学。第二个问题是对高校思想政治工作的规律的认识和把握不够，思想政治工作的针对性和时效性需要进一步增强。思想政治工作的核心就是立德树人，一些办学历史较长的大学之所以能对学生产生潜移默化的深远影响，就是因为它们有历史底蕴而成的优良校风学风。第三个问题是哲学社会科学的育人功能有待提升，学术评价导向存在一定偏差。第四个问题是个别教师不能很好做到教书育人、为人师表，师德师风建设和思想政治队伍建设还有待加强。第五个问题是有的高校思想政治建设管理建设不到位，有的高校基层党组织软弱涣散，等等。以上提到的 5 个问题在我们学校程度不同地都存在，因此我们在学习贯彻全国高校思想政治会议精神要以问题为导向，要以组织迎接 2019 年教学评估为契机，尽快成立相关组织机构，开展全员育人、全方位育人工作。要从顶层设计和模块建设上加强人文素质类课程建设，要在“思想育人”中贯彻、结合、融入中华优秀传统文化和革命文化、社会主义先进文化教育以及党史、国史、改革开放史、社会主义发展史教育；要在“专业育人”中对传统媒体和新媒体从“相加”到“相融”阶段、内容优势和技术优势“双轮并驱”的新形势进行深入研究，努力提炼梳理马克思主义新闻观出版观、红色印刷史等方面的内容并结合北印特色形成体系化德育教材。要围绕“社会主义核心价值观以及思想引领、立德树人”等方面研究形成系统的课程体系，存在的问题和不足该改进的改进、该改革的改革。

二、坚持一张蓝图绘到底和一张蓝图分步实施相结合，积极推进“十三五”发展规划

学校从 2015 年暑期全面启动了“十三五”规划的调研和制订工作，成立了“十三五”规划起草工作组，先后开展领导班子务虚会集体研讨、三个学科专业专题研究、校内外十几次调研，历时一年半时间，制定出“十三五”发展规划，规划已报送市委并得到了批复同意。“十三五”发展的蓝图已经绘就，如何抓好落实和实施是关键。具体讲，“十三五”规

时任北京外国语大学党委书记韩震在会上作报告

划 5 年分 3 个步骤，第一步是 2016 年到 2017 年，主要任务就是学科校长刚才提到的“查缺补漏”。第二步是 2018 年到 2019 年，以迎接本科教学评估和校庆为契机，进一步加强内涵建设。这两年，学校软硬件建设特别是师资建设要有明显的提高，师资力量是学校最宝贵的资源，我们教授和教师在国际知名了，北京印刷学院才能实现国际知名。在这里举个例子，2017 年，哈斯坦纳世博会于 6 月开幕，中国国家主席习近平和哈萨克斯坦总统纳扎尔巴耶夫等其他上合国家元首将共同参观上合馆和中国馆。上合馆面对全国招标新媒体空间设计，李一凡教授的设计中标，他也被聘为上合馆新媒体空间的总导演。在李教授的推荐和介绍下，上合组织希望在我校建造一个 1∶1 的上合馆新媒体空间样板间，这对提升学校知名度和美誉度具有积极意义。这也说明，北印的教师能够得到国际上的认可，对此我们一定保持自信。第三步是 2020 年，也是在“十三五”末力争学校综合实力达到国内同类行业院校一流水平。我们一定要奔着这个目标推动学校发展内涵和核心竞争力实现质的提升。如何围绕学校“十三五”总规划制定好本单位的分规划，一定要把握好顶层设计下的统一步调、分步骤、有重点实施。规划落实贵在精准，要牢固树立精准落实理念，凡事注重具体和准确，工作精准到位，在一个个具体的点上解决问题，避免大而化之、笼而统之，因此在制订本单位“十三五”分规划时，一定要把所处的发展环境和条件分析透，把前进的方向和目标理清楚，把面临的机遇和挑战搞明白，着力构建符合自身优势、契合发展趋势的核心竞争力。

三、以问题为导向不断深化学校综合改革

春节后上班第一天，《人民日报》头版头条发表长文《改革，快马加鞭未下鞍——以习近平同志为核心的党中央2016年推进全面深化改革工作述评》，全面梳理了2016年以习近平同志为核心的党中央推动全面深化改革奋力前行的成绩，1月22日中共中央政治局就深入推进供给侧结构性改革进行第三十八次集体学习。习近平同志在讲话中指出，“今年是供给侧结构性改革的深化之年，新年伊始，中央政治局以此为题进行集体学习，目的是分析供给侧结构性改革取得的成效，理清供给侧结构性改革面临的重点和难点，研究推进供给侧结构性改革的具体举措。”供给侧改革旨在调整产业结构，使要素实现最优配置，关键要找准制约发展的核心问题。从学校实际情况来看，当前“基层办学活力不够、高水平科研成果不足、人才队伍结构不合理”等突出问题严重制约我校事业发展，实现“十三五”目标的关键在于集全校之力、切实深化综合改革、破解事业发展中的瓶颈性问题。2016年，学校在职称制度改革和考核改革、科研制度改革方面迈出了一大步，在一定程度上激发了教师的积极性，调动了各方面的积极因素，成效令人振奋。我去听了很多学校老师的课，和很多老师也进行一对一的谈话，不少老师向我反映，非常希望在教书育人和科学研究方面加强与行业的联系，但苦于没有渠道，学校不少党政干部缺乏和行业的联系。今后，学校要主动搭建渠道，让学校的老师和干部到行业挂职、与行业融合，多向社长和主编学习。总之，我们要以“五大发展理念”为指引，切实抓好改革任务的进度统筹、质量统筹、落地统筹，统筹好教学与科研、学术与行政、立足北京与服务行业、职能部门与二级学

院、内涵建设与规模拓展等不同主体之间的关系，释放发展活力，以自我革命的精神推进纵深改革，破解体制机制障碍，激发内生动力。

四、加强"党管人才"，把加强党员和人才队伍建设作为学校发展的核心竞争力

这次全国高校思想政治工作会议最重要的一项就是教师的思想政治工作。教育部部长陈宝生同志2月6日在《求实》发表的文章提到："实践证明，基层党组织战斗力强、战斗堡垒作用发挥得好，内部矛盾少、政治生态健康，业务工作往往开展得也比较好。其中很重要的原因，是党政主要负责同志既重视党建，又懂业务。"学校一直在业务和党务干部的培养上下功夫，通过双向融合整体推进基层党的建设，努力探索把有条件的党务工作者培养成学术带头人，把行政系统主要负责人、学科带头人培养成基层党组织负责人。我们培养干部就是要坚持双向并进，逐步实现基层党组织负责人是懂政治的业务工作者、基层行政系统负责人是懂党建的行政领导者。我们这次任命了几个教授当书记，那不是形式配置，那是实打实的"干事"书记，既然接受了这个任务，这几年至少要把70%的精力放在管理工作当中。另外这次组织开展的干部换届工作涉及面广、涉及人多、变化量大，有的同志没有党务工作和思想政治工作方面的工作经历，尽快进入角色、熟悉岗位是当务之急。希望每一位干部特别是新岗位的干部深刻认识到北京印刷学院作为一所服务新闻出版广电行业高校所拥有的"鲜明意识形态和文化属性"特性，都深刻认识到做好思想政治工作是每名领导干部的政治任务，每个领导岗位都是思想政治工作的工作站，每一名领导班子成员都是党的思想政治工作者。

五、以崭新精神状态和工作作风落实好全年各项工作

目标确立以后，如何抓好落实是关键，我们要以更强烈的责任、更积

极的态度、更过硬的作风确保今年各项工作落地、落小、落实。一是要在学深悟透习近平总书记在全国高校思想政治工作会议上的讲话精神上下功夫。全校各级干部开学后第一件事就是要把学好总书记的重要讲话精神和中央 31 号文件作为一项重要政治任务，既要原原本本、认认真真地研读学习，又要将学习与学校发展、破解难题紧密结合。二是要在提高政治站位上下功夫。从这两天几位同志的发言，大家应该已经感受到了领导班子思想理论和政治水平的整体提高。2017 年开始，我们的领导班子就必须上台讲形势政策课，二级学院的院长书记每年都必须给学生讲形势政策课，筹备讲课的过程中，也是不断提高自己境界格局和政治站位的过程。三是要在放眼谋大势上下功夫。我们要遵循高等教育的规律、印刷学院的发展规律、本职工作的规律，加强对首都、行业发展趋势的调查研究，深化对学校适应高等教育综合改革趋势的重大理论和实践问题的战略研究，增强做好战略规划和顶层设计的自觉与自信。四是要在实践上出真章。“群众出题目，改革做文章。”处级干部是落实党委决策、推动学校发展的中坚力量，你们有担当、学校就有力量，大家要以倒计时的状态抓好总落实，以实打实的成效展示新作为，多出些实用管用的计策，多出含金量高的政策，决不能搞空头支票。五是要对党忠诚。对党忠诚首先要学会对学校、对老师、对工作的忠诚，今年学校要重点抓督查，党委将派人专门督导，凡是主观原因不作为、工作不到位的必须要约谈，全力推动工作落细落小、落地生根。六是要在争上求主动。陈宝生部长说，搞好教育工作要发扬“三皮精神”，第一是厚着脸皮，第二是硬着头皮，第三是磨破嘴皮。大家要为事业去争、为师生去争、为北印这个大家庭去争，而不是为个人、为小团体去争。为了学校发展，我们要主动去争去跑，走出去才能看到一片新天地，才不会陷进自己一亩三分地，要善于聚八面之风、四方之力，积极构建大出版印刷育人格局。七是要在稳上面做文章。今年中央很多文件中都提到了稳中求进，党的十九大即将召开，中国人民解放军建军 90 周年，“一带一路”国际论坛即将举办，同时 2017 年也是北印推进实施“十三五”规划稳中求进的关键一年。大家要正确理解稳中求进，

稳不是原地不动、无所作为。希望大家把思想和行动进一步统一到学校发展目标上来，多学习、多谋划、多思考，掌握好党员干部的成事之要、为政之道、修身之本、处世之法，保持强烈的居安思危意识，大力弘扬愚公移山精神和将革命进行到底的精神，不忘初心、继续前进。

学习贯彻全国高校思想政治政治工作会议精神　扎实推动工作有效落实*

春雪兆丰年。今天是全校开学第三天，经过五周寒假休整，我们8000名师生又重返校园，开始了新学年忙碌的工作。2月17日、18日两天，学校召开了校级领导班子（扩大）工作务虚会，学习贯彻高校思想政治工作会议精神，总结2016年学校相关工作，分析2017年学校面临的宏观形势，研究了2017年的工作，起到了统一思想、凝聚共识、明确任务的目的。今天，我们全体教职员工在这里参加2017度工作部署会，也是为了统一思想、提高认识、统一步调、明确任务，为全年工作的顺利推进打下良好的思想基础。

刚才，田忠利副校长以《以迎评促建为契机，推进人才培养模式改革》为题，王关义副校长以《深化人事人才制度改革，推动学校事业发展》为题，分别作了两个质量很高的报告，罗学科校长对学校2016年工作进行了简要回顾，对2017年工作进行了部署，深入分析了学校当前事业发展所面临的外部形势，重申了“抢抓机遇、苦练内功、整体推进、重点突破”十六字发展理念，对我们全面学习贯彻全国高校思想政治工作会议精神，做好全年各项工作都具有重要指导意义。希望各单位会后认真学习、深刻领会，尽快细化完成本单位的年度工作计划，扎实

* 这是2017年2月22日刘超美在北京印刷学院2017年新学期工作部署会上的讲话。

推动工作有效落实。

2017 年 2 月 22 日，刘超美主持召开北京印刷学院 2017 年工作部署会

2 月 20 日到 21 日，我和学科同志参加了北京高校领导干部会议，市委书记郭金龙和教育部副部长沈晓明在会议上作了学习贯彻习近平总书记在全国高校思想政治工作会议上的讲话精神的重要辅导报告，市委常委、教工委书记林克庆对今年北京高校工作提出明确要求，中央和北京市将下发一系列重要文件贯彻落实，为高校综合改革创造良好的外部环境。下面结合落实上级精神和学校今年重点工作，我再强调 3 点意见：

一、深入学习贯彻习近平总书记在全国高校思想政治工作会议上的重要讲话精神

2016 年 12 月，中央专门召开全国高校思想政治工作会议，习近平总书记发表了重要讲话。会议印发了《中共中央、国务院关于加强和改进新形势下高校思想政治工作的意见》（中发〔2016〕31 号），目前已经发

至学校党委，近期我们将组织校院两级干部进行深入学习。召开如此高规格的高校思想政治工作会议是新中国成立以来第一次，对办好中国特色社会主义大学、推进党和国家事业发展具有重大深远意义。习近平总书记在这次会议上用了 3 个多小时的时间，深刻阐述了加强和改进高校思想政治工作的重大意义、根本方向、目标任务和基本要求，科学回答了高校培养什么人、如何培养人以及为谁培养人这一根本问题。习总书记深刻阐述了高校思想政治工作的重要地位和作用，强调高校思想政治工作关系高校培养什么人、如何培养人以及为谁培养人这个根本问题，既是我国高校的特色，又是办好我国高校的优势；强调这些年高校总体保持稳定，思想政治工作功不可没；强调要把立德树人作为中心环节，腰杆硬、底气足地把思想政治工作贯穿教育教学全过程，实现全程育人、全方位育人；强调高等教育发展方向要扎根中国大地，为人民服务，为中国共产党治国理政服务，为巩固和发展中国特色社会主义制度服务，为改革开放和社会主义现代化建设服务。习总书记将高校立德树人工作形象地比喻成工厂生产，产品有合格品、次品、废品还有危险品，如果培养的学生在“德”方面出了问题，那就是培养出了“危险品”，应多培养德才兼备的“合格品”；习总书记还把思想政治工作比喻成盐，“好的思想政治工作应该像盐，但不能光吃盐，最好的方式是将盐溶解到各种食物中自然而然吸收”。2 月 20 日，北京市委召开北京高校思想政治工作会议，郭金龙书记对深入学习领会习近平总书记重要讲话精神提出明确要求，要把握思想内涵、吃透基本精神、领悟核心要义，自觉把思想和行动统一到讲话精神上来。我们要把学习贯彻习近平总书记系列重要讲话精神与做好新学期工作结合起来，把学习会议精神的成果体现到思想认识的提高上、体现到立德树人的推进上、体现到迎接 2019 年教学审核评估工作上、体现到学校人事体制机制改革上。要提高政治站位，深刻认识理解北印鲜明的意识形态和文化属性。要充分利用学校新闻出版领域的特色优势，运用媒体融合的思维和方式加强宣传思想工作，通过课上课下、线上线下、校内校外多种途径，加强正面引导，吸引学生主动靠近、自动连接，积极营造网络正能量。要牢记“以印刷出版为鲜明办学特色”的特殊使命，将马克思主义新闻观、出版观与中国传统印刷出版文化和学校特色结合，将马克思主义教育、思想政治理论课以及人文教育资源有机整合，为学生的成长奠定科学思想基础和扎实的人文素养，为行业媒体融合发展所需人才提供“北印方案”。今天在座八百北印人，无论你是教学一线的教授、教师还是一名普通的机关干部、后勤工作人员，全都是北京印刷学院全程育人工作中的重要一员，都要自觉履行好育人职责。

二、敢抓敢管，善抓善管，确保全年各项重点任务落地见效

习近平总书记在2017年新年贺词中发出“撸起袖子加油干”的动员令，并在中央全面深化改革领导小组第三十二次会议上对党员领导干部提出要“扑下身子，狠抓落实”。北京市委书记郭金龙在北京高校思想政治工作会议上讲，“书记和校长是就是学校的精气神，影响着学校的环境和风气，更是抓好工作落实的关键。”高等教育发展的形势、行业随着转型升级和技术变革、北京经济社会新的发展变化，要求我们必须增强改革创新和进取意识。北京印刷学院肩负着为新闻出版行业培养人才的使命，我们也以更高的站位、更宽广的视野来看待这个行业，前天是习总书记发表新闻媒体座谈会讲话一周年的时间，很多媒体以此为契机围绕媒体融合发展进行了大量的宣传报道；春节以后，国家新闻出版广电总局从业务、管理等各方面对广电和新闻出版进行了全方位彻底合并，是媒体融合发展的又一充分体现。另外，在北京高校思想政治工作会议上，郭金龙书记也谈到了北京首都功能调整和首都高校疏解的相关工作，很快北京市将出台一系列的文件，这些都和我们全体教职工的利益息息相关。经过50多年的建设和发展，学校取得了显著的办学成绩，但一些深层次问题还没有从根本上破解，我们在特色发展、创新发展、跨越发展等方面还有很大的提升空间，在优化学科布局、深化科技创新、科学规范管理、培养高端人才，

特别是紧跟行业技术创新和服务首都经济社会发展转型等方面亟须努力。新学期工作任务的部署要求已经非常明确，关键是抓好落实，想不想抓落实、会不会抓落实，是对各单位领导班子和全体干部教师的政治素质、管理水平、工作能力最直接的检验，必须主动作为，紧密联系实际，在强化执行、落地见效上下功夫。一要对标对表，要围绕学校“十三五”规划各项目标任务，把目标任务变成实实在在的工作成效，切实做到每项任务、每项措施都有清晰的“路线图”、翔实的“时间表”、明确的“责任人”，逐项抓分解，逐件抓落实，持之以恒，务求实效。二要增强责任意识，该面对的矛盾不能回避，该承担的责任不能退缩，该解决的问题不能推诿，该主动协调的事情不能扯皮，以责无旁贷的高度自觉，拿出落实措施，敢抓敢管、敢闯敢试、敢为人先，努力形成重实绩、办实事、说实话、求实效的良好风气。三要坚持问题导向，要围绕广大师生反映强烈的突出问题，从细处着手，向实处着力，一环接着一环拧，一锤接着一锤敲，积小胜为大胜。以改革破解难题，以改革凝聚力量，以改革推动发展，以改革不断促进办学活力的充分释放，通过改革把全校师生的智慧和力量凝聚起来，把各级各类人才的创造性活力激发出来，营造干事创业的好氛围。

三、加强基层党建，把强化教师思想政治教育管理抓在手里、扛在肩上，切实发挥好政治功能和服务功能

习近平总书记在全国高校思想政治工作会议上的重要讲话和中央印发的《意见》，详细列举并深入分析了当前党建和高校思想政治工作存在的各类突出问题：比如，有的高校重教书轻育人、重智育轻德育，有的思想政治理论课教学理论与现实脱节，针对性吸引力不强，有的院系党组织弱化、基层党支部活力不足，等等。这些问题直指关键和要害，具有很强的现实针对性，发人深省，同时我们要举一反三、深刻反思，切实从中受到

教育和警醒。2016 年 12 月底，我们召开了党组织书记抓党建工作述职评议考核会，系统总结了 2016 年基层党建工作，也分析了基层党建存在一些突出的问题：比如，党要管党意识尚未完全到位，从严治党还存在宽松软、缺乏严实硬；有些党组织书记忙于业务工作，没有把党建工作作为“主业”，“轻种责任田，主种自留地”，没有发挥党建第一责任人的作用。比如，有的单位各项会议制度的地位和职责明晰不到位，存在职责交织、决策交叉等问题。比如，多数基层党支部的学习以“读报纸，学文件”为主，存在表面化、形式化、娱乐化、庸俗化现象，党建与中心工作结合形成特色不鲜明，活动载体缺乏，等等。目前，北京市高校党员 26.8 万人，教师中党员比例 59%，我校这一比例达到了 60.3%。各院系等基层单位承担具体的教学科研工作，同时也是完成立德树人根本任务、实现学校功能使命的基础单位，我们既要发挥好基层党组织的政治功能，切实把握好教学、科研、管理等重大事项中的政治原则、政治立场、政治方向，又要发挥好服务功能，把推动本单位的改革发展、服务师生成长成才、做好师生思想政治工作作为主要政治任务，在完成立德树人根本任务中发挥好战斗堡垒作用。习近平总书记多次提到，教师从事的是塑造灵魂、塑造生命、塑造人的工作，教师的一言一行对学生思想和行为有很大的影响。我常利用空余时间在校园和学生互动，我经常问学生“你的班主任、辅导员是谁？老师当中你最喜欢哪一位？”我们还有不少学生回答不出谁是他的班主任，想不起来哪位老师现在给他讲课，选不出来一门他最喜欢听的课。这说明我们立德树人的任务依然任重道远。希望各位老师争做有理想信念、有道德情操、有扎实知识和仁爱之心的好教师，坚持教书和育人相统一、言传和身教相统一、潜心问道和关注社会相统一、学术自由和学术规范相统一，努力成为先进思想文化的传播者、党执政的坚定支持者，担负起学术健康成长指导者和引路人的责任，真正成为塑造学生品格、品行、品味的“大先生”。

同志们，新的一年，党的十九大即将召开，北京市领导班子即将换届、市委市政府搬迁运行，“一带一路”国际论坛即将举办，同时也是我们学校实施“十三五规划”，实现“建设国际知名、有特色、高水平传媒类大学，实现由教学型向教学研究型大学转变”目标的关键一年。希望大家善学习、勤思考，观大势、谋大事，敢干事、能成事，主动优化知识结构，拓宽眼界和视野，努力争取工作境界上的高视野、工作思路上的高起点、工作推进上的高水平，积极应对和引领学校事业发展新常态以及工作中存在的突出矛盾和问题，以“逢山开路、遇水架桥”的开拓精神，不断破解前进道路上的各种难题，从手中每一件具体事情做起，从每一个眼前的实际问题解决起，踏踏实实走好脚下每一步，力争赢得开门红，迎来新气象。

学习全国高校思想政治工作会议精神抓好学校党建和思想政治工作*

今天，我们以“学习中共中央、国务院关于加强和改进新形势下高校思想政治工作的意见，加强学校党建和思想政治工作”为主题，召开2017年第2次党委理论中心组学习。既是为了分享收获、交流思想、拓宽视野，也是为了提高认识、凝聚共识、统一步调，为全年工作顺利推进打下更坚实的思想基础。刚才，罗学科同志以“对高校学生思想政治工作的系统思考”为题，彭红同志以“认真学习与贯彻落实全国高校思想政治工作会议精神，深入思考全面加强和改进我校思想政治工作”为题，张养志同志以“建设有特色的马克思主义学院培养讲政治的‘四为’传媒人才”为题，分别作了质量很高的学习体会报告。3位同志做了精心准备。

一是准备比较充分。彭红至少做了1周的准备，养志做了3个月的准备。准备得非常认真，表明了党委以理论组学习为抓手以上率下加强学习的表率作用。

二是理论联系实践比较充分。比如，养志兼任马克思主义学院院长，建成什么样的马院？是首都师范大学、北京建筑大学，还是北京邮电大学

* 这是2017年4月27日刘超美在北京印刷学院党委理论中心组专题学习会上的总结讲话。

的马院？马院的主要任务是为各二级学院培养社会主义建设接班人注入思想引领和价值引领，而不是天天搞科研。

对我们学习贯彻全国高校思政工作会议精神，强化意识形态阵地建设，做好我校思想政治工作，建好中国特色社会主义传媒类大学具有积极促进作用，我本人也很受启发。今年 1 月份，我和学科同志参加了北京高校领导干部会议，3 月 27 日至 4 月 7 日，我们又参加了市委教工委在中央党校举办的北京高校党委书记、校长学习贯彻全国高校思想政治工作会议精神研讨班。在这次专题学习研讨班上，蔡奇市长和 12 位中央各部委办局同志、高校专家先后作了内涵丰富的专题报告，其中几位同志是全国高校思想政治工作会议文件材料起草组成员。下面我结合近期参加北京高校领导干部会议、中央党校培训班的学习体会，围绕贯彻落实全国高校思想政治工作会议精神抓好学校重点工作，谈以下两点感想和意见。

一、关于领导班子和全校上下深入学习贯彻全国高校思想政治工作会议精神的成效

新年伊始，学校党委以“贯彻落实全国高校思想政治工作会议精神”为主题先后召开了领导班子工作务虚会、新学期工作部署会，并多次以会议形式召集二级党委书记、基层支部书记、广大党员干部、团学骨干学习贯彻全国高校思想政治工作会议精神。从掌握的情况看，通过广泛深入学习，班子成员和广大师生、干部在认清“办什么样的大学、怎样办好大学”和“培养什么样的人、如何培养人、为谁培养人”以及在深化首都意识、提高政治站位、明确发展方向、树立发展自信、破解发展难题等方面进一步增强了思想自觉和行动自觉，主要体现在以下 4 个方面：

（一）在坚持社会主义办学方向、提高人才培养政治站位上增强了自觉

北京印刷学院的社会主义办学方向是什么？凝练出我们印刷学院的社

会主义办学方向的内涵。具体来讲，我们印刷学院就是培养党和国家新闻舆论媒体所需要的传媒类人才。我们具有“鲜明意识形态和文化属性”。提高对培养人才政治站位的认识。比如，各类课程，都是数的问题，没有从核心价值观引领研究。“一观三论”不是马克思主义学院+印包+设计艺术+机电。我们的印刷概论、出版概论，不要满足于艺术科学社、印刷工业出版社、人民出版社、高等教育出版社这样的大社、名社。所以我们在人才培养中，提高我们的意识形态属性，提高我们人才培养的政治站位。在这方面我们基本形成了共识。

（二）在强化“以文化人、以德育人”的育人理念上增强了自觉

班子成员对北京印刷学院作为一所服务新闻出版行业的高校所拥有的特性和定位理解更加深刻、思考更加深入，从“思想引领、立德树人”的根本高度上对我校人才培养定位进行顶层设计，围绕我校“鲜明意识形态和文化属性”特性开展全程育人、全方位育人工作的信心和决心更加坚定。

（三）在拓展格局视野、加强顶层设计、破解发展难题上增强了自觉

班子成员深入研究高等教育综合改革、首都功能定位调整以及媒体融合发展等带来的新机遇，找准外部机遇与我校实际的契合点，谋长远、抓基础、推改革、促发展，努力将机遇转化为动力、将优势转化成胜势的信心和决心更加坚定。

（四）在加强和改善党的领导、推动思想政治工作改革创新、确保学校和谐稳定上增强了自觉

班子成员在认真贯彻全国高校思想政治工作会议精神，深入落实党委领导下的校长负责制，自觉担起党委“把方向、管大局、做决策、保落实”的主体责任，团结带领全校师生，办好中国特色社会主义传媒大学

的信心和决心更加坚定。

二、深入落实全国高校思想政治工作会议精神，管好北京印刷学院"一段渠"

在今年班子对照检查材料中，围绕"办什么样的大学、怎么办好大学"以及"培养什么样的人、怎么培养人、为谁培养人"指出了目前存在的问题。比如，我校还存在重物轻人、重技能轻人文、重第一课堂轻第二课堂、重硬环境轻软环境以及抓显绩重眼前多、抓基础重长远少，抓科学研究项目建设投入多、抓社会主义核心价值观"入脑入心"举措少等问题；"党管人才"的领导体制不完善、考核机制不创新、保障条件不到位；人才引进和培养的政策缺乏连续性和稳定性，在教师引进、培训、职称评审上"重自然学科、轻人文社科"，在教师入口关、培训关、考核关的评优评先考量中，"思想政治和品德修养"分量较轻，师德一票否决难以落地；对网络发展新形势下意识形态工作的重要性以及运用新媒体新技术开展育人工作重视不够、能力不强；思想政治工作队伍能力水平需要提升，发挥管理队伍育人功能不够，基层力量有待加强；等等。这些问题都亟待研究解决。如何拿起全国高校思想政治工作会议上重要理论武器，加强思想政治和意识形态工作的顶层设计，打赢一场漂亮的思想政治育人攻坚战，对我们来讲，是挑战也是考验。下面，我从"思想理论、思政课程、师资人才、党的建设"这 4 个方面谈四点意见：

（一）加强思想理论攻坚，强化北印鲜明政治文化和意识形态属性，办好中国特色社会主义传媒大学

4 月 20 日，教育部党组和清华大学党委创新形式，在清华大学开展理论中心组联合学习，现场观摩党的十八届六中全会和全国高校思想政治工作会议精神在高校贯彻落实的新进展新成效。党委始终高度重视自身理论学习和思想政治建设，在提高中心组理论学习质量和学习成效上下了不

少苦功夫。一是将理论中心组学习的范围扩大到全委和部分职能部门、二级学院；二是围绕学习做了精心的准备。

我们要继续深化对党委中心组学习的重视，从政治上、战略上、全局上认识把握中心组学习的特殊重要性和现实紧迫性。要进一步聚焦党委中心组学习的主题主线，在认真系统学习马列主义、毛泽东思想和中国特色社会主义理论体系的基础上，更加聚焦习近平总书记系列重要讲话这个21世纪的马克思主义，更加聚焦党的理论和路线方针政策，更加聚焦党中央的决策部署；要加强对首都、行业发展趋势的调查研究，从顶层设计上加强理论学习方案制定和分层分类指导，深化对学校适应高等教育综合改革趋势的重大理论和实践问题的战略研究；要进一步提高党委中心组学习的实际效果，坚持理论武装，坚持问题导向，坚持知行合一，认真落实学习规则，加强对“有没有讨论交流、认识体会、问题分析、改进建议、研究落实”的督促检查考核，以扎实的理论学习，以高度的政治责任感使命感，为党的十九大营造浓厚的思想氛围。

（二）加强思想政治课程攻坚，坚持思想育人和专业育人并重，积极培育新闻出版传媒领域应用型人才

教育部党组和清华大学党委理论学习中心组开展联合学习前，和70多名清华大学师生一起，现场聆听了清华大学冯务中老师的一堂思政课。教育部部长陈宝生同志对这堂课给予了高度评价，他指出：“老师当绿叶，同学变红花，角色转换很到位，翻转课堂很成功，以青年人的话语方式和时尚现代的呈现手段，把线上线下的学习成果展示出来。配方新颖，问题意识强，体现了时代特色和社会关注的焦点；工艺精湛，将教师、学生和课堂主题紧密联系到一起；包装时尚有特色，运用现代技术手段，体现了清华大学思政课的成绩。”思政课是立德树人的核心课程，我们要将中央精神和学校思想政治工作实际结合起来，形成加强思政课建设的思路，解决不适应思政课建设的问题；要以建好马克思主义学院为契机，坚持思想育人和专业育人并重，围绕我校“鲜明意识形态和文化属性”的

特性开展全程育人、全方位育人工作；要深化思想政治理论课教学改革，坚持在改进中加强，在创新中提高，不断增强亲和力和针对性，推进媒体融合发展形势下通识教育与专业教育深度融合，将马克思主义新闻观、出版观与中国传统印刷出版文化和学校特色结合，将全校马克思主义教育、思想政治理论课以及人文教育资源有机整合，将活的现实、活的理论融入思政课教材，从根本上改变口号多于理念、概念多于实际的情况，为学生的成长奠定科学思想基础和扎实的人文素养，为行业媒体融合发展所需人才提供“北印方案”。最后，我们还要形成符合思政课发展规律的运行机制、考评标准，切实提高思政课的质量和水平，努力培育出一批品牌课，涌现出一批好老师，让到课率、抬头率全面提高。

（三）加强师资人才攻坚，坚持“党管人才”，以提升人才队伍建设水平促进学校核心竞争力

我们要从“北印文化和意识形态属性”的站位上，立足国家全面深化改革、行业转型升级和首都城市战略定位的战略高度，对人才队伍建设进行顶层设计，战略性地谋划我校人才中长期工作。严把教师聘用考核政治关，办好思想政治理论课，将思想政治表现和课堂质量作为首要标准和底线要求。把师德规范要求融入人才引进、岗位聘任、职称评审、导师遴选、课题申报等评聘考核环节，既要引进和培养一批创新人才和高水平学科带头人，也要集聚一批“信仰坚定、学识渊博、理论功底深厚”的思想政治等人文社科领域高端人才。要从增强思政课建设生产力、培养社会主义合格建设者和可靠接班人的高度，切实加强思想政治队伍建设，深入研究党政干部、共青团干部、思想政治理论课教师和哲学社会科学课教师、辅导员班主任、心理咨询教师队伍的教育培训、实践锻炼、激励机制，研究哲学社会科学科研骨干研修计划和中国特色社会主义理论培训计划，加强教师集中理论学习，构建教师思想政治工作新格局。引导教师以德立身、以德立学、以德施教，做“四有”好教师。

（四）加强基层党建攻坚，做好基层党建“最后一公里”

习近平总书记在全国高校思想政治工作会议上指出：“要加强高校党的基层组织建设，创新体制机制，改进工作方式，提高党的基层组织做思想政治工作能力。”在新的历史条件下，世情、国情、党情发生深刻变化，党的建设遇到许多新情况新问题，面临许多新考验新挑战。我们要紧密结合新的形势和任务，以改革创新精神加强和改进基层党建工作，特别要在提高基层支部战斗力、有效发挥作用、创新活动方式上下功夫。党委要担当起“把方向、管大局、做决策、保落实”的主体责任，抓重点、抓中心、抓关键，把中央和市委关于高校思想政治工作部署作为政治责任，不折不扣地落到实处；要强化校院两级党委的政治核心作用，把握好教学科研管理以及干部、教师队伍建设等重大事项中的政治原则、政治立场、政治方向，严格执行校级领导联系二级单位、联系高层次人才、联系困难师生制度和领导班子晚值班制度，严格执行二级学院党委书记抓思想政治工作述职评议考核制度，把思想政治工作要求贯穿到教育教学和管理服务中；要健全各部门分工合作的工作机制，构建学校党委主导、学院党委主体、党支部主心骨、党员主人翁全覆盖的党建和思想政治工作格局，形成全过程、全方位育人的整体合力。

为什么学　学什么　怎么学*

今天，我们利用休息时间举办新一届中层干部上岗集中培训。经过严格考核和调整交流等多个环节，历时 5 个多月，近 90 名干部走向新的中层领导岗位，你们承载着党委和北印 8000 师生的期待，肩负着贯彻落实全国高校思想政治工作会议精神、推动学校“十三五”规划落地的任务，使命在身、重任在肩。

这次换届是在中央统筹推进“四个全面”、贯彻落实“五大理念”、坚定迈向“两个一百年”目标、全面实施“十三五”规划、深入推进京津冀协同发展战略的大背景下进行的，到这届干部任期结束时也恰好是“十三五”时期结束之时，同时也是中国梦第一个百年梦实现之时。基于此，学校党委着眼于建设一支信念坚定、为民服务、勤政务实、敢于担当、清正廉洁的中层干部队伍，坚持“事业为上，以事择人、依岗选人、人岗相适”的选人用人原则，共选任中层干部 86 名，共提任干部 23 名，其中包括正职 7 名、副职 16 名。换届整体做到了能上能下、推进交流，用好各年龄段干部。换届结束时，党委组织部开展了一次定向问卷调查，调查显示：这次聘任工作师生总体满意率为 98. 18%。这表明，本次换届得到了广大干部群众的广泛认可，实现了预期效果。下一步，党委将对中

* 这是 2017 年 5 月 13 日刘超美在北京印刷学院 2017 年新一届中层干部集中培训开班仪式上的讲话。

层干部进行分阶段培训，以此不断提高干部队伍总体水平。

2017 年 5 月 13 日，刘超美出席北京印刷学院新一届中层干部集中培训开班仪式

这次培训的主题是“学习贯彻全国高校思想政治工作会议精神，推进学校‘十三五’发展”。下面，我就“为什么学、学什么、怎么学”问题谈 3 点意见：

一、关于为什么学——要充分认识学习对于干部成长和工作能力提高的极端重要性，不断增强学习的思想自觉和行动自觉

习近平总书记指出，“我们党历来重视抓全党特别是干部的学习。”“全党同志一定要善于学习，善于重新学习，要有本领不够的危机感，以时不我待的精神，一刻不停地增强本领。”历史证明：高度重视学习、善于进行学习，是我们党的优良传统和政治优势，是我们党保持和发展先进性、始终走在时代前列的重要保证，也是一名领导干部健康成长、提高素

质、增强本领、不断进步的重要途径。中国共产党是在学习中进步、在学习中提高、在学习中成就伟业的。从开国领袖毛泽东到现任总书记习近平，都始终传承和体现了我们党一以贯之的学习精神。毛泽东同志在临去世前的最后一个夜晚还在努力学习，习近平同志 15 岁去延安插队，身边带的唯一一箱行李就是书。从我们身边有些优秀干部的身上也可以看出这点，他们除了真抓实干做好工作以外，就是努力学习。习近平同志在中央党校建校 80 周年大会上指出，“好学才能上进。中国共产党人依靠学习走到今天，也必然要依靠学习走向未来。我们的干部要进步，我们的党要上进，我们的国家要上进，我们的民族要上进，就必须大兴学习之风。坚持学习、学习、再学习。”特别是当今国际国内形势不断发展变化的情况下，领导干部只有认认真真地学习跟上时代潮流，担当起领导重任。可以说，领导干部的学习水平，很大程度上决定着工作水平和领导水平。大家要自觉传承党的学习传统，不断增强学习自觉。

同志们，当今世界发展变化很快，学校发展变化也很快，新情况新问题新事物层出不穷。要认识、解决好这些问题，唯一的途径就是增强我们自己的本领。只有不断学习新知识新经验，才能增强工作的科学性、预见性、主动性，才能使领导和决策体现时代性、把握规律性、富于创造性，才能克服“本领恐慌”，增强政治意识、忧患意识、风险意识、责任意识，提高干部把握方向、改革创新、破解难题、驾驭全局的能力，才能顺应时代要求、推动事业发展。

二、关于学什么——要学深悟透全国高校思想政治工作会议精神，增强办好中国特色社会主义大学的责任感和使命感

去年底，中央召开全国高校思想政治工作会议，习近平总书记在会上作了重要讲话，从全局和战略高度，深刻回答了事关高等教育事业发展和高校思想政治工作的一系列重大问题。他强调，“我国高等教育肩负着培

养德智体美全面发展的社会主义事业建设者和接班人的重大任务，必须坚持正确政治方向。没有高质量的育人体系，没有高水平的管理体系，没有良好的学习风气，就不可能有高质量的思想政治工作。为此，高校要坚持党的领导，加强高校党的基层组织建设；提高党的基层组织做好思想政治工作能力；整体推进高校党政干部等队伍建设。要把思想政治工作和党的建设工作结合起来，把立德树人、规范管理的严格要求和春风化雨、润物无声的灵活方式结合起来，把解决师生的思想问题和教学科研、学习就业等实际问题结合起来。”这些精神和要求，为加强和改进新形势下高校思想政治工作指明了方向，中央 31 号文件围绕加强和改进高校思想政治和党建工作作出了顶层设计和统筹部署，接下来就是出实招、干实事、见实效的问题。近日，习近平总书记在中国政法大学考察时对“三个结合”又作了强调。总书记的讲话既是部署任务，又提供了解决问题的“桥梁”和“船”，对于我们办好中国特色社会主义大学意义重大。

学习贯彻全国高校思想政治工作会议精神，是我们当前和今后一个时期的重大政治任务。学好精神，重在提高思想认识、解决突出问题、抓好任务落实。大家要深刻认识做好高校思想政治工作的重大意义、目标任务和基本要求，牢牢把握社会主义办学方向，坚持以马克思主义为指导，坚持党对高校的领导，增强道路自信、理论自信、制度自信、文化自信，培养中国特色社会主义合格建设者和可靠接班人。学校党委将大家集中起来培训，主要目的是帮助同志们进一步统一思想、深化认识，不断增强新形势下办好中国特色社会主义大学的责任感使命感。在座的各位干部，不管学什么专业，无论处在哪个岗位，都要把学习领会讲话精神和会议精神作为首要任务，紧密结合学校“十三五”发展规划，系统学习、全面领悟、融会贯通。

三、关于怎么学——要紧密联系实际，切实增强学习的系统性、针对性、实效性

习总书记指出，“学习应该是全面的、系统的、富有探索精神的。既

要抓住重点，也要拓展领域；既要向书本学习，也要向实践学习；既要向人民群众学习、向专家学者学习，也要向国外有益经验学习。”习近平总书记在中央第二十次集体学习时进一步指出：“准确把握我国不同发展阶段的新变化新特点，使主观世界更好符合客观实际，按照实际决定工作方针，这是我们必须牢牢记住的工作方法。”在座的干部要想学有所获，必须紧密联系实际，有的放矢，不断提高学习质量，增强学习实效。

一要联系思想实际。我们在换届调研中了解到，我校绝大多数干部理想信念坚定、政治可靠、工作勤奋。但还存在一些个别问题：是非观念淡薄、原则性不强、纪律规矩意识不强，“好人主义”盛行；大局意识、组织意识、学习看齐意识及主动配合意识不够强，遇事不报告不请示，摆不正自身位置，不能以合作的态度唱好“大合唱”；等等。习总书记强调，“理想信念动摇是最危险的动摇，理想信念滑坡是最危险的滑坡。”希望大家把学习同提高思想认识相结合，从思想深处坚定信念、端正态度，认真学习习总书记系列重要讲话精神，学习马克思主义中国化最新成果，学会用马克思主义立场观点方法观察、分析、解决问题，把理想信念建立在理性认知上，把对党忠诚体现到具体行动中。

刘超美等校领导为北京印刷学院新一届中层干部颁发聘书

二要联系学校发展大局。在中央深入推进社会主义文化强国建设和京津冀协同发展战略的大背景下，我们学校面临十分难得的发展机遇。从客观上说，当前我校事业发展和教书育人工作存在一些问题，比如，重教书轻育人、重智育轻德育、重科研轻教学；有的专业学科缺乏学术创造力；有的基层党组织弱化、活力不足；等等。面对机遇和问题，我们要全面把握机遇，把好学校定位，提高政治站位，沉着应对挑战，深入学习和研究解决影响制约学校改革发展稳定的重大问题，争取在“十三五”期间取得重要突破。这是做好学校思想政治等各项工作的基本策略，也是解决转型跨越发展道路上各种问题的重要举措，更是推进学校“十三五”发展的必然要求。

三要联系部门工作实际。学习的目的全在于运用，学习的成效要体现在推动实际工作上。有的干部忙于工作，学习投入精力不够；有的文化水平很高，但领导工作经验相对欠缺，管方向谋大事促发展能力不够；有的不愿扎扎实实地做具体工作，在工作中沉不下去、坐不下来、扑不下身子；有的想做好工作，但方法不够科学，力度不够到位，成效不够显著。

所以，要边学习边运用，紧密联系本职工作，转变工作理念，改进工作方式，将学习同解决师生关心的问题结合起来，同提升自身工作能力结合起来，为学校“十三五”乃至更长远的发展提供强有力的思想保障和精神支撑。

四要联系作风建设实际。党的十八大以来，习近平总书记关于加强作风建设的一系列重要论述，为新形势下加强和改进作风建设提供了重要遵循和行动指南。总书记强调：“工作作风上的问题绝对不是小事。”“抓改进工作作风，各项工作都很重要，但最根本的是要坚持和发扬艰苦奋斗精神。”当前，经过“党的群众路线教育实践活动”“三严三实”“两学一做”三次专题教育，我校广大党员干部作风发生了明显变化，绝大多数都能深入基层、联系师生、廉洁奉公、勤政为民，干部作风不断好转。但也存在个别同志只想当官、不去做事，爱当“老好人”、遇事“踢皮球”、对师生群众切身利益关心解决不够、对“以学生为本”体现不够等问题。因此，大家要自觉学习党的优良传统，坚持发扬艰苦奋斗精神，继续保持求真务实的作风，在求真务实、狠抓落实上下功夫，脚踏实地办实事。

学校党委十分重视这次干部培训，在当前工作多、任务重、时间紧的情况下，对这次培训优先安排、优先保障。党委组织部、党校早在年前就进行了计划安排，邀请权威专家和校领导为大家授课，从主题到内容到形式，都贯彻中央精神、充分结合实际、确保培训质量。总的来看，这次培训采取集中培训、专题培训、党性教育、经验交流及研讨等多种方式开展，具有“主题鲜明，聚焦关键问题；师资过硬，达到较高水准；形式多样，关照学习需求”3个突出特点，干部学习有多种形式，集中培训是一种更为有效的方式。希望大家珍惜机会，以高度的政治自觉性和饱满的精神状态，遵守纪律要求，把握学习节奏，心无旁骛全身心地认真投入，做到“身到、心到”。

一要严守纪律。同志们无论是处长、书记还是院长，凡是来参加培训就都是普通学员，都要按照培训规定和要求去学习，严肃课堂纪律，严格请假制度。我也深知同志们都很忙，工作头绪繁多，但既然来参加培训，

就要全身心地投入到学习中，避免出现两边都忙碌、两头都耽误的情况。党委选派专人全程做好服务管理工作，希望同志们严守培训纪律和有关要求，保证按时出勤，原则上不允许请假。

二要增强主动。习近平同志早在2004年就提出要“主动来一场‘学习的革命’”。参加学习，贵在主动。同志们要结合工作学、带着问题学、反复思考学，培养和提高理论思维、战略思维、系统思维。希望同志们在课堂中多与授课专家、领导研讨互动，在课余时间多与同仁探讨交流，尤其在交流研讨环节踊跃发言，在思想碰撞中分享学习体会，努力取得最大的效果。

三要强化实践。毛泽东同志早在1959年就针对很多干部头脑发热的问题指出，“有鉴于去年许多领导同志，县、社干部对于社会主义经济问题还不大了解，不懂得经济发展规律，有鉴于现在工作中还有事务主义，所以应当好好读书。”这也强调了读书与实践的关系。一切学习都不是为了学而学，而在于应用、在于实践。希望培训过后，同志们把培训收获变成工作能力的提高，推动各项任务落地见效，在加强思想政治工作、推进“十三五”发展、建设中国特色社会主义大学征程中再立新功，以优异的成绩迎接党的十九大胜利召开！

立德树人　全面提升思想政治工作水平*

时值庆祝中国共产党成立 96 周年、北京市第十二次党代会胜利闭幕之际，今天，我们在这里隆重召开北京印刷学院落实思想政治会议精神暨“七一”表彰大会，深入学习习近平总书记系列重要讲话精神和全国高校思想政治工作会议精神，学习传达北京市第十二次党代会精神，引导各级党组织和党员在办好中国特色社会主义大学、推动学校事业发展中发挥作用。刚才盛伟同志宣读了以党委名义表彰的 8 个先进基层党组织、34 名优秀共产党员、7 名优秀党务工作者，其中，张书勤、许诚、高杨文 3 名同志获北京市表彰。在昨天召开的北京高校庆祝中国共产党成立 96 周年表彰大会上，许诚同学作为北京市 15 万大学生党员的唯一代表进行了发言，获得全场好评，为我校争了光、添了彩。我代表学校党委向受到表彰的党组织和个人表示热烈的祝贺！并借此机会，对辛勤奋战在学校各条战线上的教职工表示崇高的敬意！向莅临今天大会的各民主党派代表、统战人士、离退休老同志表示亲切的慰问！向市委教工委一直以来对我校党建思想政治的关心支持表示衷心的感谢！

同志们，2016 年 12 月，中央召开了新中国成立以来最高规格的全国

* 这是 2017 年 6 月 30 日刘超美在北京印刷学院落实思政会议精神暨“七一”表彰大会上的讲话。

2017 年 6 月 30 日，刘超美出席北京印刷学院思想政治工作会议精神暨“七一”表彰大会

高校思想政治工作会议。会上，习近平总书记发表了重要讲话，随即印发了《关于加强和改进新形势下高校思想政治工作的意见》（中发〔2016〕31 号）；今年 2 月，北京市委召开了北京高校思想政治工作会议；5 月，市委印发了《关于加强和改进新形势下北京高校思想政治工作的实施意见》（京发〔2017〕10 号）等 3 个文件；上周，市委教工委印发了《推动中央 31 号文件和市委三个意见的通知》（京教工〔2017〕32 号），明确了 115 项任务清单。全国高校思想政治工作会议召开以来，我国高校各级党委坚持边学习边贯彻、边学习边整改，各级党组织层层落实全国高校思想政治工作会议。我校各学院党委、学工系统、共青团系统及各基层党支部以多种形式组织学习贯彻全国高校思想政治工作会议精神，全校上下学习氛围浓厚。刚才，7 位师生党员代表的发言是学习成果的体现，大家讲得很好，请同志们学习借鉴参考。下面，我代表学校党委就贯彻落实中央和北京市委思想政治工作会议及刚刚闭幕的北京市第十二次党代会精神，讲 3 点意见。

一、自觉用习近平总书记重要讲话精神统一思想认识，提高政治站位，确保学校立德树人中心环节

全国高校思想政治工作会议是一次新形势下具有开创意义的重要会议，在我国高校党建史上具有里程碑意义。习近平总书记在会上的重要讲话，是中国共产党治国理政思想体系的最新成果之一和重要组成部分，也是关于我国高等教育最系统、最全面的一次重要讲话。我们要切实做到把握思想内涵、吃透基本精神、领悟核心要义，把思想和行动统一到讲话精神上来。

（一）深刻认识做好高校思想政治工作的重大政治意义

习近平总书记在全国高校思想政治工作会议上的讲话长达 3 个多小时，情真意切、语重心长。他首先强调，“我们的高校是党领导下的高校，是中国特色社会主义高校，办好我们的高校，必须坚持以马克思主义为指导，全面贯彻落实党的教育方针。”他还强调，“高等教育发展方向要同我国发展的现实目标和未来方向紧密联系在一起，为人民服务，为中国共产党治国理政服务，为巩固和发展中国特色社会主义制度服务，为改革开放和社会主义现代化建设服务。”这是总书记关于我国高等教育定位的全新表述，具有鲜明的现实指向：高校不仅要立德树人，更要为治国理政、改革开放和现代化建设提供解决方案和智慧。他还强调，“高校思想政治工作关系高校培养什么样的人、如何培养人以及为谁培养人这个根本问题，既是我国高校的特色，又是办好我国高校的优势”，“这些年高校总体保持稳定，思想政治工作功不可没”，“高校思想政治工作，面上看是做学生的思想政治工作，其实是将影响一代青年的思想观念、价值取向、精神风貌”。这些重要论述和新的精神，深刻阐明了思想政治工作对办学治校、育人育才的特殊重要性，我们必须从推进伟大事业、建设伟大工程、进行新的伟大斗争的高度，坚持把立德树人作为中心环节，抓好政

治领导和思想领导，坚持党管办学方向，坚持党管高校改革发展，坚持党管干部原则，切实把党的领导在学校落到实处，腰杆硬、底气足地把思想政治工作贯穿教育教学全过程。

（二）深刻认识理解加强教师思想政治工作是落实立德树人中心环节的根本所在

习近平同志一贯重视和关心教师队伍建设。自担任总书记以来，他多次深入高校调研。在与北京师范大学学生座谈时说："教过我的老师很多，至今我都能记得他们的样子，他们教给我知识、教给我做人的道理，让我受益无穷。一个人遇到好老师是人生的幸运，一个民族涌现出源源不断的好老师则是民族的希望。"总书记号召广大教师做"有理想信念、有道德情操、有扎实知识、有仁爱之心"的"四有好老师"，做学生锤炼品格的引路人、学习知识的引路人、创新思维的引路人、奉献祖国的引路人。在思想政治工作会议上，总书记强调，"教师是人类灵魂的工程师，承担着神圣使命。传道者自己首先要明道、信道。高校教师要坚持教育者先受教育，努力成为先进思想文化的传播者、党执政的坚定支持者，更好担起学生健康成长指导者和引路人的责任"；要"加强师德师风建设，坚持教书和育人相统一，坚持言传和身教相统一，坚持潜心问道和关注社会相统一，坚持学术自由和学术规范相统一，努力成为先进思想文化的传播者、党执政的坚定支持者，学生健康成长的指导者和引路人"。我们要坚持育人为本，强化思想教育和价值引领，引导学生铸就理想信念、锤炼高尚品格，引导教师明道信道、传道授业。

（三）深刻认识改革创新是提升大学生思想政治工作针对性实效性的主要手段

习总书记强调，"思想政治工作从根本上说是做人的工作，必须围绕学生、关照学生、服务学生，不断提高学生思想水平、政治觉悟、道德品质、文化素养。"在如何引领学生"正确认识世界和中国发展大势，正确认识中国特色和国际比较，正确认识时代责任和历史使命，正确认识远大抱负和脚踏实地”上，总书记列举了很多发人深省的例子：“一些国家盲目移植或‘被动输入’西方政治体制模式，陷入无休止的政权更迭和社会动荡”。又如，“世界上一些国家脱离本国实际，套用新自由主义开出的药方，结果跌入发展陷阱，难以自拔”。思想政治工作改革创新的重点是要用好课堂教学这个主渠道，关键是构建中国特色哲学社会科学学科体系和教材体系。总书记特别强调要利用新媒体新技术做好思想政治工作，“要跳出高校看高校，推动思想政治工作传统优势和信息技术高度融合，形成新媒体矩阵”，“既会面对面，又会键对键”地与“无人不网、无处不网、无时不网”的新青年交流交心，为学生解答人生应该在哪儿用力、对谁用情、如何用心等问题。

（四）深刻认识北京印刷学院作为首都高校所肩负的功能使命

习近平同志担任总书记以来，两次视察北京并发表重要讲话，在北京发展历史上前所未有。他在两次视察中都强调：“看北京首先要从政治上看”。2017 年 6 月 19 日至 23 日，北京市召开了第十二次党代会，我代表北京印刷学院 1400 名师生党员，全程参加了这次党代会。蔡奇书记在报告中指出，“站在新的历史起点，要努力把北京建设成为拥有优质政务保障能力和国际交往环境的大国首都，弘扬中华文明与引领时代潮流的文化名城，全球创新网络的中坚力量和引领世界创新的新引擎。”代表们对蔡奇书记的报告给予了高度评价。6 月 28 日上午，市委常委、教工委书记林克庆同志主持召开北京高校党委书记会议，强调“深化教育体制改革必须向首都目标聚焦、向教育现代化聚焦、向特色聚焦、向加快现代大学制度建设聚焦”。同日，学校收到了市教委《关于进一步研究确定市属本科高校办学定位的通知》，要求各高校要面向 2030 年研究确定自身办学类型。面对首都未来发展和高等教育改革的新形势新机遇，首都高校到了全面发力的重要阶段，我们要深入思考并科学精准定位北京印刷学院未来 15 年的发展，紧密围绕立德树人根本任务，着力培养一流应用型传媒人才，努力提升教育质量和科研创新能力，立足学校定位，办出特色、争创一流。

（五）深刻认识北京印刷学院作为行业高校所独有的政治文化属性

新闻出版业是建设和巩固社会主义思想文化的主阵地，具有鲜明的政治和意识形态属性。任何一个国家、任何一个政党都会从生死存亡的高度，重视和强调新闻出版舆论和意识形态工作。马克思主义新闻观认为："报刊（包括一切媒体）是意识形态机构、新闻是社会意识。"我党有着高度重视新闻出版舆论的优良传统。毛泽东同志强调，"共产党是左手拿传单右手拿枪弹才可以打倒敌人的。中央靠文武两条线指挥全国的革命斗争，武的一条线是通过电台指挥打仗，文的一条线是通过新华社指导舆论。"党的十八大以来，习近平总书记在全国宣传思想工作会议、哲学社会科学工作座谈会、中央新闻单位调研、新闻舆论工作座谈会、全国高校思想政治工作会议等重要场合围绕"宣传思想工作"提出了一系列新观点、新精神、新要求，对我们"建设一个什么样的北京印刷学院、培养什么样的合格建设者和可靠接班人"的战略定位问题具有很强的指导意义。20 世纪 80 年代，因为印刷技术落后，印刷生产能力不足，我国出版事业遭遇了重大困难。出版界老领导胡乔木等同志积极推动、努力破解难题。1983 年，中共中央和国务院印发了《关于加强出版工作的决定》（中发［1983］24 号），出版业迎来了重大改革发展新机遇。《决定》还提出，"要加快建设北京印刷学院，在以后条件具备时，可以改为出版学院。"同志们，党中央曾以文件形式明确了印刷学院的发展和未来方向，让我们所有北印人倍感荣幸、倍感珍惜、倍感振奋。北京印刷学院溯源于文化部的文化学院和中央工艺美术学院的印刷系，肩负为新闻出版行业和首都输送人才的重要使命，有着鲜明的政治文化和意识形态属性。这一点，我们每一名北印干部教师都必须有清醒的认识并给予准确的把握。经过近 60 年的积累和沉淀，我校学科专业基本覆盖新闻出版全产业链、毕业生基本遍布行业全领域，对此，我们必须在办学方向、发展定位、人才培养上保持足够的战略定力和发展自信，努力培养既有坚定理想信念又适应媒体融合核心能力的应用型传媒类人才。

二、实事求是总结经验，全面准确把握问题

党的十八大以来，学校党委认真学习贯彻习近平总书记系列重要讲话精神，深入贯彻落实中央、市委重大决策部署，在思想政治工作方面努力探索，取得积极进展。

一是不断巩固马克思主义理论指导地位，持续强化思想理论武装。加强思政课主渠道建设，近年来我校思政课到课率逐年提高，目前已达92%；党的十八大以来，校领导带头到基层单位讲党课、形势政策课、开学第一课，深入教学一线了解学生思想动态；发挥校院两级理论中心组作用，着力提高学习质量和效果；与人民出版社联合开发“党员小书包”，利用移动互联网加强党员学习，建立“学管考评”教工党员学习新媒体平台；充分发挥新闻出版大讲堂等思想平台引领功能，连续举办了11期，邀请柳斌杰、蒋建国、阎晓宏、邬书林、李东东、聂震宁等一批行业专家作报告；以机构调整为契机，成立马克思主义学院，积极探索“思政课+专业”育人新模式。

二是深入贯彻落实党委领导下的校长负责制，凝聚党建思想政治和事业发展合力。强化管党治党、办校治学主体责任，形成了党委统一领导、党政分工合作、协调运行的工作机制；强化会前调研和议题论证、把关工作，班子成员对所分管工作议题进行严格把关，履行分管党建的责任，不断提升科学民主决策能力；加强对“三重一大”事项决策落实情况的评估检查和监督力度。

三是全面贯彻落实党的教育方针，培育践行社会主义核心价值观。持续开展“育才工程”“先锋工程”“青春榜样”等党建、德育创新品牌活动以及网络安全文化月、传媒文化节等红色正能量活动，与团市委联合举

办“西沙英雄与首都青年面对面”，赢得人民网等主流媒体和社会关注好评；“青春榜样”等思政品牌获团中央表彰并在北京市推广，2016 年获得超过百万的网络观看量和点赞量；“书香印苑”“读书圆梦”等主题阅读活动深入推广，学术服务与文化引领功能不断提升。

四是深入开展党内学习教育，不断增强“四个意识”。学校各级党组织认真按照中央和市委要求，开展“群众路线”“三严三实”“两学一做”等专题教育，引领党员干部教师深入学习习近平总书记系列重要讲话精神，学习党史、国史、改革开放史、社会主义发展史以及党章党规、准则条例；实施 45 岁以下青年教师理想信念教育 5 年轮训，目前已举办 3 期暑期井冈山、古田培训班，培训 120 多人；举办 10 期中青年骨干教师读书班，分批次参观苏区中央出版局、中央印刷局旧址，专题学习苏区出版史、印刷史；坚持每年 2 次师生舆情调研，及时掌握师生思想动态，有针对性地开展思想政治工作。

总体来看，党的十八大以来，特别是全国高校思想政治工作会议以来，我校党建和思想政治工作取得了一定的成绩，呈现了良好的发展态势。但是，我们也要清醒认识到学校思想政治工作与中央、市委要求相比，还存在不小差距，主要表现在以下几个方面。

一是党委对思想政治工作的顶层设计不够。思想政治工作统筹力度需要加强，领导体制和工作机制有待完善，全员全程全方位育人格局有待构建。存在重教学轻育人、重智育轻德育、重授业轻传道、重第一课堂轻第二课堂、重硬环境轻软环境等现象。

二是教师思想政治工作体制机制建设有待加强。存在重学生思想政治工作、轻教师思想政治工作等现象，对有马克思主义理论学科背景的高端人才引进不够重视，在项目评选、师资考核、职称评聘以及青年教师引进、培养中，存在重科研轻教学、思想政治素质考核不具体、师德一票否决制难以落实等问题。

三是基层党组织在思想政治工作中发挥作用不明显。学校思想政治工作存在“上热下冷”“精力投入不平衡”等问题，基层党组织做思想政治工作的能力有待提高，围绕学校特色对思想政治工作的组织保障和功能延伸不够；基层组织生活制度执行不严格，开展组织生活缺乏主动性和自觉性；部分基层党组织执行“三会一课”制度积极性主动性不高、组织生活学习方式单一、内容枯燥、脱离实际、不接地气，基层组织生活会、学习会人到心不到、流于形式，对思想政治工作的好经验好做法总结提炼推广不够。

四是思想政治理论课教学水平亟待提高。存在“照本宣科、大班教学、满堂灌、课堂吸引力不够”等现象，思想政治课抬头率有待提高；在思想育人中贯彻、结合、融入中华优秀传统文化和社会主义先进文化教育及党史、国史、改革开放史、社会主义发展史教育不够平衡；提炼梳理行业红色教育资源并结合北印特色形成体系化思想政治辅导教材不够；课堂教学与二课堂实践育人衔接和互促不够。

三、坚持问题导向，推进我校思想政治工作落细落小落实落地

学习贯彻习总书记在全国高校思想政治工作会议上的讲话精神，是学校当前和今后一个时期重大政治任务。学校将按照中央 31 号、市委 10 号、市委教工委 32 号文件精神，遵循“提高站位、系统设计，落细落小、夯实基础，突出重点、补齐短板，常抓不懈、提质见效”的思路，重点从以下方面推进思想政治工作。

（一）加强思想引领，强化思想政治工作责任

一是贯彻和落实党委领导下的校长负责制。党委切实履行管党治党、办学治校的主体责任，充分发挥领导核心作用，把方向、管大局、做决策、保落实。强化校院两级党委政治核心作用，凝聚各级党组织抓思想政治工作合力。党委常委每年至少开展两次专题研究思想政治工作，严格执行各级党组织书记抓思想政治工作述职评议考核制度，每年至少与所联系

师生谈心谈话 2 次，为师生党员讲党课 1 次。

二是强化理论武装，提高思想政治站位。制定校院两级党委理论学习中心组学习规则，建立教职工每月一次集体学习制度，突出理想信念、党史党性教育，校院两级领导干部要把习近平总书记系列重要讲话精神特别是在全国高校思想政治工作会议上的讲话和两次视察北京时的讲话作为案头卷、工具书、座右铭，原汁原味地学习领会；把党的理论教育和党性教育作为党校主业主课，在学习和教学安排中不低于总量的 70%。明确每个校、院党员领导干部联系一个教师党支部，为每个学生党支部配备理论学习导师，实施学生党员理论学习和实践锻炼纪实制度。推进“两学一做”学习教育常态化制度化，抓实基层支部，坚持问题导向，发挥典型示范作用，引导全体党员学做结合、知行合一，让每个党员都把党章党规党纪、理想信念刻印在心上、落实在行动上。

三是牢牢掌握意识形态工作主导权。坚持马克思主义意识形态主导地位和阵地建设，坚持管好导向、管好阵地、管好队伍，善于运用学校发展成果、师生典型事例讲好北印故事、做好宣传工作。加强网络阵地建设和管理，建设北印“中央厨房”，管理校园媒体和阵地，做好涉校舆情日常监控，提高师生思想动态研判精准度，做好重大活动、热点问题和突发事件的网上舆论引导，对错误思想和不正之风敢于发声、敢于亮剑，积极营造网络正能量，筑牢意识形态领域的安全防线。

（二）坚持办学方向，努力办好中国特色社会主义传媒类大学

一是坚持社会主义办学方向、提高人才培养政治站位。要对学校特性和定位深入思考、深刻理解，要从“思想引领、立德树人”的根本高度上对我校人才培养定位进行顶层设计，在围绕我校“鲜明意识形态和文化属性”和行业特色开展全员全程全方位育人工作上，要保持坚定的政治定力和发展自信。

二是坚持首善标准、强化首都意识、提高政治站位。牢固贯彻落实“四个意识”特别是核心意识和看齐意识，把学校发展放到首都发展和

京津冀协同发展大格局中，坚持学校发展必须从政治上考量、在大局下行动，科学谋划战略性、全局性、长远性问题，更好地服务首都发展。

三是拓展格局视野、加强顶层设计、破解发展难题。要深入研究高等教育综合改革、首都功能定位调整以及媒体融合发展等带来的新机遇、新挑战，找准外部机遇与我校实际的契合点，谋长远、抓基础、推改革、促发展，努力将机遇转化为动力、将优势转化成胜势。

（三）坚持“党管人才”，大力加强教师思想政治工作

一是加强党管人才的顶层设计。发挥党委在学校人才工作中的核心领导作用，战略性地谋划我校人才中长期工作，加强人力资源科学配置。成立党委教师工作部，配备专职力量，修订人才引进、岗位聘任、职称评审、导师遴选、课题申报等文件，切实体现教书育人、立德树人的根本导向。加强教师理想信念教育，有计划有组织地选派骨干教师到国家机关、行业企业和北京基层挂职锻炼、调研学习。

二是切实提升教师队伍管理和培养水平。健全完善教师考核评价体系，将思想政治工作表现和课堂质量作为首要标准和底线要求。大力推进理想信念、学术能力、国际化能力、实践能力提升计划，鼓励支持二级学院、研究院组建科研创新团队，努力汇聚一批优秀专家，形成高水平的学科梯队和学术群体，在首都、行业、高等教育发展的时代潮流中敏锐捕捉并牢牢把握属于北印的战略机遇。

三是加强师德建设和思想政治队伍建设。系统研究思想政治理论课教师和哲学社会科学课教师以及党政干部、共青团干部、辅导员班主任等队伍的建设发展，在人才培养、科研立项、评优表彰、职务评聘等方面优先支持思想政治理论课教师，培养和引进高水平、从事马克思主义理论研究和教学的学科带头人。引导广大教师不仅要做授业解惑的教书匠，还要做“以德立身、以德立学、以德施教”的人师，同时，更加关注青年教师的培养，为北印今后15年培养好接班人和建设者。

（四）抓好基础，推动思想政治工作整体推进

一要建好马克思主义学院。总结凝练学校在马克思主义理论教学与实践的创新成果，着力申报马克思主义理论一级学科硕士点。加强马克思主义理论核心课程改革以及“一观三论”建设，构建具有学校特色的思想政治理论课教学体系。积极推进京南大学联盟马克思主义学院共同体建设。

二要加强思想政治理论课主渠道建设。加强马克思主义理论学科建设力度，深化思想政治理论课教学改革，将马克思主义新闻观、出版观与中国传统印刷出版文化和学校特色结合，积极推进通识教育与专业教育深度融合、思想政治教育与行业发展紧密联系，为媒体融合发展人才培养提供“北印方案”。

三要重视建章立制。学校党委统筹部署，按照上级有关文件精神，总体形成“3+X”文件，即《关于加强和改进新形势下思想政治工作的实施意见》等 3 个文件加上若干个落实细则，经党委常委会讨论后，将尽快以征求意见稿的形式下发到各二级党组织，希望大家深入学习研究，积极反馈意见。

（五）坚持从严治党，强化党组织的政治功能

6 月 28 日，中央政治局审议了《关于巡视 31 所中管高校党委情况的专题报告》，习近平总书记专门听取了汇报，对高校“管党治党”提出了新的更高要求。我们要结合中央最新精神和北京市近期召开的系列会议，切实加以贯彻落实。

一是增强“四个意识”，落实全面从严治党责任。要牢固树立抓好党建是最大政绩的理念，落实全面从严治党主体责任，以上率下，层层压实责任，层层传导压力。各级党组织要以更大的担当、更有力的举措、更高的工作效率，履行好管党治党政治责任，坚定不移地将全面从严治党引向基层党支部，充分发挥好党支部教育管理党员的主体作用。

二是推进基层党支部规范化、常态化建设。2017 年上半年，中央和北京市委相继印发了《关于推进“两学一做”学习教育常态化制度化的意见》。我们要梳理基层党建相关制度，树立党的一切工作到支部的鲜明导向，注重把思想政治工作落到支部，把从严教育管理党员落到支部，把群众工作落到支部。6 月 28 日下午，北京市委副书记景俊海同志召集北京高校党委书记座谈，重点强调了党支部规范化常态化建设，明确了固化“两学一做”教育、新老书记培训、专兼职书记积分考核等党支部建设任务，要求以党员先进性带动群众向上向善向美，推动支部建设强起来、严起来、实起来。

三是驰而不息改进作风。要加强校院两级领导班子建设，巩固和拓展党内教育成果，推动作风建设常态化、长效化。严格执行校级领导联系二级单位、联系高层次人才、联系困难师生制度和领导班子晚值班制度，推动学校管理机构向“大部门、大职能、大服务”方向转变，切实办好师生“家门口”的事情，以反对“四风”带动校风、教风、学风建设，努力打造风清气正、晴朗宁静的校园文化氛围。

四是按照好干部标准，从严管理党员干部。以问题为导向切实解决“不作为、慢作为、懒作为”等问题，健全正向激励和容错纠错机制，营造想干事、能干事、干成事的浓厚氛围。全校党员干部要弘扬党的优良传统和作风，走好新形势下的群众路线，脚步为亲，深入基层，加强调研，当师生的贴心人和好朋友，带领师生一起撸起袖子加油干。

同志们，习近平总书记强调，高校思想政治工作只能加强不能削弱，只能前进不能停滞，只能积极作为不能被动应付。我们一定要以改革创新和久久为功的精神，一届接一届地抓好落实，抓出成效，一张蓝图绘到底；一定要不忘初心，胸怀伟大梦想，抓住难得机遇，保持战略定力，发扬斗争精神，坚定必胜信心；一定要增强忧患意识，谦虚谨慎，戒骄戒躁，始终保持共产党人的政治本色；一定要扑下身子真抓实干，以拼搏为美，向行动致敬，拧紧干事创业的发条；一定要牢记党的根本宗旨，相信师生、依靠师生，始终把广大师生的利益放在心中最高位置，凝聚起开创学校发展更加美好明天的磅礴力量，以良好的精神面貌和优异的工作成绩，迎接党的十九大胜利召开！

不忘历史　不忘初心
勇于担当　勇往直前*

今天是学校 2017 年暑期理想信念、党史党性教育培训班开班的日子。需要特别指出的是，今天也是卢沟桥事变即全民族抗战爆发 80 周年纪念，是一个我们不能忘记、永远纪念的日子。所以我的主题是，“不忘历史，不忘初心，勇于担当，勇往直前!”

习近平总书记指出：“理想如灯，信念是帆。坚定的理想信念，始终是共产党人安身立命之本，也是每个大学教师的应有本分。有了理想才有活的灵魂，理想信念是共产党人精神上的‘钙’。”

党的十八大以来，以习近平同志为核心的党中央围绕深化改革开放和实现中国梦，提出治国理政新思想新观点新论断。习近平同志特别重视理想信念，作了很多重要论述。在新一届中央政治局第一次集体学习时，他强调，“形象地说，理想信念就是共产党人精神上的‘钙’，没有理想信念，理想信念不坚定，精神上就会‘缺钙’，就会得‘软骨病’。”在“七一”讲话中，他强调，“全党一定要坚持不忘初心、继续前进，自觉做共产主义远大理想和中国特色社会主义共同理想的坚定信仰者、忠实实践者。”

---

* 这是 2017 年 7 月 7 日刘超美在北京印刷学院 2017 年暑期理想信念、党史党性教育培训班开班仪式上的动员讲话。

2017 年 7 月 7 日，刘超美（中）出席北京印刷学院 2017 年暑期理想信念、党史党性教育培训班开班式

刚刚结束的北京市第十二次党代会为首都今后 5 年描绘了宏伟蓝图，我代表学校 1400 名师生党员参加了大会，聆听了蔡奇同志的报告。他就加强思想政治引领问题作了专门强调，说的也是理想信念问题，很值得我们共勉。

一要提高政治站位。牢固树立“四个意识”，坚决维护习近平总书记领导核心地位，坚决维护党中央权威和集中统一领导，不折不扣地贯彻落实党中央大政方针和决策部署。对于我们，就要自觉明道信道，坚持教书和育人相统一、言传和身教相统一、潜心问道和关注社会相统一、学术自由和学术规范相统一，持之以恒以德立身、以德立学、以德施教。

二要坚持不懈加强理论武装。深入学习贯彻习近平总书记系列重要讲话精神和治国理政新思想新理念新战略，深刻把握贯穿其中的坚定信仰追求、历史担当使命、真挚为民情怀、务实思想作风、科学思想方法，进一步增强中国特色社会主义道路自信、理论自信、制度自信、文化自信。对于我们来说，就要为作为北印人感到骄傲自豪，对学校的明天充满信心。

三要推进“两学一做”学习教育常态化制度化。抓住“关键少数”，抓实基层支部，坚持问题导向，发挥先进典型示范作用，引导全体党员学思践悟、学做结合、知行合一。对于党员干部来说，就要毫不放松加强党性教育，深化党章党规学习，从党史中汲取营养，让每个党员都把党章党规党纪刻印在心上，在学校发展中扮演好四梁八柱、中流砥柱的作用。对于党外人士来说，通过加强学习或统战培训拓宽视野，也能更好地建言献策、参政议政，发挥好智囊作用。

当前，全校上下正在深入学习贯彻落实习近平总书记系列重要讲话精神，为贯彻落实全国和北京高校思想政治工作会议精神，市党代会精神，学校党委专门设计了本次培训班，根本目的就是引导大家强化理想信念。理想信念要融入经常性学习教育，不分批次、不划阶段、不设环节，不是一次活动。本次培训将围绕“坚定理想信念，明确政治方向”专题学习研讨和实践。这不仅是“两学一做”学习教育常态化制度化中的一项重要环节，更是落实党代会、思政会精神、推进学校“十三五”发展的重要举措。因此，我希望大家：

一要强化理想信念的坚定性。如果胸怀理想信念，必然心存敬畏，品鉴、富贵、威武不能夺其志。一旦理想信念摇摆不定，出轨越界、跑冒滴漏就在所难免。80 年前的民族劫难，让我们每个人都有一份历史责任，为中华民族伟大复兴而奋斗，让历史不再重演！老一辈革命家给我们树立了很好榜样。毛泽东对革命路线的制定，朱德对革命斗争的必胜信念，周恩来非凡的组织协调，都不可取代。他们都有一个共同目标：为人民的自由和解放而奋斗，大公无私，奋斗终生。中国革命最大的幸运，就是这些极具历史自觉的领导人的集合。特别是毛泽东同志，为了中国革命牺牲了很多家人。在得知毛岸英牺牲的消息后，他只说了一句话：“谁叫他是毛泽东的儿子?”大爱无疆，只有不忘历史、不忘初心，迈出的脚才坚定，脚下的路才踏实，才能为事业勇于担当，向目标勇往直前。

二要强化艰苦奋斗的自觉性。艰苦奋斗是中华民族的传统美德，也是中国共产党的优良作风和克敌制胜的法宝。我一直认为艰苦奋斗不仅仅是现实需要，而且更是一种价值取向，越能艰苦，越能奋斗；越能奋斗，越能艰苦。从这个角度上说，艰苦奋斗闪耀着智慧光芒、充满了哲学思想。这也是我们党能从一个胜利走向另一个胜利的法宝。当前，一些党员干部发生政治上变质、经济上贪婪、道德上堕落、生活上腐化等问题，出现了信仰迷失、自行其是、贪图享乐、弄虚作假、为官不为等问题。归根结底在于理想信念出了偏差，根本还是理想信念树得不牢。我校办学也经历过行业低迷、租房办学、五易其址，但一代代印院人就是不忘初心、坚定信念、艰苦奋斗、开拓发展，才赢得今天来之不易的发展局面。正如习总书记所说，“坚定理想信念、把准政治方向是一门永不结业的必修课。越是价值多元、思想多变，越应保持清醒，坚定信仰、坚守理想。”

三要强化勇往直前的责任感。有梦想才会有追求！人有了理想信念，才会去追求上进、先进、先进性和纯洁性。坚定正确的理想信念，是共产党区别于其他政党和组织的最主要的标志之一。共产党人在实践上的先进性，根源于有着坚定的理想信念，而坚定的理想信念根源于科学的理论。思想纯洁是根本，组织纯洁是基础，作风纯洁是关键，廉洁自律是保证。党员干部要牢记自身使命，不断强化理想信念，坚持正确方向。每个人坚定理想信念并全身心融入事业后，就会增强勇往直前的责任感，自觉抵制各种不良风气和腐蚀行为。我校也涌现了一批勇往直前的典型，比如张书勤、许诚、高杨文 3 名同志获市里表彰，许诚作为北京 15 万大学生党员唯一代表作了发言，获得全场好评。希望大家向他们学习，以拼搏为美，向行动致敬！

说到这里，我想起国防大学著名党史专家金一南先生的话：“近代以来，没有哪一个政治团体像中国共产党这样，拥有如此众多为胸中的主义、心中的理想义无反顾、舍生忘死的奋斗者。他们不为官、不为钱、不怕苦、不怕死，只为主义，只为信仰，担起中国的四梁八柱。‘这就是中国共产党获取胜利的资格’。”关于这些问题，今天，学校党委特别邀请了我校原社科部主任、全国优秀教师、全国高校优秀思政课教师、北京市教学名师、市党史研究先进个人孟庆春教授，为大家作《学党史、强党性、坚信念》的主题讲学，我就不再展开。

希望大家通过本次培训，不断补足精神之“钙”，筑牢思想之“魂”，联系实际，学以明道、学以致用、学用相长，实干与拼搏并进，撸起袖子加油干！

顺应产业融合发展趋势 培养数字出版应用人才*

随着信息技术与互联网的迅猛发展，出版与互联网正在由相加走向融合，北京印刷学院人才培养定位也正在由服务传统出版业向服务现代出版传媒业转变。“十二五”以来，我校加大了学科和专业重组力度，基本形成了围绕印刷与包装、出版与传播、设计与艺术三大主流学科群的应用型人才培养体系。2014 年，习近平总书记在党的新闻舆论工作座谈会上指出：“融合发展关键在融为一体、合而为一。”在传统出版与数字出版融合发展的过程中，数字出版人才的培养，成为整个新闻出版业转型发展的关键因素。为此，国家新闻出版广电总局新闻出版业数字出版“十三五”专项规划、新闻出版业科技“十三五”专项规划都将数字出版人才培养作为重点任务进行了部署。作为新闻出版行业高校，我校主动作为，把培养数字出版应用人才作为学科“十三五”发展规划的重中之重。

下面，我从“四个融合”的角度，就我校在数字出版人才培养中的一些探索和思考，与各位进行分享。

首先，是传统出版与数字出版的融合。我校编辑出版学专业设立于 1995 年。2010 年被评为国家级特色专业，今年刚获评北京市“一流”专业。办学过程中，我们敏锐捕捉到出版业数字化转型升级对人才的需求，

---

* 这是 2017 年 7 月 11 日刘超美在第七届中国数字出版博览会主论坛上的演讲。

2017年7月11日，刘超美（前排中）出席第七届中国数字出版博览会

2008年在全国率先开办数字出版专业。2010年，又开始培养数字出版方向研究生。目前，我校已有5届近400名数字出版毕业生，其中高蝴蝶、常帅等已成为社会科学文献出版社、接力出版社等数字出版部门主任，更有大批学生就职于各类数字出版企业，成为中坚力量。

其次，是内容、技术与艺术的融合。以内容创意为核心、技术为支撑、艺术设计为表现的复合型数字出版人才日益受到业界与学界的欢迎。为此，我校结合已有的学科专业优势，在全国率先形成数字媒体技术、数字媒体艺术和数字出版特色专业群，形成了数字化人才的全方位立体化的培养格局。2016年，我校整合各方资源，成立了新媒体学院，旨在顺应数字出版对人才的需求，打通专业设置壁垒，探索复合型数字出版人才新的路径。这一培养模式取得了一定成效，也产生了广泛的社会影响。2014年南京青奥会吉祥物砳砳（lèlè），就是我校学生的作品；我校老师领衔创作的《千里江山图》水墨动画长卷亮相APEC会议中心；我校毕业生带领团队为北京申办冬奥会设计的“墨舞冬奥”，充分展示了中华文化理念；尤其是李一凡教授团队，被邀请负责设计2017阿斯塔纳世博会上海经合组织馆新媒体空间建设，获得了组委会嘉奖。

再次，是理论与实践的融合。相对于传统出版，数字出版人才更注重知识的应用及实践能力的培养。我校在数字出版人才培养过程中，一方面注重学生基础理论和素养培养，另一方面更加注重对学生的实践能力的培养。我们形成了本科生“3+1”人才培养方案，要求学生前3年在校学习理论基础课程，最后一年直接进入各出版企业，开展实习实践活动。另外，我校还构建了“双证制”培养模式。鼓励学生在校期间参加诸如编辑资格考试、数字编辑专业技术资格考试等的培训及考试鉴定。不但提高了学生职业能力和创新意识，也减少了企业对毕业生上岗前的二次培训，实现了人才培养与社会职业岗位的无缝接轨。同时，我校还注重数字出版人才培养基地建设，与中文在线、中华医学会杂志社等数十家国内知名出版企业建立了数字出版人才培养基地。其中中国科技出版集团校外实践基地被评为国家级人才培养基地。后天，也就是13日上午，作为本次大会的分论坛之一，我校将与武汉大学等5家高校组成的高校数字出版联盟与杭州等7家国家数字出版基地挂牌成立联合数字出版人才培养基地。届时欢迎大家莅临指导。

最后，是学校与企业的融合。近年来，我校充分利用行业资源，与出版企业建立了广泛而密切的联系。我校积极对接国家数字复合出版系统工程，促其测试和培训环境落地我校。该工程1.0版成果发布会期间，总局张宏森副局长等领导莅临我校，进行参观指导。我校将以此作为与工程示范企业合作交流的窗口，通过开展培训和项目研发，进一步促进校企融合、协同发展。另外，我校还积极推行本科层面和硕士层面的“双导师制”培养模式。聘任出版企业高水平专家为我校兼职教授和兼职硕导，与我校专业教师共同组成导师团队，有组织、有计划引导学生参与双创项目与实培项目。后天我校主办的数字出版人才培养论坛上，将聘任中文在线总裁童之磊等10位业界大家为我校兼职教授，共同参与我校数字出版人才培养。目前，学校鼓励将学生的毕业设计与企业真实项目结合起来。

现在，我校数字出版专业毕业设计中，真题真做的作品越来越多。其中引进版童书《笑脸涂一涂》被中信出版社采用；《E 带译路》网站作品进入教育部互联网+双创大赛北京地区总决赛，受到好评。经过近 10 年的探索，我们取得了一定的成绩，数字出版专业在全国排名名列前茅。

刘超美聘请童之磊、汤潮、侯小强、郑铸东、吴宝瑞、肖盾、兰涛、张剑、宋吉述、曹宇（自左往右）为北京印刷学院兼职教授

面对出版产业日益融合发展的趋势，在数字出版人才培养过程中，我们也遇到一些问题，针对这些问题。我校拟在今后数字出版人才培养中，提出如下构想。

首先，要进一步提升学生的内容创意能力。数字出版作为技术驱动下产生的新的出版业态，具有表现形式丰富、发布渠道多样等特征，但优秀的数字出版产品，更需要良好的内容创意和策划。我们在培养学生的过程中，在教授专业课程的同时，还要充分注重学生内容创意能力和创新意识的培养。为此，我校将成立人文素质教育中心，进一步加强学生人文素养的培养，构建大出版、大文化、大编辑学科背景下的数字出版人才培养体系。

其次，要不断提高学生的国际化视野与能力。数字出版在国家一带一路战略实施上大有可为。如何培养面向世界、具有国际视野及国际运作经验和能力的数字出版人才，成为各个企业日益迫切的需求。下一步，我校将加大与国际知名大学联合培养数字出版相关专业学生的力度。设立国际出版专业方向，加强国际版权经理人的培养以及开展国际课程认证。同时我校还将通过柔性引进、项目合作以及在国外建立出版教育研究机构等方式，加大与国外数字出版界的交流与合作。

最后，要着力打造融媒型数字出版应用人才。新闻出版业的转型升级从基础设施上看是生产流程的重组，从内容生产方面看是传统业态的变革、创新。为此，我校将与郑州报业集团合作，打造第一个高校“中央厨房”教学实践系统，构建媒体融合的业务、技术、空间平台，探索策划、采访、编辑分发的仿真环境，培养适应产业融合发展的融媒型数字出版应用人才。总之，数字出版应用人才培养需要政产学研各方参与，我校愿与各界携起手来，加强交流与合作，为数字出版业的大发展、大繁荣贡献力量！

迎接党的十九大　做好学生引路人*

今天我们隆重集会，以“迎接党的十九大、做好学生引路人”为主题，庆祝我国第 33 个教师节，表彰一年来教职工队伍中涌现出的先进集体和个人。受表彰的教工是学校发展的优秀代表，从教满 30 年的教工，更是参与者和见证者，为学校发展作出历史性贡献！

昨天，我们迎来了 1900 多名新生，其中本科生 1600 名，研究生 325 名，让我们的校园里增添了新鲜力量，呈现喜庆阳光的氛围！今天还邀请到为学校改革和发展作出了杰出贡献的行业领军人才、我校特聘教授的代表参会。我校现有外聘教师 100 多名，他们时刻关心学校的发展，对我校培养行业所需人才起到了积极的促进作用。比如：韬奋基金会理事长聂震宁教授为我校新闻出版领域培养了诸如陈丹这样的出版骨干。另外，我校杰出校友、2017 年全国“五四”奖章获得者卓玛同学专门改签行程，昨天刚接受完中央电视台采访，今天就回到母校参会，刚才作了肺腑感言；我校资深教授李艳老师在发言中将我们带回到 30 多年前一穷二白的印院。他们的发言让我十分感动！刚才，新教工做了庄严的入职宣誓，学生代表、校友代表表达了对老师的深情祝福，教师代表畅谈了对教育事业的热爱之情。借此机会，我代表学校党委，向辛勤工作在教学、科研、管理和服务岗位上的全体教职员工致以节日的祝福！向为学校发展作出贡献的老

* 这是 2017 年 9 月 7 日刘超美在北京印刷学院庆祝 2017 年教师节大会上的讲话。

教师、老领导、老同志以及在百忙之中专程参会的各外聘专家致以崇高的敬意！在此，我要郑重地道一声：老师们，你们辛苦啦！

2017 年 9 月 7 日，北京印刷学院召开“迎接党的十九大，做好学生引路人”主题教师节庆祝暨表彰大会

过去的一年，是全面贯彻全国高校思想政治工作会议精神的一年，也是学校“十三五”发展开局之年。在全体教职工的共同努力下，学校立德树人意识进一步增强，办学特色优势进一步彰显，办学内涵进一步丰富，各项工作发展喜人。

一是推动全国高校思想政治工作会议精神入脑入心、落细落小。全国高校思想政治工作会议召开后，学校党委及时做到学好学透学用结合。聘请 6 位校外专家辅导、通过 3 次党委理论中心组扩大会、全校干部大会等形式，出台了 41 号文件，将会议精神层层传递，入脑入心。二级学院、学工、党团系统多次组织学习，并撰写心得，形成了浓郁的学习氛围；6 月 30 日，学校召开落实思想政治工作会议精神暨“七一”表彰大会，进行全面动员和部署，更是学习的加油站。学校成立了马克思主义学院，将思想政治课与新闻出版行业相结合，构建适应北印人才培养的“一观三论”；成立党委教师工作部，实施教师思想政治教育 5 年轮训计划。今年暑假，共有160多名教师，包括学术委员会专家、中青年骨干、统战人士等，分赴井冈山、古田、延安、重庆等地，开展理想信念、党性修养和统战理论的学习和实践；选优配强了基层党组织书记，现有院系级党组织书记中的74%为高级职称，教工支部书记中的71%为高级职称。学校还将师德师风和思想品德作为评先选优、职称晋升的重要考察指标。7月10日，学校下发《关于加强和改进新形势下思想政治工作的实施意见》等3个文件，为推动思想政治工作会议精神落实落小提供了保障。

二是教学科研成绩喜人。2017年，招收的全日制硕士研究生比上年扩大17.6%；一本招生省份由上年的18个增加到20个，一本生源比例由45%上升到49%，生源质量得到提升。2个新专业获批，4个专业推荐申报北京市一流专业，优化申报新增5个硕士学位授权点，完成5个一级学科和4个自设二级学科学位授权点的合格评估；两人获市优秀教师称号，3人入选市高创计划，两人分获市青年教学名师、市高校青年教师教学基本功比赛一等奖。学科布局更加优化。4个项目获国家自然科学基金，4个获国家社会科学基金，2个获市自然科学基金，4个获市社会科学基金，科研水平再上新台阶。

三是改革创新成果明显。优化教师职称体系结构，开设“教学型”“成果转化型”“直通车”等形式的晋升通道，促进各类人才成长；在学年制考核中，实行分类、量化考核、扩大二级单位自主权，调动各类人员的积极性；完善校院两级师德学风领导体系，促进师德学风建设良性发展。6月和7月，学校先后接受市政府教育督导组师德学风建设专项调研、市委教工委思想政治工作专项督查，均得到专家的普遍肯定。

四是主动服务国家战略。学校聚焦首都和区域发展重大战略主题，参与建设协同创新体系，以优质高效的社会服务开辟发展新空间。围绕国际化办学，与14个国家和地区的54所著名印刷出版高校和机构建立交流合作关系。围绕服务“一带一路”，大力发展留学生教育，实现留学生教育大发展，已有40个国家的70名硕士研究生，留学生总计400名。近日，我校成功入选北京市首批“一带一路”国家人才培养基地，这在市属高

刘超美（前排左四）获“从教 30 年”荣誉证书

校中只有 2 个，是对我校服务国家战略的充分肯定。

北京市第十二次党代会召开后，新任市委书记蔡奇同志 8 月 11 日到市委教工委调研，就市属高校适应首都 4 个功能变化、做好下一步发展提出几点重要意见：

一是要在全面服务首都战略定位上做好功课。要站在全局高度，立足优势，进一步明确办学定位，突出特色；进一步提高服务首都能力，全面聚焦服务首都四个中心，对标对表，侧重研究和解决首都发展问题。

二是要面向首都文化中心建设培养高素质人才。今后首都的每个区都要有一所以上的高校。高校要结合自身特色和区域需求，积极寻找新的增长点。

三是在学科专业设置上不能求大求全。要进一步体现京味、京韵，走内涵发展、差异化发展之路，着力服务首都产业结构的调整。

四是全面深化高等教育综合改革。从聚焦创新人才培养模式、依法办学、科学定位和办出特色 4 个方面发力。

五是当前高校党建的重点。就是狠抓落实全国和北京高校思想政治工作会议精神，下大力气抓好教师党支部建设，真正把从严治党落到支部，把党员教育落到支部。

以上这 5 点意见对于我校未来 10 年的发展意义重大、影响深远，希望大家认真学习领会和把握。

下半年，我们将迎来学校第三次党代会、“两委”换届、党建基本标准集中检查。这次党代会将系统总结5年来的成绩经验，分析问题和不足，进一步明确发展定位、目标任务及措施，事关学校“十三五”及中长期发展大局，意义重大。希望全体教师统一思想，认真参与“两委”换届，推选出一个精诚团结、奋发有为、蓬勃向上的党委班子，带领大家进一步解放思想、凝聚共识、攻坚克难，推动学校事业朝着更高质量、更有效率、更可持续的方向前进。

老师们，同志们，党的十八大以来，以习近平同志为核心的党中央领导全面深化改革，全面从严治党，党风政风社风走向风清气正，我们比以往任何时候都更加接近中华民族伟大复兴。习近平总书记两次视察北京并发表重要讲话，明确了首都“四个中心”的战略定位，为北京发展指明了前进方向。北京市第十二次党代会提出建设国际一流的和谐宜居之都的战略目标，为开创首都更美好明天奠定重要基础。

面对“一带一路”建设、首都功能调整、京津冀协同发展、行业转型升级等诸多重大外在变化和因素，我校发展既有大好机遇，也面临挑战。我们要深入认识、准确把握和分析国家、首都和行业对学校发展要求，落实落细全国和北京高校思想政治工作会议、市第十二次党代会精神，落实落地好学校3个文件，推动各项事业迈上新台阶。在下一步工作中，要注意把握好以下4个方面的关系。

一要把握好教书与育人的关系。习近平总书记在全国高校思想政治工作会议上的讲话，深刻回答了高校培养什么样的人、如何培养人以及为谁培养人这个根本问题。他强调，传道者自己首先要明道、信道。新形势下，高校教师要按照“四有”标准，做好“四个统一”。广大教师要坚定理想信念，坚持“思想引领、立德树人”，不仅要注重教书，更要注重育人；不仅要注重言传，更要注重身教，把社会主义核心价值观融入教书育人全过程，用内心深处对学生的爱诠释教师职业的内涵和建设“对学生最好的大学”。

二要把握好服务首都与服务行业的关系。学校肩负着为新闻出版行业和首都培养人才的重要使命。作为市属高校，我们更需要立足首都来谋划发展。要坚持目标导向和问题导向相结合，紧密围绕立德树人的根本任务，与行业深度对接、与首都深度融合，着力培养一流应用型人才，更好地服务首都发展尤其是首都文化功能的延伸。大兴区作为城乡发展深化改革的先行区，承担着多项国家级改革任务，正处在快速发展时期。我们要跳出北印看北京、看大兴，聚焦首都和大兴发展的重大战略，主动参与新机场临空经济区规划建设，加强与亦庄开发区沟通和深度融合，发挥学校人才和智力优势，促进校地功能互补融合。

三要把握好“舍”与“得”的关系。我校行业特色明显，印刷工程、编辑出版、艺术设计等专业在全国排名靠前，但学科专业建设也有一些问题，影响了学校的聚力发展。有“舍”才有“得”，如果再不“舍”，就很难有“得”，甚至还会有“失”。我们要结合学校现有学科优势，与首都、行业携手合作，研究推进我校特色发展，舍掉“白菜帮子”，得到“菜心”，深化打造数字印刷、数字出版、媒体艺术特色专业群，创建一流学科和一流专业，体现办学的“高精特”，形成复合型媒体人才全方位培养的新格局。

四是把握好引才与育才的关系。面对新机遇、新使命，我们要超前谋划、统筹考虑，把教师队伍建设作为最根本最基础性的工作，着力打造一支与人才强校战略和改革发展要求相适应的素质优良、爱校爱岗、甘于奉献的师资队伍。坚持人才引进与培养培育相结合，坚持理想信念教育与专业技能培训相结合，构建起分层次、多渠道的教师培养体系；要发挥好柔性引进高层次人才的作用，进一步带动校内高水平的学科梯队；要树立国际眼光，让更多青年教师出国进修深造，提升师资国际化水平，为北印今后 15 年培养好接班人和建设者。

老师们，同志们，再过一个多月，党的十九大就要召开了。让我们紧密团结在以习近平同志为核心的党中央周围，深入贯彻落实全国思想政治工作会议和北京市第十二次党代会精神，落实落细立德树人的根本任务，以拼搏为美，向行动致敬，为建设国际知名、有特色、高水平的传媒类大学继续努力，以优异的成绩迎接党的十九大胜利召开！党委相信：有你们的参与和奉献，我们的校园一定更美好，我们的梦想一定能实现！

最后，衷心祝愿大家身体健康、阖家幸福、节日快乐！

勤学修德　明辨笃行
书写大学新篇章*

亲爱的2017级新同学，尊敬的张作珍校友、卓玛校友，家长们，老师们：

秋风送爽，丹桂飘香，在北京最美丽的季节里，我们满怀喜悦与期盼迎来了1600名本科生新同学和332名研究生新同学。暑假里，伴随着录取通知书，同学们还收到了罗学科校长致全体新生的一封信，还有罗校长推荐给大家读的《平凡的世界》等三本书，但是很不凑巧，罗校长因公务出国，委托我代表他，同时也代表全校师生员工，向2017级新同学表示热烈的欢迎和衷心的祝贺！向辛勤培育同学们的老师和家长们表示诚挚的敬意和感谢！

结束了紧张的高考，观看着热播青春剧《春风十里不如你》，同学们也对自己的大学生活充满想象与期待。通过学校微信，我欣赏到了你们与录取通知书的合影，在这些青春靓丽的美照中，我看到了“姐弟北印人”，还看到了一对颜值爆表的双胞胎兄弟；在阅读大学“印·象”征文、走访新生宿舍时，同学们对学校的赞誉很让我感动，有同学说：“北印是一所能满足我对大学所有憧憬和期待的大学！北京的录取通知书是厚厚的大包裹，很意外！很惊喜！”还有同学说，“学长学姐超级热心，什么问题都耐心解答。宿舍超级干净，一看就是新修整过的，学校真是有心

* 此文是2017年9月8日刘超美在北京印刷学院2017级新生开学典礼上的讲话。

了呢！”还有很多同学的心声，我在此不能一一列举。感谢同学们对学校的高度认同，学校将继续做“有心人”，全心全意，全情投入，服务同学们全面发展成才！

在同学们写给学校的回信中，我看到了整装待发、追逐梦想的雄心壮志，也看到了对如何精彩度过大学生活的些许困惑。有同学问：“人的一生关键就那么几步，特别是在年轻的时候。那么正值年少轻狂的我们，应该如何走好这关键的一步?”我想，这一问题具有广泛代表性。在此，我结合学校学科特色和人才培养核心素质，为同学们作出解答和建议。

刘超美（后排中）等校领导为新生奖学金获得者代表颁发奖学金

北京印刷学院是一所以现代出版传媒、印刷包装为鲜明特色的应用型高校，在首都60余所高校中有着非常独特的办学特色，不仅享有“中国印刷行业黄埔军校”的美誉，还在中国大学最佳专业排行榜上年年有名。设计学、新闻出版学、美术学在学科评审中分别名列第8、第9、第11名。学校以培育复合应用型出版传媒人才为己任，在聚焦服务首都“四个中心”和媒体深度融合的形势下，学校坚持以文化人、以德育人，建设“对学生最好的大学”，倡导大爱情怀，构建全员、全过程、全方位育人体系，着力培育学生扎实的马克思主义理论功底、精湛的新媒体技术运用能力、丰富的人文素养和表达能力、坚定的理想信念和担当意识、国际视野和开拓创新精神等现代出版传媒人才核心素质，为学生的一生成长和事业发展奠定坚实基础。

校友代表、世界图书出版公司党委副书记、总经理、总编辑张作珍致辞

围绕文化强国梦想、全面服务首都战略定位和新时期出版传媒人才核心素质，同学们的大学生活应该如何度过？作为师长和朋友，我借此机会，向大家提出 4 点建议和希望。

一是志存高远，坚定理想信念。习近平总书记视察中国政法大学时勉励青年学子“要立志做大事，不要立志做大官”。立志做大事，也是青年习近平的生动写照。想必同学们都阅读了学校赠送你们的《习近平的七年知青岁月》一书，书中习近平青少年时代上山下乡，在黄土高原的小山村“苦其心志、劳其筋骨、饿其体肤、空乏其身”的历练故事的一条红线，就是他在融入群众中确立了理想信念，在艰苦环境中实现了精神升华，在青年时代树立了“让人民过上好日子”的远大志向。远大的志向目标犹如指路明灯，坚定的理想信念犹如定海神针，无论你境遇如何，总能引领你历经千辛万苦实现最初的梦想。心中有信仰，脚下有力量，同学们要自觉把大学梦、青春梦融入中国梦，树立为祖国、为人民服务奉献的信念和志向，以青春和理想书写无愧于时代、无愧于历史的华彩篇章。

校友代表、第 21 届“中国青年五四奖章”获得者、西藏安多县文化局副局长次旺卓玛寄语

二是修德向善，塑造核心价值。近期，清华大学处分 11 名违纪研究生的公告引起了广泛关注。我浏览了跟帖评论，网友出奇地一致赞同清华大学对违纪学生的处罚。有网友评论，“有才无德是毒品”，“精英作恶，比普通人危害更大”。可见，社会对低劣品行的“零容忍”。人的思想观念不正确，就好像一株歪脖子树，无论如何都长不成参天大树。价值观的重要性，正如习总书记所言，青年时期价值观的养成就像穿衣服扣扣子一样，如果第一粒扣子扣错了，剩余的扣子都会扣错。同学们要在价值观形成的关键时期，传承中华文明，塑造优秀品质，自强不息，厚德载物，刚健有为，自觉培育和弘扬社会主义核心价值观，夯实步入社会之后安身立

命的思想根基。

三是勤学苦练，提升素质能力。学生的主要任务就是学习。信息时代，科技突飞猛进，知识日新月异。九寨沟地震后仅25秒，机器人就自动编发了共540字配发4张图片的新闻稿件。人工智能挑战着新闻出版行业。同学们要珍惜青春韶华，勤读书，读好书，结合专业特色，做全民阅读的领读者；编好书，印好书，发挥专业优势，讲好中国故事。当然，读书学习向来不是一件很轻松的事情，“板凳要坐十年冷，文章不写一句空”。同学们要有吃苦精神，耐得住寂寞，抵制住诱惑，平心静气，读书学习，创业干事。出席今天开学典礼的藏族校友次旺卓玛，她是一位历经磨难的孤儿，但是她坚韧不拔、自强不息，以优异的成绩大学毕业，选择职业时主动到海拔5200米的“生命禁区”驻村4年，精准扶贫。如今作为西藏自治区安多县文化局副局长，她深度挖掘民间优秀文化，传播西藏文明，造福当地百姓。她以感人的事迹、骄人的业绩荣获了第21届“中国青年五四奖章”，受到习近平总书记的亲切接见。能吃多大苦，才能成就多大的事业，同学们要在艰苦奋斗中历练成长，不断提升综合素质和实践能力，用奋斗之青春积淀温实、美好的大学记忆。

四是自信担当，构建和谐关系。大学是人生中最美好的一段时光。大学之美，在于有大师大楼，还有志同道合的朋友。大学时期的友谊是一生中最宝贵的精神财富。同学们要自信阳光，能吃亏、能担当，构建身心和谐、师生和谐、同学和谐的关系。“生命在于运动”，希望每一位同学都能珍爱自己的身体，形成良好的作息习惯，强健体魄，强大内心。同学们来自祖国的四面八方，本科新生中女生比例高，有1034人，占比63.36%；少数民族学生多，有157人，占比9.62%；年龄最小的学生2001年出生，年仅16岁，也还是个孩子。当然，对于学校来说，你们都是北印的孩子。希望你们在北印这个大家庭中，以积极的方式和阳光的心态去沟通、去理解、去关爱、去相互尊重、相互包容、相互帮助。用真诚和善良收获友谊，用团结与协作书写传奇！

同学们，大学的美丽画卷已经展开，如何描绘，全在自身的修为。人一生的成就，不在于你读了什么大学，而在于你的大学是如何度过的，你是否在大学时期树立了远大理想，你是否在大学时期塑造了正确的价值观念，你是否在大学时期培养了坚韧不拔、拼搏进取的精神品质，你是否在大学时期学到了本领、增长了才干。希望同学们志存高远，脚踏实地，勤学修德，担当有为，努力成为新时代中国出版传媒人，奋力实现青春梦、北印梦、中国梦！

祝愿每一位新同学都能够书写精彩别致的大学篇章！都能够生活愉快！学业有成！北印期待着你们！

深入学习贯彻马克思主义新闻观 以首善标准做好人才培养工作*

尊敬的杜飞进部长、韩育副部长、张爱军秘书长、郑登文副书记以及市委办局的各位同志们，老师们、同学们：

在全党上下喜迎党的十九大、全校上下喜迎学校第三次党代会召开之际，在全国人民、全校师生满怀喜悦心情欢度国庆和中秋佳节之际，今天我们非常高兴地邀请到了北京市委常委、宣传部长杜飞进同志来校调研并为师生作报告，本次活动充分体现了北京市第十二次党代会以来，市委对于北京印刷学院发展的高度重视，体现了市委领导同志对于北京印刷学院师生的关心和关怀。本次活动同时也是贯彻中央和北京市委关于领导干部上讲台开展思想政治教育一次生动实践。

出席今天报告会的北京印刷学院的同志们有，全体在校的校领导，二级学院党委书记，马克思主义学院，新闻出版学院的全体教师，还有新闻出版学院的研究生和本科生代表。杜飞进同志，现任北京市委常委、宣传部部长，是十二届北京市委委员。杜飞进部长毕业于北京大学法律系，是法学博士，高级编辑。被中组部、中宣部和国家人事部确定为“学贯中西之联系实际的理论家”，入选全国宣传文化系统“四个一批”人才；是

* 这是 2017 年 9 月 29 日刘超美在市委常委、宣传部部长杜飞进同志报告会上的主持词。

中央实施马克思主义理论研究和建设工程专家组主要成员，享受国务院特殊津贴专家和中央直接联系的专家；被国家新闻出版总署确定为“全国新闻出版行业领军人才”和“直接联系的中青年专家”；“哲学社会科学领军人才”入选国家“万人计划”。

北京市委常委、宣传部部长杜飞进作“牢固树立和坚持马克思主义新闻观”报告

为了解媒体融合发展的现状、未来发展的目标和趋势，我带领学校党委中心组曾经去人民日报学习。当时杜部长作为人民日报新闻协调部主任，热情接待了我们。今天杜部长亲自到学校调研，为我校学生作报告，我们感到十分的亲切。

杜飞进部长曾任人民日报社理论部经济组副组长、组长，理论部副主任，发行出版部主任，教科文部主任，政治文化部主任，新闻协调部主任，人民日报社副总编辑，光明日报社总编辑，是资深的编辑出版专家。

今天，杜部长将围绕“牢固树立和坚持马克思主义新闻观”作专题报告。我想他的报告，对于我们即将召开的学校第三次党代会和我们未来的发展必将有深远的指导意义。下面，有请杜部长讲课。

（杜飞进作报告，时长 2 小时）

刚才杜部长用两个小时，非常生动地以他多年从事新闻出版传媒工作的实践和案例，作了非常生动的报告。

（罗学科校长等六名师生提问，杜飞进同志一一作了回答）

2017 年 9 月 29 日，刘超美（前台左）主持北京印刷学院“牢固树立马克思主义新闻观”专题报告会

作为今天报告会的结尾，我也抒发一下我的感受。杜部长从两点四十进到我们北京印刷学院的东门，现在已经是六点整。作为市委领导，在北京印刷学院已经停留了三小时有余，体现了杜部长对我们北京印刷学院的厚爱。他今天以牢固树立和坚持马克思主义新闻观为主题，从五个方面对马克思主义新闻观进行了全面深刻的阐释：一是如何认识马克思主义新闻观；二是关于新闻舆论工作的党性原则；三是关于正确的舆论导向；四是如何看待西方所谓的新闻自由；五是努力做马克思主义新闻观的践行者。由于时间的关系，我们最想听的第五点，他没有展开，我想留在下一次，也是很好的。杜部长作为北京市委领导，把我们学校作为联系点，我觉得不是偶然的。在 7 月份的时候，学校接到了市委领导联系点文件，我看到杜部长联系北京印刷学院，就想，杜部长那么忙能来我们北京印刷学院吗？但是没有想到，学院就接到了市委办公室的电话，说杜部长将在9月中下旬来到北京印刷学院，随后市委办公厅正式文字通知就来了。这件小事让我看到了新一届市委班子以身作则深入基层的精神，所以我觉得今天杜部长和我们就像是一家人一样，因为他也是我们行业的大家，以我们北京印刷学院提高人才培养的政治站位，认识我们北京印刷独有的意识形态和文化属性，培养适合首都行业未来发展需要的新闻出版传媒人才，应该说有着深远的战略意义。当前我校正在积极筹备第三次党代会，建设什么样的北京印刷学院，怎样建设北京印刷学院，培养什么样的新闻出版传媒人才，怎样培养党和国家信得过的新闻出版传媒人才，是我们这次党代会要解决的首要问题，那么我想在这里希望杜部长今后多指导我们北京印刷学院的工作。

最后彭红同志提的问题，大家都从媒体看到了，就是昨天国务院和中央已经正式批复北京市的总规划。我觉得这个总规划，是让我们生活在首都的人，感觉到非常振奋的总规划。我希望今天杜部长的报告，能够让我们北京印刷学院广大师生，振奋起发展好北京印刷学院的精神，更加自觉地服务于国家和首都四个战略定位，把立德树人放在首位，以首善的标准做好人才培养工作，向首都、向人民交一份满意的答卷，以优异的成绩迎接党的十九大召开。

为推动出版融合与编辑创新作出新的努力*

北京的四月春意盎然、生机勃勃。今天我们在这里隆重集会，共同见证“首届出版融合技术·编辑创新大赛颁奖大会暨第二届出版融合技术·编辑创新大赛启动仪式”这一重要时刻。在此，我谨代表中国编辑学会向出版融合技术·编辑创新大赛的获奖同志表示热烈的祝贺！向一直以来关心与支持出版编辑事业发展的各位领导与同仁们表示最衷心的感谢！

不久前在江城武汉举行的“2018 年出版融合发展创新研讨会”上，关于“出版业融合发展的关键在哪里”这个问题，当时来自出版业的 200 多位代表形成了一个共识，那就是编辑人才本身的创新和提升是出版融合发展的首要因素。我想对于在座的各位来说这也一定是不约而同的回答。

编辑是出版的核心资产，编辑工作是出版工作的核心环节，在推动中华民族走向伟大复兴的历程中，编辑肩负着总结和创新的历史重任，对文化传播的方向和质量起着决定性作用。在面对新用户群体、多层次需求、全方位挑战时期，编辑工作也面临新的考验。尤其是随着移动互联网新技术的发展，新时代的编辑队伍应运而生，编辑创新发展势在必行。

---

* 这是 2018 年 4 月 13 日刘超美在首届出版融合技术·编辑创新大赛颁奖大会暨第二届出版融合技术·编辑创新大赛启动仪式上的致辞。

2018 年 4 月 13 日，刘超美（右二）出席第二届出版融合技术·编辑创新大赛启动仪式

做具有创新能力的编辑，既要具有创新意识，也需开展创新实践。

编辑的创新意识关系到出版物是否能适应时代的要求，将最新、最优、最好的知识、方法传播给读者，完成编辑肩负的历史使命。编辑要有创新意识，只有具备创新、超前、适应时代要求意识的编辑，才能编出广大读者所需要的产品，因为在当前新的形势下，编辑如何实现紧跟市场需求、满足读者需求已经成为当务之急。

同时，编辑在出版实践中进行自我积累是提升创新能力的根本途径。无论是编辑创新思维的培养，还是编辑创新能力的塑造，无非是为了更好地开展编辑创新实践。编辑创新是在实践中得到总结和提升，创新离不开实践，实践也是编辑创新的最终指向。基于此，编辑必须全身心地投入到编辑创新的实践中去，在编辑创新的实践中正确发挥主观能动性，多出创新的编辑成果。

出版融合技术·编辑创新大赛就是一个让广大编辑在出版实践中进行自我积累的良好平台，大赛由国家新闻出版广电总局出版融合发展（武汉）重点实验室、中国期刊协会、湖北省新闻出版广电局共同举办，鼓励编辑在体制内创业创新，借助“互联网+”的时代东风，为大众创造出更丰富的知识内容交互体验。大赛以“做一本具有交互功能的现代纸书”为主题，共分为两个赛季，充分考察了编辑对于出版融合技术的应用能力，极大地激发了新闻出版行业的创新潜能。让我们再一次以热烈的掌声向那些积极参赛、勇于创新、不断进步的编辑表示由衷的钦佩！

编辑是出版生产力中最活跃、最关键的核心要素。面对行业生态、资源、产品、服务所发生的颠覆性变革，编辑工作者需要进一步做到增强文化自信，在创新思维的引领下，解决本能恐慌，真正成为运用现代传媒新手段、新方法的行家里手，从而在新媒体时代抢占文化制高点，引领文化自信。中国编辑学会始终坚持不断增强倡导工匠精神、做学者型编辑的自觉性，树立编辑职业的自豪感与荣誉感，不断提高我国出版物的编辑质量和出版质量，推出更多的精品力作。

在由新闻出版大国向出版强国迈进的过程中，迫切需要打造一支强大的编辑队伍。因此，中国编辑学会一直致力于在培养编辑人才方面作出新的探索。2017 年中国编辑学会聚焦编辑出版工作，聚焦编辑学术理论研究，培养编辑专家、名家、大家，打造出版精品等。未来，我们还需要全面提升编辑人员的综合素质，包括政治素质、文化素质、专业素质和创新素质，使其具备高度的责任感；还要适应新时代的需求，增加媒体融合内容创新，只有培养出更多具有“文化脊梁”的出版人，才能让中国从出版大国走向出版强国。

这次的第二届出版融合技术·编辑创新大赛，中国编辑学会很荣幸能作为主办方参与到大赛的组织工作中来。第二届大赛将邀请 300 多位互联网公司的运营总监和策划总监加入，我们还会为出版社推选的参赛编辑配 1 位互联网公司的策划总监，共同完成策划案。“为每个出版社培养 3 个高级编辑”是第二届大赛的重要目的。当然，中国编辑学会将以学会影响力，号召广大编辑积极参与，充分发挥我们的优势，为大赛做好宣传推广工作，不断为编辑创新提供实践平台，共同推进出版行业发展升级，使这一承载着文化传播重任的传统行业焕发新生光彩。

在此，我们也要真诚感谢国家新闻出版广电总局的领导与大力支持，感谢国家新闻出版广电总局出版融合（武汉）重点实验室、武汉·国家出版融合数据共享研发基地、中国出版学会、中国期刊协会为推动出版融合与编辑创新所做的努力，同时也真诚感谢各出版单位的大力培养与积极探索！让我们在2017年看到了如此多优秀编辑们的“现代纸书”创意成果！2018年，希望有越来越多的编辑们能加入出版融合的进程中，让我们携手并进，为出版业的发展、为我国文化产业的发展贡献出自己的一分力量！

工 作 掠 影

2003 年 4 月 2 日，刘超美（右四）为印包系学生文化周剪彩

2003 年 11 月 14 日，刘超美出席学生党员宿舍挂牌仪式

2003年12月20日，刘超美（前台左一）主持北京印刷学院2003年就业工作会议

2004年6月21日，刘超美（左二）陪同时任北印党委书记崔文志检阅学生军训方队

2004 年 9 月 17 日，刘超美（左三）陪同时任北京印刷学院院长曲德森检阅 2004 级新生军训汇演

2004 年 9 月 30 日，刘超美（左二）出席新教工培训班结业仪式

2004 年 10 月，刘超美（前排右二）与西士施乐公司签订学生奖学金

2004 年 11 月 26 日，刘超美（前排右一）出席北京印刷学院第三届大学生科技周

2005 年 1 月 14 日，刘超美（前排左五）与信息与机电工程学院 2005 届春季毕业生合影

2005 年 3 月 23 日，刘超美（左二）出席北京印刷学院“以评促建”学生干部动员会

2005 年 5 月 4 日，刘超美（前排左四）出席北京印刷学院第五次团代会

2006 年 6 月 22 日，刘超美（前排右三）出席北京印刷学院 2006 届毕业生代表座谈会

2006 年 10 月 26 日，刘超美（中）出席北京印刷学院“千年传承化为歌”文艺晚会表彰会

2006 年 12 月 29 日，刘超美（二排左四）参加北京监狱与北京印刷学院师生文艺联欢

2007 年 4 月 18 日，刘超美（左四）出席北京印刷学院团校开学典礼暨青年教工团支部成立大会

2007 年 4 月 19 日，刘超美（右一）出席 2007 届研究生毕业典礼

2008 年 9 月 10 日，刘超美（前排右一）与北京印刷学院 2008 年师德先进集体、先进个人代表合影

2008 年 10 月 25 日，刘超美（前排左七）与北京印刷学院 60 级校友合影留念

2008 年 11 月 9 日，刘超美（左五）走访广东印刷企业

2010 年 4 月 28 日，刘超美（后排中）出席北京印刷学院“老与小·手拉手”活动启动仪式

2010 年 **11** 月 **13** 日，刘超美出席北京印刷学院“同心育英才、芬芳香四海”主题颁奖典礼

2011 年 **8** 月 **23** 日，刘超美（右二）重返西藏与学生曲珍（左一）、央珍（左二）、卓玛（右一）合影

2012 年 5 月 11 日，刘超美（前排中）出席邮票印制局研究生班开学典礼

2013 年 1 月 10 日，刘超美（左四）出席北京印刷学院第六次团代会

2013 年 6 月 19 日，刘超美（右五）与 2013 届毕业生党员座谈

2013 年 8 月 6 日，刘超美（三排中）会见伊犁师范学院国旗护卫队来京访问团

2013 年 8 月 13 日，刘超美（左二）出席河北新华书店编辑出版本科班开班仪式

2014 年 1 月 3 日，刘超美（中）与学校统战代表人士座谈

2014 年 3 月 7 日，刘超美（中）接受北京印刷学院附小学生献花并合影

2014 年 6 月 23 日，刘超美（中）参加 2010 级毕业歌会

2014 年 9 月 4 日，刘超美（中）主持北京印刷学院第三次人才工作会议

2014 年 9 月 19 日，刘超美（左二）检阅学生军训受阅方阵

2015 年 7 月 3 日，刘超美（前排中）为北京印刷学院市级优秀毕业生代表颁发荣誉证书

2016 年 6 月 26 日，刘超美（前排中）出席北京印刷学院校友会理事会换届大会暨校友论坛

2016 年 9 月 9 日，刘超美（左六）出席北京印刷学院师德先进个人座谈会

2016 年 9 月 28 日，刘超美出席西沙十佳天涯哨兵与首都青年面对面活动